Chez vous en France

Mille et une clés pour faciliter la vie

Geneviève Brame

Avant-propos de Michel Polacco

La Documentation française

Geneviève Brame écrit en Normandie et travaille à Paris. Consultante en ressources humaines, elle collabore au département Mobilité internationale de la société d'avocats Ernst & Young depuis 1996. Diplômée en Psycho-pédagogie, elle a développé des compétences en ressources humaines internationales associant le management interculturel et la communication spécifiques aux problématiques de l'expatriation. Elle intervient auprès d'entreprises multinationales, de grandes écoles et d'universités.

Côté édition, Geneviève Brame a publié *Living & Working in France* (Kogan Page Publisher, Londres – www.kogan-page.co.uk – & Milford (États-Unis) 3e edition en 2004. Dans la collection « Pays d'enfance » qu'elle a conçue chez Hachette, elle est l'auteur de *Chez toi en France, Chez toi en Europe, Chez toi en Normandie*. À destination des jeunes internautes, elle a créé le site *asapfrance.info* avec les services culturels des ambassades de France à Bruxelles, à La Haye et à Londres.

Le 3 décembre 2002, au Sénat, Bernard Loiseau lui a remis l'étoile au ruban bleu de chevalier de l'Ordre national du Mérite.

Cet ouvrage a été réalisé avec le concours du ministère des Affaires étrangères (Direction de la Communication et de l'Information, Maison des Français de l'étranger).

Conception graphique : Studio graphique/La Documentation française.

© La Documentation française, Paris, 2006.
ISBN : 2-11-005912-5

Les opinions exprimées dans cet ouvrage n'engagent que leur auteur.

Sommaire

3

Le français en tête 163

Accureil tout confort 191

Consommateur averti 211

E comme Enfant, Élève, Étudiant 249

Parlons santé 275

Remerciements __

Mille mercis à Martine Pergent et Xavier Denecker, complices avec qui je partage cette aventure éditoriale depuis 1993.

Je remercie Isabelle Crucifix et Anne Latournerie de leur confiance ainsi que les collaborateurs de La Documentation française qui ont contribué à la réalisation de *Chez vous en France*, en particulier Ninon Bruguière.

Merci à Jean-Pierre Guéno, Directeur des Éditions de Radio France et à France Info qui est coéditeur de *Chez vous en France*.

J'exprime ma gratitude à la Direction de la Communication et de l'Information du ministère des Affaires étrangères, à la Maison des Français de l'étranger qui concourent à sa publication.

Une préface donne l'esprit d'un livre. Les dix auteurs de la préface de *Chez vous en France* lui offrent un trait original de chaque continent. Très sincèrement merci, à vous Madame et Messieurs de votre alerte coup de plume.

De chaleureux mercis à Patrick Le Joncour qui, en 1999, m'a ouvert la porte de Kogan Page Publisher à Londres, à Jon Finch et Ian Hallsworth, éditeurs de la version anglaise *Living & Working in France* et à Martha Fumagalli qui en est la précieuse porte-parole. Denise Starrett et Mary-Louise Stott lui ont donnée une envergure américaine avec le fidèle soutien de l'*International Herald Tribune*.

7

De l'idée… à sa publication en français et en anglais, cet ouvrage a été prétexte à des centaines de contacts et de rencontres en France et à l'étranger. À vous Madame, Monsieur, de tous horizons qui m'avez volontiers reçue, lue et relue, va toute ma reconnaissance :
– Florence Baretti, BF3C – Conseil, Communication, Coaching – Paris ;
– Marie-France Bennett – Hôtel de ville de Paris ;
– Patrick Bonduelle, Novartis Pharma – Rueil-Malmaison ;
– Alain Bruchier, Total – Paris La Défense ;
– Diane Büttner Le Moult – Munich ;
– Elza Chambel – Lisbonne ;
– Valérie Cordier et Greg Long – Strasbourg ;
– Marie Desjardins, écrivaine – Montréal ;
– Grant Douglas, SIETAR-France ;

– Jean-Pierre Evain – Paris ;
– Dominique Fix – Paris ;
– Marie-Pierre Hervé – Londres ;
– Sébastien Huyghe – député du Nord ;
– Môn Jugie, libraire – Lille ;
– Kyoko Koma, Université de Lituanie – Vilnius ;
– Jason Levin, Georgetown University – Washington ;
– Philippe Letourneux, Association des maires de France – Paris ;
– Claude Magnani, médecin – Normandie ;
– Emmanuel Mercier – Champagne ;
– Vincent Merck, Université de Technologie – Eindhoven ;
– Corine Moriou, auteur et journaliste – Paris ;
– Joe Ray, Journaliste – Paris & Barcelone ;
– Jacques Toutain, Rotary – Paris ;
– Stéphanie Veit, Fondation du Rotary (États-Unis) et Christophe Paillusseau (Paris).

Je remercie très sincèrement :
– l'Agence française pour les investissements internationaux ;
– l'Agence nationale pour l'accueil des étrangers et des migrations – Délégation régionale Paris Sud – Carole Leleu et ses collaborateurs ;
– l'Association des régions de France et les directions de la communication des régions françaises ;
– la Direction départementale de l'Emploi et de la Formation professionnelle de Paris – Main-d'œuvre étrangère – Véronique Carré et Céline Bar ;
– la Direction de la Population et des Migrations – Anne-Sophie Canhiac ;
– la Préfecture de Police de Paris – Sous-Direction de l'Administration des étrangers – Christine Wils-Morel et ses collaborateurs ;
– les Alliances françaises du monde avec lesquelles j'ai partagé quelques passions françaises ;
– les services culturels des ambassades de France, les consulats de leur attentif accueil. Un merci particulier à Yann Battefort qui suit les destinées de *Chez vous en France* depuis 2001.

Grand merci aux collaborateurs d'Ernst & Young : à Laurence Avram-Diday, Laurent Chevalier et l'équipe Human Capital ; à Agnès Caradec et le département de la communication, en particulier Claire de Loynes, Sylvie Kermoal, Mélissa Lévine et Nathalie Ott qui mettent en valeur mes publications depuis 10 ans ; à Fabrice Beaudoin et Sylvie Ferrier qui leur donnent du relief en ligne et en images.

8

Avant-propos ___

Un citoyen français sur trois a des origines étrangères si l'on regarde ses ascendants sur une ou deux générations... Et du reste qu'est-ce que la France et qu'est-ce que les Français si l'on remonte à l'époque où les Sarrasins occupaient le sud et d'où, après s'être copieusement mêlés à la population, ils furent repoussés par Charles Martel. Les Français sont tous des basques, des bretons, des savoyards, etc. Nous savons depuis longtemps que la France, comme les autres pays d'Europe, ne peut se passer de flux migratoires qu'elle a d'ailleurs encouragés pour maintenir son évolution démographique et donc ses capacités économiques.

C'est ce brassage, cet apport de sang neuf qui font la diversité et la richesse culturelle, la puissance démographique, économique, scientifique et industrielle de notre pays : l'agrégation des différences ne doit pas être redoutée, elle doit être raisonnablement organisée.

La France est depuis toujours un pays d'accueil provisoire ou définitif pour des milliers d'étrangers qui viennent y vivre pour y étudier, y travailler, y résider ou s'y enraciner... parfois aussi pour se protéger. À l'heure de l'Europe, des programmes Erasmus et du brassage indispensable de nos élites, la réticence vis-à-vis de l'étranger devient d'ailleurs de plus en plus souvent discutable et un peu anachronique...

Qu'il s'agisse des 250 000 étudiants qui, chaque année, fréquentent nos universités, des 100 000 nouveaux actifs et des stagiaires qui viennent pour travailler dans nos entreprises, ou des 76 millions de touristes qui parcourent nos paysages et apprécient nos richesses culturelles et gastronomiques, ils sont nombreux ceux qui souhaitent trouver les clefs indispensables pour mieux plonger leurs racines provisoires ou définitives dans leur nouvelle terre d'accueil, pour mieux la comprendre « de l'intérieur ».

Cet ouvrage, concocté avec Geneviève Brame, est à la fois un mode d'emploi de la France pour les étrangers qui y séjournent et pour les Français qui, lorsqu'ils se rendent à l'étranger, aiment parler de leur pays et le faire apprécier.

Sa lecture est en effet toute aussi primordiale pour tous les Français qui chaque année accueillent, hébergent ou rencontrent des étudiants, des stagiaires, des collaborateurs, des collègues de travail issus de tous les continents…

À l'ère d'Internet et du haut débit, les informations et les chroniques de France Info, tout comme les publications et les bases de données de La Documentation française, comptent souvent parmi les premières opportunités de contact, parmi les premières sources d'information que les étrangers trouvent sur la France, lorsqu'ils résident dans leur pays d'origine.

Il pouvait donc être fructueux que France Info et La Documentation française suivent et retrouvent ces web-auditeurs dès lors qu'ils franchissent nos frontières ! La logique voulait que ces deux entreprises de service public entrent en synergie pour donner à ce guide tout l'impact qu'il mérite. Et ceci d'autant plus, au moment où *Chez vous en France* publié dans un premier temps par une Française dans la langue internationale d'aujourd'hui – l'anglais –, trouve dans ce livre sa légitime traduction dans la langue de Voltaire, naturellement faite pour donner à nos hôtes l'outil pratique qu'ils attendent, en même temps qu'un beau support d'apprentissage et de perfectionnement du français…

MICHEL POLACCO
directeur de France Info

Préface _____

Dix personnalités des cinq continents croisent la plume

Il n'est pas toujours aisé de saisir les doux paradoxes qui sont ceux de la France. Elias Canetti disait de la France et de l'histoire française tout entière qu'elles sont placées sous le signe de la Révolution, de même que la forêt, réelle et symbolique, est l'image de l'Allemagne. Quoi de plus utile et de mieux senti que le livre de Geneviève Brame pour cerner par touches successives les spécificités et la « couleur locale » de ce pays aux allures révolutionnaires, avant de les vivre au quotidien!

_____
GERARD MORTIER
directeur de l'Opéra national de Paris

Si j'inclus la France dans mon univers, ce n'est pas seulement parce que j'en admire les sites et les monuments, si merveilleux soient-ils, mais plutôt parce que les Français ont bien voulu partager avec moi leurs expériences, qui sont un paysage encore plus merveilleusement varié, de chaleur et de glace, de tendresse et de ridicule, parce qu'ils m'ont offert un commentaire d'une inépuisable richesse sur la sagesse et la folie. C'est pourquoi aucune vie n'est tout à fait complète si elle ne comprend pas au moins un petit élément français. Et aucune vie française n'est totalement fermée aux étrangers ni à leurs façons d'être.

_____
THEODORE ZELDIN
professeur au St Anthony's College, Oxford

Parmi les gens du monde entier qui depuis longtemps aiment venir en France, pour y vivre, pour y étudier, y passer un temps plus ou moins long ou tout simplement en touristes, les Américains sont parmi les plus nombreux. Puisque la France change, c'est toujours une autre France qui les attire. Dans les années vingt, celles des années folles, c'était le pays qui représentait la fuite de la prohibition. Après la seconde guerre mondiale, beaucoup de *GI's* sont restés et pas mal d'Américains noirs – intellectuels, musiciens, artistes et autres – furent attirés par un climat racial plus accueillant en France que celui des États-Unis de l'après-guerre immédiate encore gravement ségrégué.

La France du XXIe siècle est bien différente. Elle a d'autres attraits pour les Américains qui y viennent en grand nombre. Elle a d'autres problèmes aussi, d'autres structures, d'autres réalités – et tous ces aspects intéressent, voire passionnent les étudiants et les touristes. Pour connaître la vraie France d'aujourd'hui, le livre de Geneviève Brame est la meilleure référence. Il est même indispensable, et non seulement pour l'étranger qui sait qu'il faut aborder la France tout d'abord par la langue française, mais aussi pour les Français eux-mêmes. *Chez-vous en France* est le *vade-mecum* pour nous tous qui connaissons le pays, qui y vivons ou qui y arrivons. Comment avons-nous donc fait avant ce livre clair, complet, admirable. Désormais, c'est un « must ».

Tom Bishop
professeur
directeur du Centre de civilisation française à New York University

Petite, j'étais si petite que, pendant les vacances, la sieste fut décrétée obligatoire, comme si la paresse que l'on m'imposait devait dissuader de se laisser aller à la sienne, la nature. On tirait alors les rideaux, en s'assurant de n'oublier aucun livre dans la chambre pourtant obscure. Mais on n'avait pas pris garde au bon gros resté là, supposé inoffensif, et qui, bien sûr, ne l'était pas, puisque à lui seul, il était tous les livres : j'ai donc passé, en douce, tous mes après-midi de vacances avec *le Petit Larousse*.

Durant toutes ces heures, la belle dame qui sème à tout vent me soufflait les mots les plus improbables, les plus rigolos, les plus délectables ; tels les aigrettes flottant au gré de leurs trajectoires aléatoires, ils s'accrochaient aux rideaux, se posaient sur les fauteuils, cernaient le lit ; dans ces pays où nous ne faisions que passer, où rien vraiment ne nous ressemblait, ils s'assemblaient, se superposaient, se juxtaposaient, se complétaient, s'opposaient, s'épaulaient, jusqu'à constituer un cocon ouaté, que le vent de notre histoire ne pourrait que déplacer, sans jamais nous en chasser. S'y trouvaient les promesses de tous les savoirs, la collection de toutes les émotions, de toutes les sensations, le germe de toutes les révoltes, le rêve de toutes les amours ; rien ne saurait jamais advenir ailleurs et autrement que dans cette langue qui en m'expliquant à moi-même m'expliquait le monde, et dont je n'aurais jamais imaginé devoir sortir.

Il le fallut pourtant, mais pas comme on croit : née en français, j'avais pourtant à découvrir le Français de France : toujours et jamais le même, du Nord au Midi on le trouvait réservé ou ensoleillé, rugueux, rocailleux, distingué, bousculé, encanaillé, ou châtié. Une telle diversité, se déclinant au gré de villes, provinces, ou régions, m'enchantait. Et aujourd'hui, après avoir dans ce pays beaucoup, beaucoup voyagé, j'en suis toujours à mon ravissement premier : si quelque paysage bruissant sous le soleil vous faisait évoquer la cigale ayant chanté…, il se trouvait toujours quelqu'un pour ajouter « tout l'été ».

Partout où cette langue se parlait, en villes, montagnes ou campagnes, je pourrais donc dire quelque chose à quelqu'un, qui me répondrait, et ferait de ce pays, pour moi, un espace habité.

STELLA BARUK

mathématicienne et écrivain

Il n'est pas si simple de dire pourquoi la France est si attractive malgré ses nombreux et évidents défauts. Dire qu'elle est un pays magnifique et que sa nourriture est excellente est bien plus qu'une évidence. Pour moi, tout réside chez les Français eux-mêmes. À la fois incroyablement fermés et tellement attirés par les autres cultures, ils sont passionnés par les choses qui comptent et font que le travail n'est qu'un moyen de gagner de l'argent pour profiter de la vie.

Chez vous en France de Geneviève Brame est une excellente introduction à « l'exception française ». Il est indispensable à tous les nouveaux résidents en France qui voudraient mieux la décrypter.

SHIV SETHURAMAN

directeur général – Ogilvy & Mather

13

Le jour où je suis officiellement arrivé en France, dans le port normand de Ouistreham tout enveloppé de brouillard, il me fallut trouver un agent des frontières pour tamponner mon visa de long séjour. Quand un douanier, plutôt détendu, finit par émerger du terminal portuaire pour inspecter mon passeport, il fut frappé d'étonnement. « Vous venez de Nouvelle-Zélande ? Et vous voulez vraiment vivre en France ? » me demanda-t-il, un sourire jusqu'aux oreilles… « car on paie bien trop d'impôts ».

Quelques mois plus tard, j'étais chez le coiffeur à Caen. « Et si je vous faisais la même coupe que moi, peut-être pourrait-on échanger nos passeports ? » me dit-il. On s'est regardés dans le miroir et on a éclaté de rire. Il plaisantait, mais seulement à demi.

La France se trouve à un tournant. Elle conserve beaucoup de fierté, et avec raison, pour ses valeurs et ses accomplissements, mais elle commence tout juste à prendre la mesure des problèmes auxquels elle doit faire face. En même temps, me semble-t-il, les Français en général restent remarquablement ouverts aux autres, manifestent leur curiosité, et sont prêts à se serrer les coudes pour traverser les moments de crise. Pourquoi est-ce que j'adore vivre en France ? Je pense que c'est en partie grâce à cette étrange alchimie entre confiance en soi, doute de soi et solidarité.

ANDREW JOHNSTON
poète néo-zélandais
*directeur-adjoint des pages éditoriales de l'*International Herald Tribune

Avec le désir de France dans des pays comme le mien – le Cameroun – nombreux sont les jeunes qui rêvent de s'entendre dire au consulat de France ou à la douane française : « Chez vous en France. » Seulement, avec les tours de vis qui ne cessent d'être donnés aux lois sur l'immigration, je crois qu'ils prononcent ces mots plus souvent qu'ils ne les entendent.

En revanche, lorsque ces mêmes mots sortent de la bouche de votre rédacteur en chef au pays qui estime que la simple traversée de la Méditerranée vous rend plus Français que Camerounais, cela appelle de multiples interrogations. Dois-je considérer la France comme un second chez moi ou comme chez moi tout simplement ? Ou alors dois-je dire de la France « mère des arts, des armes et des lois » qu'elle a encore innové en matière d'exception culturelle en pratiquant le droit à la libre nationalité pour tous ?

Le livre de Geneviève Brame apporte-t-il les bonnes réponses à ces interrogations légitimes ? Sans en déflorer le contenu, je crois qu'il apporte à son lecteur les clés pour devenir un hôte averti de la France. Le monde étant devenu un village planétaire, autant celui qui va dans la case du voisin a besoin de se sentir bien accueilli, autant le voisin qui accueille joue sa réputation en accueillant. C'est, de mon point de vue, la grande leçon de *Chez vous en France.*

LOUIS KEUMAYOU
Radio Vatican, Le Messager
président de l'Association de la presse panafricaine (APPA)

Douce France, tu n'es pas le pays de mon enfance mais tu as su m'ouvrir les bras. Ici, le débat d'idées est l'héritage d'une longue histoire qui fait mon admiration. La tradition française est l'ambivalence et pour ma part, je préfère l'optimisme de la volonté au pessimisme de l'intelligence. Aussi, j'espère ma Belle France prendre part à ton futur puisque je suis à part entière dans ton présent.

Vladimir Fédorovski
écrivain

Étant de naissance, d'éducation et de culture franco-britannique, et depuis ma plus tendre enfance, à cheval sur les deux pays, je suis plus à même de juger celle que sir Philip Sidney, un grand guerrier poète, appelait il y a quatre siècles « *that sweet enemy, France* ».

Quel contraste entre la France d'avant-guerre que j'ai connue rurale, provinciale, profondément attachée au terroir, ancrée dans ses traditions, ses modes de pensée et ses habitudes ancestrales, et celle d'aujourd'hui, éblouie par le modernisme et l'avant-garde, émancipée dans ses mœurs et ses idées, ayant porté l'émancipation de la femme aussi loin que les États-Unis et devenue une nation industrielle de première grandeur. Elle est peut-être entrée dans le XXIᵉ siècle et dans la mondialisation à reculons, mais elle y est entrée tout en demeurant, pour le grand bien de la civilisation de la vieille Europe « mère des arts et des lois », sinon des armes, comme la décrivait Sully, et continuant à vivre dans le passé, tout en regardant l'avenir, avec quelque appréhension et réticence… mais toujours consciente d'être encore la « grande nation ».

Charles Hargrove
Ancien correspondant du Times
membre de l'Académie des Sciences sociales et politiques

J'aime la Chine, j'aime aussi la France. Nos deux pays ont une longue histoire et une brillante civilisation. Après quatre ans d'études en France, j'ai contribué à une coopération franco-chinoise très active entre les Universités de Nanchang et de Poitiers. La création du premier Institut Confucius en France en 2005 en est le fruit.

Au début de nos travaux, j'ai rappelé à mes amis français, les mots du philosophe chinois Laozi « il faut trouver la voie ». Aujourd'hui, nos échanges universitaires sont assurément sur le bon chemin et le livre de Geneviève Brame, *Chez vous en France*, trace à sa façon une

voie originale pour mieux aider les Chinois à comprendre la France. Je souhaite que nos deux pays puissent développer amicalement ce que Confucius appelle « harmonie mais différence ».

Dr. Gan Xiaoqing
vice-président de Nanchang University
directeur de l'Institut Confucius à Poitiers

Destination France

« Quelle serait une société universelle qui n'aurait
point de pays particulier, qui ne serait ni française,
ni anglaise, ni allemande, ni espagnole, ni portugaise,
ni italienne, ni russe, ni tartare, ni turque, ni persane,
ni indienne, ni chinoise, ni américaine, ou plutôt qui
serait à la fois toutes ces sociétés ? Qu'en résulterait-il
pour ses mœurs, ses sciences, ses arts, sa poésie ? »

Chateaubriand

La rencontre avec un autre pays, avec une autre culture promet à coup sûr une expérience inédite et sans doute quelques étrangetés… À vous la Tour Eiffel et le pays de Descartes, le face-à-face avec les Français un tantinet critiques mais si créatifs, à vous aussi les saveurs de la baguette, du camembert et du bon vin… N'en déplaise aux collectionneurs de clichés et de cartes postales, la France est un peu cela, mais plus encore, un pays entreprenant où les idées neuves peuvent aller à grande vitesse. Et si au pays de la raison et de la passion, du pessimisme distingué et de l'enthousiasme immodéré, du tu et du vous… réaliser la synthèse des paradoxes était un talent?

76 millions de touristes le disent, la France charme et enchante, les Français intriguent, agacent parfois et méritent d'être connus. Et vous, qu'en dites-vous? On a beau dire et on a beau faire, la France est une somme de différences qui font sa diversité. Bon prétexte pour vous parler de ce pays « *ni rond, ni carré* », surnommé l'Hexagone.

Chez vous en France est un livre à double titre, dédié aux étrangers dont le chemin, les études, la carrière passent par la France aussi bien qu'aux Français qui les rencontrent. À juste titre, il s'adresse au plus grand nombre. Sérieux et souriant, il se veut aussi un message de bienvenue en France selon une tradition d'accueil qui a permis à des hommes et des femmes de tous les coins du monde d'y apporter et d'y partager savoir-faire, compétence et imagination.

À votre tour, vous projetez d'y séjourner, d'y travailler, seul ou en famille. La France est d'abord un autre monde à décrypter : ce qui séduit le touriste peut devenir de véritables tracas pour le résident pressé de s'intégrer. *Chez vous en France* a l'immense ambition de faciliter votre changement d'horizon. Il fera tout pour vous, mais rien à votre place.

En guise de méthode, à la fois un questionnaire à la Proust et un inventaire à la Prévert ont recensé, pour y répondre utilement, tout ce qui occupe et préoccupe : environnement, institutions, vie active, culture quotidienne, santé, loisirs… usages et humeurs… De l'essentiel à l'accessoire, du général au particulier, chaque thème a des raccourcis, des confidences et des références. À l'appui, une chronologie donne des dates-clés.

Côté utile, *Chez vous en France* place l'information dans son contexte historique ou culturel et privilégie les citations qui illustrent les bons côtés de la vie française. Écrit avec la complicité de témoins de nationalités et de cultures différentes, ayant élu domicile en France depuis deux mois ou vingt ans, ce livre est un peu le leur pour mieux être le vôtre. Alors rendez-vous à la page utile ou à la ligne qui vous sourit pour mieux être *chez vous en France.*

La France

« *La France*, pays des contradictions,
est à la fois *novatrice* avec *audace* et *conservatrice*
avec *entêtement*, *révolutionnaire* et *traditionnelle*,
utopiste et *routinière.* »

Émile Montégut

La France :
un pays de caractère

*« Ma France de toujours que la géographie ouvre comme une
paume aux souffles de la mer pour que l'oiseau du large y vienne
et se confie. »* Louis Aragon

■ Photographie

La France métropolitaine a une forme hexagonale presque symétrique. On la surnomme l'« Hexagone ». La superficie habitable est de 200 000 km^2 pour une superficie totale de 550 000 km^2. C'est le plus vaste pays d'Europe devant l'Espagne, l'Allemagne et la Suède.

Ses paysages, ses visages, ses accents varient du nord au sud, d'ouest en est. La France est gâtée par la nature. On y trouve tous les reliefs, de la montagne à la plaine jusqu'à la mer, et tous les temps au fil des quatre saisons : soleil et vent, neige ou pluie. Son climat, d'influence continentale

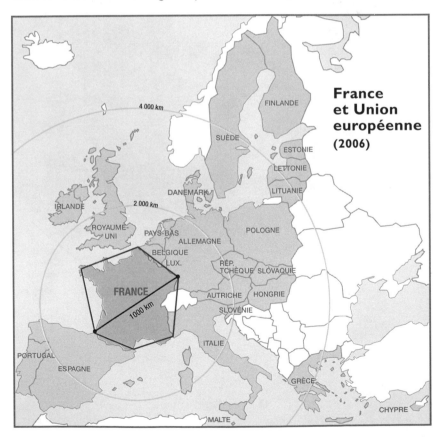

France
et Union
européenne
(2006)

et maritime, est dit « tempéré ». Parmi 300 essences d'arbres, chênes, hêtres et sapins, pommiers et cerisiers, tilleuls et oliviers sont les plus communs. La plupart des grandes villes françaises sont à moins de deux heures de la mer ou de la montagne… ou les deux à la fois.

La France administrative (régions et départements)

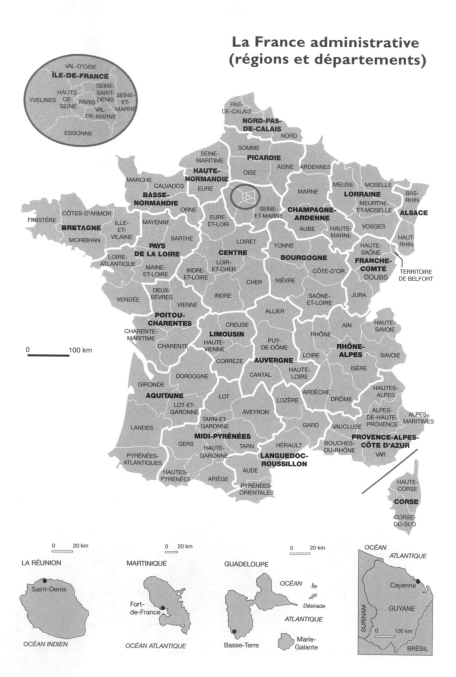

24

Selon Paul Morand, « *notre Hexagone ne se conçoit qu'inscrit dans la sphère* ». Il est entouré de six voisins européens (l'Allemagne, la Belgique, l'Espagne, l'Italie, le Luxembourg et la Suisse) et des principautés d'Andorre et de Monaco. Paradoxe à la française : l'Hexagone est le plus latin des pays nordiques et le plus nordique des pays latins !

De plus, on trouve un peu de France aux quatre coins du monde : ce sont les terres d'outre-mer, qui font partie intégrante de la République française. La Guadeloupe, la Martinique, la Réunion et la Guyane sont à la fois départements et régions. Kourou, en Guyane, est la base spatiale de la fusée *Ariane* depuis 1979. La Polynésie française a le statut de « pays d'outre-mer » doté d'une autonomie renforcée tandis que Saint-Pierre-et-Miquelon, la Nouvelle-Calédonie, Wallis-et-Futuna et Mayotte ont le titre de « collectivités d'outre-mer ». L'archipel des Kerguelen et la Terre Adélie, en Antarctique, sont des bases scientifiques isolées où résident quelques chercheurs et militaires pour y mener des études. Grâce à l'outre-mer, la France est le troisième domaine maritime mondial.

Depuis nombre d'années, la France est le pays préféré des touristes. Sa géographie est attractive tandis que son imaginaire culturel et historique incite plus de 76 millions de visiteurs étrangers par an à venir découvrir ce pays de curiosités.

Côté montagne, le mont Blanc couronne les Alpes. Ses 4 809 m en font le toit de l'Europe. Les autres reliefs tels que les Vosges, le Jura, le Massif central et les Pyrénées sont de plus en plus fréquentés par les skieurs et les randonneurs, été comme hiver.

Côté mer, l'Hexagone est ouvert sur quatre mers et aligne 5 500 km de côtes, parsemées d'îles qui abritent des ports de commerce, de pêche ou de plaisance. On peut se baigner dans la mer du Nord aux immenses plages ou dans la Manche aux grandes marées. Certains préfèrent surfer sur les vagues géantes de l'océan Atlantique, d'autres optent pour la douceur méditerranéenne qui enserre la Corse. « *La France est comme les timbres, elle est déchirée tout autour du côté de la mer.* » Édouard (9 ans)

Dans les années soixante, l'évolution démographique et le nécessaire aménagement du territoire ont modifié l'espace naturel, faisant surgir des rails, des autoroutes, de cités HLM (habitations à loyer modéré) et des centres commerciaux cernés de panneaux publicitaires. De nouvelles règles d'urbanisme s'imposent dorénavant, et depuis mars 2005, une charte de l'environnement a été adoptée comme principe constitutionnel. Les comportements doivent en effet évoluer dans les secteurs de l'industrie, de l'énergie, des transports et de l'agriculture pour préserver le cadre de vie.

Les Français intègrent peu à peu la notion de « développement durable » et de protection de la diversité du pays. En français, le mot « **pays** » est une réalité géographique (territoire) et juridique (État) mais conserve une résonance affective. On dit que la Gascogne est le pays de Montesquieu et de Montaigne car ils y sont nés.

On dit aussi de la France qu'elle est le « **pays de Cocagne** », ce qui renvoie aux légendes du Moyen Âge, au temps où l'homme ordinaire pauvre et affamé rêve d'un pays d'abondance, un pays imaginaire, « *un vrai pays de Cocagne, où tout est beau, riche, tranquille, honnête* » (Baudelaire).

Dans le Sud-Ouest, le pays de Cocagne existe et se situe dans un triangle Toulouse-Carcassonne-Albi, la région d'où partaient les « cocagnes ». Les maîtres teinturiers savaient extraire le bleu pastel de ces boules de feuilles de guèdes broyées, fermentées et séchées.

■ Les institutions en bref

« La France est une République indivisible, laïque, démocratique et sociale. » Art. I de la Constitution de la Vᵉ République

La République française est un État-nation. La nation est un concept politique, *« un vouloir vivre collectif »*, selon Renan, tandis que l'État est une notion juridique. L'État est constitué d'un territoire, d'institutions politiques, d'une langue. Il dispose du pouvoir et de l'administration pour agir au bénéfice de la nation et des Français. Au fil des siècles, l'histoire tumultueuse faite de guerres et de paix a forgé l'identité française attachée à la liberté et au pluralisme des opinions.

Élaborée par le général de Gaulle et approuvée par les citoyens français, la Constitution du 4 octobre 1958 fonde la Vᵉ République. Un préambule y rappelle la Déclaration des Droits de l'Homme et du Citoyen de 1789, suivi de 92 articles qui fixent l'organisation de l'État. Cette Constitution a été révisée à plusieurs reprises pour intégrer des évolutions républicaines majeures. Par exemple, l'élection du Président de la République s'effectue au suffrage universel direct depuis le référendum du 28 octobre 1962 tandis que le mandat présidentiel a été réduit de 7 ans à 5 ans en l'an 2000. L'approbation d'une révision constitutionnelle relève d'un référendum ou d'un vote du Parlement (Assemblée nationale et Sénat ensemble) convoqué exceptionnellement en Congrès au château de Versailles.

La laïcité

La Déclaration des Droits de l'Homme et du Citoyen inscrit la liberté religieuse comme droit constitutionnel. La République française est un État laïque qui assure l'égalité des citoyens devant la loi sans distinction d'origine et de religion.

Depuis Clovis (465-511), la France a une tradition de religion catholique. C'est pourquoi on y compte 160 cathédrales et au moins une église par commune. En 1792, l'état civil, tenu jusqu'alors par l'Église catholique, est confié aux mairies. Ainsi, les non-catholiques deviennent des citoyens à part entière. En 1881, Jules Ferry instaure l'instruction publique, gratuite et laïque. C'est la loi du 9 décembre 1905, portée par Aristide Briand, qui impose la séparation des Églises et de l'État. Elle se veut une loi de pacification entre deux France : la républicaine anticléricale et la religieuse. Le principe de laïcité dissociant la citoyenneté et la religion s'est de fait inspiré des principes humanistes et universalistes du siècle des Lumières. La France respecte toutes les religions et croyances qui relèvent de la vie privée dès lors qu'elles sont tolérantes.

Dans cet esprit, la loi du 15 mars 2004 interdit tous les signes religieux ostensibles à l'école publique. C'est une façon de rappeler que l'école de la République doit être un espace d'apprentissage et d'expérience, de respect de la diversité, en plus d'un lieu d'éducation. Être égaux, différents, libres et solidaires, autant de valeurs qui constituent le socle du « vivre ensemble » à la française.

Exception faite pour l'Alsace et la Moselle, qui étaient allemandes de 1871 à 1919 et conservent un régime spécifique de compromis religieux et laïque.

27

■ Un pouvoir présidentiel et un régime parlementaire

La France est régie par un régime démocratique semi-présidentiel. La séparation des pouvoirs s'applique aux trois composantes de l'État : le pouvoir exécutif, le pouvoir législatif et le pouvoir judiciaire.

– Le Président de la République (qui veille au respect de la Constitution) et le gouvernement (qui fixe les règlements d'application des lois) garantissent ensemble l'exécution des lois. Le chef de l'État est chef du **pouvoir exécutif** mais n'est pas responsable devant le Parlement, tandis que le Premier ministre l'est.

– Le **pouvoir législatif** est conféré au Parlement, qui élabore et vote les lois. L'initiative des lois relève soit du gouvernement (projet de loi), soit d'un parlementaire (proposition de loi).

– Le **pouvoir judiciaire** est exercé par les magistrats, qui sanctionnent le non-respect de la loi.

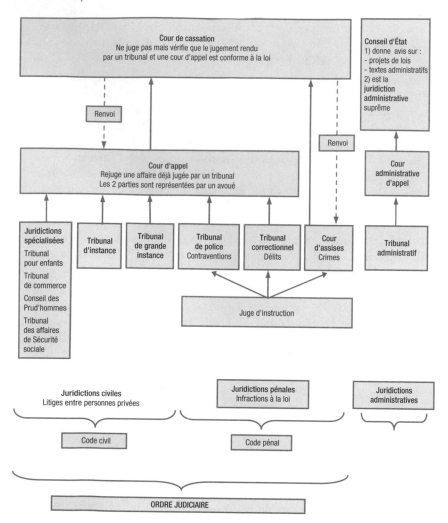

• Le **Parlement** est le porte-parole de la nation et doit contrôler l'action du gouvernement. Il est constitué de l'**Assemblée nationale** et du **Sénat**. Chaque chambre comporte des groupes parlementaires et des commissions permanentes, et peut nommer des commissions d'enquête et de contrôle sur des sujets d'actualité.

L'Assemblée nationale représente le peuple : chaque département compte de 2 à 24 circonscriptions électorales selon sa population, soit un député pour environ 100 000 habitants. En tout, *577* députés élus au suffrage direct siègent au Palais-Bourbon. Le Sénat représente les collectivités territoriales et les Français établis à l'étranger, et au palais du Luxembourg siègent 321 sénateurs élus par les « grands électeurs » que sont les maires et les conseillers régionaux et généraux.

Un projet ou une proposition de loi peuvent être déposés devant l'une ou l'autre des assemblées qui, à tour de rôle, l'examine et l'amende. À l'issue de cette « navette parlementaire », les deux chambres doivent voter un texte commun, sinon le dernier mot revient à l'Assemblée nationale. Après validation par le Conseil constitutionnel, la loi sera promulguée par le Président de la République et publiée au *Journal officiel*. Cependant, les lois n'entrent en vigueur qu'après publication des décrets d'application.

Selon le principe de séparation entre le pouvoir exécutif et le pouvoir législatif, le Président de la République ne peut intervenir au Parlement. En revanche, il peut dissoudre l'Assemblée nationale si celle-ci désavoue la politique du gouvernement. Les députés sont alors renvoyés devant leurs électeurs. L'Assemblée nationale peut censurer et renverser le gouvernement tandis que le Sénat ne le peut pas et ne peut être dissous. Selon l'actualité, le gouvernement est soumis aux questions écrites ou orales des parlementaires lors des séances publiques. Les ministres sont tenus d'y répondre.

La France est administrée depuis Paris, qui centralise nombre de pouvoirs politiques et économiques même si la loi constitutionnelle du 28 mars 2003 établit que « *l'organisation de la République est décentralisée* ».

Le statut de préfet, créé en 1800 pour représenter l'État dans chaque département, sert toujours l'idée d'unité nationale et d'État fort selon l'« esprit jacobin ». Cette expression est empruntée au club de révolutionnaires qui, en 1789, se réunissait pour défendre la patrie au couvent des « Jacobins » à Paris. À l'opposé, les Girondins, révolutionnaires originaires de la Gironde, s'opposaient à ce principe de centralisme.

Aujourd'hui, lors de débats sur la délégation de pouvoirs vers les régions ou les départements, le qualificatif « jacobin » est attribué aux défenseurs d'un État « centralisé » au nom de l'égalité des citoyens.

• Le **Président de la République** est au centre du système politique. Il nomme le Premier ministre, qui lui-même choisit ses ministres pour former le gouvernement. Le chef de l'État promulgue les lois et signe les ordonnances et décrets issus du Conseil des ministres, qu'il préside. Il dirige la politique internationale tandis que la gestion quotidienne relève de la responsabilité du Premier ministre. Il est le chef des armées.

Le Conseil des ministres se réunit chaque mercredi autour de la table ovale du salon Murat, à l'Élysée, palais de la présidence de la République depuis 1873. Jacques Chirac est le cinquième Président de la Vᵉ République française. Il a été réélu le 5 mai 2002 pour un quinquennat.

Par tradition, le Président de la République s'adresse aux Françaises et aux Français par l'intermédiaire des médias le 31 décembre, à 20 h, pour le rituel des vœux, et le 14 juillet, à l'occasion de la fête nationale. D'autres interventions spontanées ont lieu en fonction de l'actualité nationale ou internationale. Un discours officiel débute comme une lettre : « Chers compatriotes ». Il se termine par « Vive la République, vive la France » (autrement dit « que vive la France », du verbe « vivre »).

Le protocole

Le minutieux cérémonial qu'est le protocole est, selon Louis XIV, « *la théorie de l'étiquette* » ou, selon le général de Gaulle, « *l'expression de l'ordre de la République* ».

Les règles du protocole fixent la hiérarchie de l'État. Ainsi le président du Sénat est-il le deuxième personnage de l'État après le Président de la République, qu'il remplace en cas de force majeure. Viennent ensuite le président de l'Assemblée nationale puis le Premier ministre, et, selon les gouvernements, le rang des ministres varie en fonction de leurs titres et de leurs responsabilités.

Depuis des siècles, des conventions diplomatiques codifient les préséances des rencontres internationales et ont réponse à tout : l'ordre des discours, le plan de table, la couleur des fleurs, la valeur des cadeaux échangés.

• La **justice** est gardienne de la liberté. La France est un pays de droit écrit, inspiré du droit romain. Les attributs de la justice sont de source royale et républicaine, associant notamment le glaive, la balance, le chêne et l'olivier. Le Code civil, voulu par Napoléon pour forger un ordre social en matière d'état civil, de famille et de propriété et créer un sentiment d'appartenance national, s'est substitué aux droits locaux et coutumiers. Il s'est imposé à tous les Français soumis à une même loi. Le Code civil, né en 1804, compte plus de 2 280 articles de loi qui ont évolué en fonction des mutations sociologiques de deux siècles passés. Chaque litige a son tribunal et, selon la nature et la gravité des affaires, les tribunaux, appelés aussi « juridictions », peuvent être saisis. La responsabilité pénale est conférée à partir de 18 ans, âge de la majorité civile. Le tribunal pour enfants est réservé aux mineurs.

Les litiges entre citoyens et pouvoirs publics concernent la juridiction administrative, qui comprend notamment le Conseil d'État, le tribunal administratif et la Cour des comptes. Quant à la Cour des comptes, elle contrôle la régularité et la gestion des dépenses publiques.

■ Des instances de contrôle

• Le **Conseil constitutionnel** est l'organe suprême qui statue, s'il y a saisine, sur la conformité des lois à la Constitution. Ses décisions s'imposent. En outre, ses 9 membres veillent à la régularité des élections. Ils sont nommés pour 9 ans ; trois le sont par le Président de la République, trois par le président de l'Assemblée nationale et trois par le président du Sénat. Les anciens Présidents de la République en sont membres de droit à vie. L'impartialité exigée de ses membres leur confère la qualité de « sages ».

• Le **Conseil d'État** joue un rôle de conseil auprès du gouvernement, il est associé à la rédaction des projets de lois et des textes officiels. Il donne un avis au gouvernement sur leur application. Juridiction administrative, le Conseil d'État est aussi l'arbitre des conflits entre les citoyens et les services de l'État. Il statue en dernier recours sur les jugements des tribunaux administratifs contestés.

• La **Cour des comptes**, constituée de magistrats, contrôle au fil de l'année la juste utilisation de l'argent public. Collecté par l'impôt, il est dépensé par les administrations, les entreprises et les services publics, la Sécurité sociale ou les associations bénéficiant de fonds publics. Il rend, au début de chaque année, un rapport annuel faisant un état des lieux critique de la gestion publique. Au niveau local, le contrôle est dévolu aux chambres régionales des comptes.

• La **Cour de justice de la République** a été créée pour juger les membres du gouvernement qui sont accusés de faits graves dans l'exercice de leurs fonctions. Elle compte 6 députés, 6 sénateurs et 3 magistrats. La **Haute Cour de justice** est une autre juridiction d'exception, composée de parlementaires, qui aurait à juger le Président de la République s'il y avait accusation de « haute trahison ».

■ Des instances consultatives

• Le **Conseil économique et social (CES)** représente les intérêts économiques et sociaux. Il est composé de représentants des syndicats, du patronat ainsi que d'associations et de personnalités qualifiées et choisies pour leurs compétences. Organisme consultatif, il donne un avis au gouvernement sur les grandes questions d'actualité ainsi que sur les projets et propositions de loi.

• Le **Conseil supérieur de la magistrature (CSM)**, présidé par le Président de la République assisté du ministre de la Justice – ou Garde des sceaux de la République –, est garant de l'indépendance de l'autorité judiciaire. Il donne un avis sur la nomination des magistrats et sur d'éventuelles sanctions disciplinaires. Le Président de la République a le « droit de grâce » après consultation du CSM.

■ Des instances de veille et d'action

• Le **Médiateur de la République** a été créé pour améliorer les possibilités de recours des citoyens contre l'administration. D'une part, il recherche un règlement amiable entre particuliers et services publics, d'autre part, il propose des améliorations de la réglementation.

• La **Commission nationale de l'informatique et des libertés (CNIL)** a été instituée en 1978 pour protéger les citoyens contre les utilisations abusives de l'informatique. Ainsi, les utilisateurs de fichiers contenant des informations sur des personnes doivent en faire la déclaration à la CNIL. La loi de 2004 renforce la protection des personnes. De son côté, la CNIL, autorité administrative indépendante, peut prendre l'initiative de contrôler les banques de données personnelles utilisées par des particuliers ou des entreprises.

• Le **Haut Conseil à l'intégration (HCI)** a pour mission, depuis 1989, de donner son avis et de faire toute proposition utile sur les questions liées à l'intégration des étrangers en France. Il s'est doté d'un Observatoire de l'immigration et de l'intégration.

• La **Haute Autorité de lutte contre la discrimination et pour l'égalité (HALDE)**. Cette nouvelle instance de 11 membres nommés par décret du Président de la République a pour mission principale de promouvoir l'égalité, de traiter des réclamations individuelles et d'apporter un soutien aux victimes de discrimination. En plus de son rôle d'information, elle a un pouvoir d'enquête, de médiation et de saisie de la justice.

D'autres organes ont été créés pour mettre à l'abri des influences politiques certains domaines sensibles, comme le **Conseil supérieur de l'audiovisuel (CSA)**, qui doit garantir la liberté et l'indépendance de la communication audiovisuelle, ou encore la **Commission des opérations de Bourse** ou le **Conseil de la concurrence**, qui assurent, pour l'un, la régulation des marchés, et pour l'autre, la protection des consommateurs.

> **Le *Journal officiel***
>
> Le JO compte plusieurs éditions et publie notamment les lois, les ordonnances, les décrets, les nominations et le compte rendu intégral des débats du Parlement. Il paraît quotidiennement en version papier et en version électronique (journal-officiel.gouv. fr) accessible gratuitement. La plupart des textes publiés entrent en vigueur dès le lendemain, sinon à la date indiquée. Pour des raisons de confidentialité, des données à caractère personnel relatives à l'état civil (changement de nom, naturalisation française, condamnations pénales...) ne sont publiées qu'en édition papier.

■ La hiérarchie des normes

Les actes pris par les administrations doivent respecter la norme de niveau supérieur – Constitution, principes généraux du droit, lois, ordonnances, conventions internationales, décret, arrêté ministériel –, selon l'adage qui remonte au droit romain « *Tu patere legem quam fecisti* » (« Respecte la règle que tu as toi-même édictée »).

■ Les symboles de la République française

• Le drapeau **bleu, blanc, rouge** (trois bandes verticales de même largeur). En 1789, La Fayette aurait ajouté du blanc (la couleur du drapeau royal) à la cocarde bleue et rouge de la garde nationale de Paris. Le drapeau tricolore aurait-il un air de famille avec les trois couleurs de la liberté des jeunes États d'Amérique, lui-même inspiré du bleu-blanc-rouge de l'*Union Jack* britannique?

• Les lettres **RF** : République française. Dès 1848, nombre de villes de France nomment « de la République » une place, une avenue, une rue.

• La devise « **Liberté, égalité, fraternité** », adoptée en 1848 par la IIe République, est un héritage du siècle des Lumières qui traduit la pensée républicaine. Ces trois mots sont gravés sur le fronton des bâtiments publics et les pièces de monnaie.

• *La Marseillaise* est l'hymne national de la République française. Chant de guerre, il avait été composé en 1792, à Strasbourg, par Rouget de Lisle pour l'armée du Rhin et fut dédié aux Marseillais chantant cette marche, en chemin vers la capitale pour y rejoindre les armées de la République. *La Marseillaise* est jouée ou chantée lors de commémorations nationales, d'événements officiels et de manifestations sportives internationales.

33

• Le **14 juillet** a été décrété fête nationale par le Sénat, en souvenir de deux 14 juillet : la prise de la Bastille (14 juillet 1789) et la fête de la Fédération (14 juillet 1790), ce jour où les représentants de toutes les provinces déclarent avec solennité leur volonté d'être français, « *ce jour où la Révolution a donné à la France conscience d'elle-même* », selon Henri Martin.

• **Marianne** est l'allégorie de la République et de la liberté. Ce prénom, très commun au XVIIIe siècle, aurait été choisi pour représenter le peuple en 1792. Rencontre entre mythe et Antiquité, Marianne est souvent reproduite avec le bonnet rouge porté par les esclaves affranchis de

Phrygie qui se veut un symbole révolutionnaire. Son buste se trouve dans les mairies, les palais de justice, et son portrait figure sur des séries de timbres-poste ainsi que sur les pièces de un, 2 et 5 centimes d'euro.

• Le **sceau** de la IIe République est toujours en vigueur. La Constitution de 1958 et certaines lois qui l'ont modifiée portent ce cachet d'exception fait de cire jaune, pendant sur un ruban de soie tricolore. La presse qui peut apposer ce sceau est conservée place Vendôme, à Paris, dans le bureau du ministre de la Justice, nommé « Garde des sceaux ». Le sceau porte les inscriptions « République française démocratique, une et indivisible » sur la face, et au dos « Au nom du peuple français » et « Égalité, fraternité, liberté ». Une femme assise, effigie de la liberté, y figure avec, à la main droite, un faisceau de licteur et, à la main gauche, un gouvernail rehaussé d'un coq, la patte sur un globe. Une urne portant les initiales SU rappelle l'adoption du suffrage universel direct en 1848. Aux pieds de la liberté se trouvent des attributs des beaux-arts et de l'agriculture.

• *La Semeuse*, comme Marianne, a figure de femme qui porte un bonnet phrygien. Métaphore champêtre de plain-pied, gravée par Louis Oscar Roty, elle représente depuis 1897 la France rurale du début du XIXe siècle, à moins qu'elle ne sème au soleil levant quelques idées à contre-vent si l'on observe le mouvement de ses cheveux. C'est la monnaie qui rend célèbre *La Semeuse*. Elle est gravée sur les pièces d'argent de la IIIe République, puis sur les nouveaux francs en 1960, et sur les pièces de 10, 20 et 50 centimes d'euro. Appelée « *Walking Liberty* » aux États-Unis, *La Semeuse* est, avec Marianne et l'arbre, l'un des trois symboles représentés sur les pièces d'euros françaises.

• Le **coq** fait partie des insignes du peuple français. Symbole solaire dans l'Antiquité, son chant annonce le lever du soleil. La France est l'ancienne Gaule, et *gallus* signifie à la fois « Gaulois » et « coq ». Si

Napoléon avait préféré l'aigle, la IIIe République a réhabilité le coq, qui figure sur le sceau de la République. La « grille du Coq » ouvre le palais de l'Élysée, et c'est encore le coq qui figure en girouette sur nombre de clochers de France. Il est aussi l'emblème officiel des sportifs français lors des épreuves internationales.

• Le **Panthéon,** à Paris, est, jusqu'à la Révolution, l'église Sainte-Geneviève avant de devenir mausolée républicain pour honorer la mémoire des gens illustres. L'inscription « *Aux grands hommes, la patrie reconnaissante* » figure sur le fronton. Voltaire y repose depuis 1791, Victor Hugo y a été transféré en 1885, Louis Braille en 1952, Pierre et Marie Curie en 1995, André Malraux en 1996 et Alexandre Dumas en 2002. En tout, 71 citoyens d'exception reposent au Panthéon. Les honneurs de ce haut lieu de la République ne peuvent être accordés qu'au minimum 10 ans après la mort.

Le logo officiel

Le profil de Marianne sur fond bleu, blanc, rouge souligné par « Liberté, égalité, fraternité » et par la devise de la République est le visuel unique qui figure sur l'ensemble des documents à caractère officiel de la République française.

Liberté • Égalité • Fraternité
RÉPUBLIQUE FRANÇAISE

L'enseignement des symboles de la République est inscrit au programme scolaire, en éducation civique. Aujourd'hui, la pratique de désigner une Marianne parmi des stars médiatiques a été dénoncée par l'Association des maires de France et les Français soucieux de préserver les valeurs de la République.

■ Les partis politiques

La notion de droite et gauche est apparue à l'époque de la Révolution française lorsque, le 28 août 1789, les défenseurs de la monarchie ont pris place sur les bancs à droite du président de l'Assemblée constituante tandis que les opposants, placés à gauche, s'opposaient au veto du roi. Progressivement, « gauche » et « droite » ont pris un sens politique. La Constitution reconnaît le pluralisme politique. Constitués en association selon la loi de 1901, les partis politiques représentent les différents courants de pensée des citoyens. Ils bénéficient d'un financement public de leurs activités dans des limites fixées par la loi.

■ Principaux partis parlementaires

La droite
UMP : Union pour un mouvement populaire
UDF : Union pour la démocratie française

La gauche
PS : Parti socialiste
PRG : Parti des radicaux de gauche
PC : Parti communiste

Les écologistes
Les Verts

Des militants d'**extrême droite** et d'**extrême gauche** se sont constitués en partis politiques mais ne sont pas représentés au Parlement.

En direct de l'Assemblée nationale

Depuis 1995, l'Assemblée nationale (de même que le Sénat) tient une seule session ordinaire annuelle, qui s'ouvre début octobre pour se clore fin juin. Le nombre de jours de séance est limité à 120, toutefois une session extraordinaire peut être convoquée par le Président de la République.

Les séances de l'Assemblée nationale sont publiques, et des tribunes sont réservées aux dix premiers arrivés devant l'entrée du palais Bourbon ainsi qu'aux personnes qui en font la demande écrite à l'avance.

Une chaîne publique de télévision retransmet en direct les questions posées au gouvernement par les parlementaires, lors de la séance du mercredi après-midi. L'atmosphère de l'hémicycle peut être turbulente et les débats passionnés sur de sujets sensibles tels que la présentation du budget (ou loi de finances). D'autres jours, la salle semble assoupie ou déserte, les députés préférant alors rejoindre leur circonscription pour aller à la rencontre de leurs électeurs.

■ Le citoyen français et les élections

« Élire c'est choisir » : les hommes de la Révolution de 1789 ont imposé l'« universalité des droits de l'homme et du citoyen », mais le suffrage universel ne sera effectivement instauré que lorsque chacun sera reconnu dans ses droits politiques de manière libre et égale, en 1848.

Nombre de symboles de la France sont au féminin : Marianne, la République, la liberté, la fraternité… ; pourtant, les femmes ne voteront pour la première fois que le 29 avril 1945. Le principe de parité donnant aux femmes et aux hommes un égal accès aux mandats électoraux est institué, pour les communes de plus de 3 500 habitants, par la loi du 6 juin 2000. Toutefois, les femmes restent peu nombreuses sur la scène politique française alors que 53 % des électeurs sont des électrices. Ainsi, en 2002, elles représentent 12,3 % des élus à l'Assemblée nationale et 16,9 % au Sénat ; 33 % de femmes ont été élues aux élections municipales de 2001 (contre 21,7 % en 1995), et 10 % des maires sont des femmes.

De même, la limitation du cumul des mandats électoraux doit favoriser l'accès aux responsabilités locales d'un plus grand nombre de citoyens. Ainsi, les ministres ne peuvent exercer un mandat parlementaire et un mandat de maire. Quant aux parlementaires, ils ne peuvent exercer qu'un seul autre mandat électoral d'importance (ex. : député européen, conseiller régional ou général, maire d'une ville de plus de 20 000 habitants, etc.).

Les campagnes électorales sont encadrées : la forme de la propagande, les supports, les publications et panneaux électoraux sont réglementés ; quant aux dépenses de campagne, elles sont plafonnées. Les élus doivent en rendre compte. Ils sont aussi tenus de déclarer l'état de leur patrimoine.

Le vote est un acte civique libre. Toute personne de nationalité française majeure préalablement inscrite sur la liste électorale de sa commune de résidence a le droit, le devoir et la liberté de voter. Lors de la révision annuelle des listes électorales, seuls les jeunes de nationalité française qui atteignent l'âge de 18 ans sont inscrits d'office dans leur commune de résidence familiale.

Les Français établis hors de France peuvent voter lors des élections présidentielles et lors d'un référendum s'ils sont inscrits sur la liste électorale consulaire, dans leur pays de résidence.

Toute personne ayant la nationalité d'un État membre de l'Union européenne est citoyen européen, ce qui lui confère des droits civils et politiques. S'il est domicilié de façon continue en France et inscrit sur la liste électorale complémentaire de sa mairie de résidence, il a pu voter aux élections européennes de 2004. Lors des élections municipales en 2001, 204 Européens ont été élus conseillers municipaux sur 991 candidats.

Dans certaines villes de France, quelques initiatives permettent à des étrangers non-citoyens de l'Union européenne de siéger au conseil municipal et d'être consultés sur les questions à l'ordre du jour, sans toutefois pouvoir voter. Ces expériences expriment une volonté municipale d'ouverture et de dialogue avec toute la population. Par exemple, un Conseil de la citoyenneté des Parisiens non communautaires de 90 membres, présidé par le maire de Paris, reflète la diversité des étrangers de Paris et des questions qui les concernent.

■ Élections, suffrage, scrutin, bulletins de vote, isoloir...

À l'exception des élections sénatoriales, les autres scrutins se déroulent au suffrage universel, secret et égal, soit une seule voix par personne. Le jour du vote est toujours un dimanche. L'électeur peut voter lui-même ou par procuration. L'isoloir est apparu dans les bureaux de vote dès 1913 afin de garantir le secret du vote.

Les Français peuvent être également consultés par référendum : le premier date de 1791. Au cours de la Ve République, il y a eu 10 consultations nationales référendaires. Les plus récentes ont eu lieu en 2000 (la réduction du mandat présidentiel est approuvée : le septennat devient un quinquennat) et en 2005 (la ratification du traité de Constitution européenne est rejetée).

■ Les relations diplomatiques

Les ambassades furent créées pour instaurer le dialogue entre États. Jusqu'en 1914, le français était la langue diplomatique de l'Europe. Sous l'égide du ministère des Affaires étrangères, la France compte dans le monde 149 ambassades, 17 représentations diplomatiques et 113 postes consulaires. En contrepartie, 160 pays étrangers sont représentés en France.

L'ambassadeur est le représentant du Président de la République, du gouvernement et de l'ensemble des ministres auprès du chef de l'État étranger. Son administration a pour mission de dépêcher en continu, au ministère des Affaires étrangères, les informations politiques, économiques et sociales afin d'ajuster et de conduire la politique internationale.

L'ambassade coordonne l'action française dans le pays de résidence, notamment les services de coopération et d'action culturelle et scientifique, le service chargé des questions militaires sous l'autorité du ministère de la Défense, et le poste d'expansion économique, chargé de la promotion du commerce extérieur français sous la tutelle du ministère de l'Économie et des Finances.

Le consulat général ou le service consulaire de l'ambassade est chargé de la délivrance des titres de voyage. Il reçoit, instruit ou transmet au ministère des Affaires étrangères les demandes d'entrée d'étrangers en France avant de délivrer les visas requis pour effectuer un court ou long séjour en France.

En outre, le consul est investi des fonctions d'officier d'état civil, et il peut dresser ou transcrire des actes de naissance, de mariage, de décès… Il protège aussi la communauté française en cas de problèmes graves et peut être assisté par des consuls honoraires. Enfin, le consul peut exercer certaines attributions notariales (contrat de mariage, testament…).

Les Français résidant à l'étranger sont invités à demander leur immatriculation consulaire, qui facilite certaines démarches administratives. Inscrits sur la liste électorale consulaire unique, ils pourront élire leurs représentants, qui constituent l'Assemblée des Français de l'étranger (AFE), présidée par le ministre des Affaires étrangères. L'AFE, à son tour, élit 12 sénateurs représentant les Français établis hors de France, qui siègent au Sénat, à Paris.

Des sous-titres à décoder

Vous entendrez ou vous lirez dans la presse quelques subtilités de la « langue de Molière ». Parmi les formules les plus fréquentes, l'« Hexagone » désigne la France. Le pays des Lumières est une périphrase pour dire aussi la France tandis que la ville lumière représente Paris ; l'Élysée est le palais de la présidence de la République ; Matignon : la résidence du Premier ministre (qui, selon la tradition, plante un arbre dans le jardin lors de sa prise de fonction) ; Bercy : le ministère de l'Économie et des Finances ; Place Beauvau : le ministère de l'Intérieur ; le Quai d'Orsay : le ministère des Affaires étrangères ; le Palais Brongniart : la Bourse ; la dame de fer : la Tour Eiffel ; la grande bleue : la mer Méditerranée ; l'île de Beauté : la Corse ; la ville rose : Toulouse ; la Merveille de l'Occident : le Mont-Saint-Michel ; la grande boucle : le Tour de France ; les Bleus : l'équipe de France de football ; le XV de France : l'équipe de rugby ; le 7e art : le cinéma ; le 20 heures ou le JT : le journal d'information du soir des grandes chaînes de télévision.

En plus des services diplomatiques, la France dispose d'un réseau unique contribuant à la diffusion de la langue et de la culture françaises. La nouvelle agence Cultures France a pour mission de fédérer les moyens culturels et l'image de la France à l'étranger. Les instituts français, les centres culturels, les Alliances françaises constituent des lieux de ressources et de rencontre pour tous ceux qui sont curieux de la France. De même, les écoles ou lycées français, la coopération universitaire développent des programmes d'enseignement et d'échanges.

Les services du ministère des Affaires étrangères appuient financièrement les interventions d'ONG (organisations non gouvernementales) françaises à l'étranger et coordonnent, par exemple, les activités du SAMU (Service d'aide médicale d'urgence) mondial et de la sécurité civile.

La nation française

« L'invention de la France, c'est ce processus de fabrication d'une nation à partir d'éléments divers et contradictoires »… et « tant que durera la diversité, la France sera condamnée à la tolérance. »
Hervé Le Bras et Emmanuel Todd

De guerres en invasions, le métissage des peuples fait partie de l'Histoire de France. Tour à tour, les Celtes, les Gaulois, les Romains, les Germains puis les Francs ont marqué leur territoire. Latins, Nordiques et Slaves ont fait souche en France. Le nom de « France » est donné par Clovis, roi des Francs, ; on y parle alors le francien. Ce dialecte de l'Île-de-France et de l'Orléanais deviendra le français. Peu à peu, l'école et la caserne imposent la langue française et les valeurs républicaines à l'ensemble des peuples sur le territoire français. Monarchie, révolution et République ont eu en commun une volonté de centralisation pour mieux unifier la France et forger l'unité nationale. Sous la bannière de la Déclaration des Droits de l'Homme et du Citoyen, adoptée par l'Assemblée constituante le 26 août 1789, la France se veut terre d'accueil, confortée dans ses engagements humanistes par les penseurs du XVIIIe siècle tels que Voltaire, Rousseau, Diderot, qui développent un esprit critique éclairé. Les mots « justice », « tolérance », « universel », etc. sont au cœur des débats. Ce siècle, dit « des Lumières » confère à la France le nom de « pays des Lumières ». Aujourd'hui, un Français sur cinq compte au moins un étranger dans son arbre généalogique. L'identité française résulte d'un brassage de peuples multiples qui, de gré ou de force, ont assimilé une certaine idée de la France.

Après l'ère turbulente des conquêtes et des colonies aux couleurs de la France, le Parlement français, sous l'égide de Victor Schœlcher, abolit l'esclavage en 1848. La traite des Noirs et l'esclavage – un crime commis par une grande partie de l'humanité – ont été qualifiés en 2001 de « crime contre l'humanité » par l'ONU.

« La France fut faite à coups d'épée » général de Gaulle. Au XXᵉ siècle, ce sont les guerres qui ont engendré patriotisme et sentiment d'appartenance à la nation entre des communautés aussi lointaines que les Bretons et les Basques. En outre, d'habiles découpages territoriaux ont conforté l'unité administrative et jugulé les disparités culturelles ; par exemple, le département des Pyrénées-Atlantiques est constitué du Pays basque et du Béarn.

Au début du XXᵉ siècle, l'immigration est d'abord politique. Des Russes fuient la révolution de 1917, des Italiens le fascisme de Benito Mussolini, des Espagnols la guerre civile. Dans les années cinquante, l'immigration est surtout économique car la France a besoin de travailleurs pour la reconstruction du pays. En moins de vingt ans, deux guerres mondiales ont décimé les hommes au front, mais aussi la population civile. Les étrangers sont venus d'Europe par vagues successives : Belges et Italiens, puis Espagnols, Polonais suivis de Portugais. De plus loin, Chinois, Maghrébins et Africains forment une main-d'œuvre recrutée à bon marché pour aller prêter main forte aux régions industrialisées et contribuer à leur développement économique. Après une histoire tumultueuse, les liens avec l'Afrique et le Maghreb ont été un tremplin pour la venue dans l'Hexagone de francophones qui, aujourd'hui, se heurtent aux difficultés d'emploi et de logement.

Plutôt qu'une juxtaposition de cultures, la France a privilégié l'intégration, notamment par l'école de la République, un vrai défi de part et d'autre pour résoudre l'équation « devoir de ressemblance et volonté de différence ».

> « La légende française n'a pas fait qu'enchanter l'imagination des hommes, elle les a défendus, protégés, parfois sauvés. »
> **Georges Bernanos**

Les demandes d'asile politique lors de conflits discriminatoires – dictature, génocide – ou à la suite de la venue de *boat people*, etc. sont naturellement formulées vers des pays comme la France, qui reste dans les esprits une terre d'accueil.

Une Cité nationale de l'histoire de l'immigration ouvrira ses portes au palais de la Porte Dorée, à Paris, pour témoigner du métissage des racines françaises.

Au lendemain de la seconde guerre mondiale, en 1945, et jusqu'en 1973, le pays bénéficie d'innovations dans tous les secteurs de l'industrie et de l'urbanisme. Cet essor s'accompagne de progrès dans la vie quotidienne par l'instauration d'une protection sociale étendue qu'illustre l'État providence. Après la pénurie, ces trois décennies de croissance, d'expansion économique et de plein emploi sont dites les « trente glorieuses », selon l'expression de l'économiste Jean Fourastié.

Le choc pétrolier de 1973 et la crise économique qui s'ensuit plongent la France dans la récession. La montée du chômage a pour conséquence de stopper l'immigration de main-d'œuvre tandis que le regroupement familial est instauré. Les travailleurs étrangers installés durablement en France peuvent être rejoints par leur conjoint et leurs enfants, dans le cadre du droit à une vie privée et familiale.

Depuis, ce sont le contexte économique et les besoins de main-d'œuvre qui orientent la réglementation en matière d'immigration. Les lois de 2003 et de 2006 ont recadré les conditions de l'entrée des étrangers non européens et ont renforcé les dispositifs de contrôle.

■ La population

La France recense régulièrement sa population par l'intermédiaire de l'Institut national de la statistique et des études économiques (INSEE) mais, par souci d'égalité, elle ne distingue pas les origines. Les résultats recueillis sont alors authentifiés par décret et deviennent les chiffres de la « population légale ».

Au 1er janvier 2004, la population française est estimée à près de 62,9 millions d'habitants (61 millions de métropolitains et 1,9 million d'ultra-marins). 80 % des Français sont citadins, et la moitié de la population vit dans les villes de plus de 50 000 habitants. On note toutefois un récent mouvement migratoire partant de l'Île-de-France vers des villes et villages devenus attractifs pour des familles : espace, coût de l'immobilier, qualité de la vie et moyens de communication sont les principaux atouts.

La population des 20 plus grandes villes de France et de leur « agglomération urbaine »

	Ville	Aire urbaine
Paris	2 147 857	11 274 743
Marseille	807 071	1 516 340
Lyon	453 187	1 648 216
Toulouse	398 423	964 797
Nice	345 892	933 080
Nantes	277 728	711 120
Strasbourg	267 051	612 104
Montpellier	229 055	459 916
Lille	219 597	1 143 125
Bordeaux	218 948	925 253
Rennes	212 494	521 188
Le Havre	193 259	296 773
Reims	191 325	291 735
Saint-Étienne	183 522	321 703
Toulon	166 442	564 823
Angers	156 327	332 624
Brest	156 217	303 484
Grenoble	156 203	514 559
Dijon	153 813	326 631
Le Mans	150 605	293 159

Source : INSEE (recensement de la population 2004).

43

La France compte 37 villes de plus de 100 000 habitants et 257 villes de plus de 30 000 habitants. 25 000 villages ont moins de 700 habitants.

■ Les Français à l'étranger

La France n'a pas une tradition d'émigration comme d'autres pays européens. Le nombre de Français résidant à l'étranger est estimé à 2,3 millions (53 % en Europe, 25 % en Amérique du Nord, 22 % sur les autres continents). Nombre d'entre eux sont expatriés temporairement par leur entreprise pour raison professionnelle. Aujourd'hui, de plus en plus de jeunes Français osent aller à l'étranger pour y trouver un emploi et étoffer ainsi leur bagage professionnel.

Français
mais aussi européen

« La France est beaucoup plus qu'une nation aux portes de la maison : c'est un lien naturel, c'est une affinité spontanée. La France est une terre de grands contrastes. De ces contrastes sont nées une idée et une pratique de la liberté qui constituent les fondements de l'Europe moderne... » Giovanni Agnelli

L'idée d'une Europe unie est née en France le 9 mai 1950, à l'initiative de Jean Monnet. Elle sera confirmée par la signature du traité de Rome, le 25 mars 1957, par les six pays fondateurs.

« Pour que la paix puisse vraiment courir sa chance, il faut d'abord qu'il y ait une Europe »... mais « l'Europe se fera dans les crises et elle sera la somme des solutions apportées à ces crises. » Jean Monnet

États membres de l'Union européenne

25 mars 1957	6	France (**F**), Allemagne (**D**), Italie (**I**), Belgique (**B**), Pays-Bas (**NL**), Luxembourg (**L**)
1er janvier 1973	9	Danemark (**DK**), Irlande (**IRL**), Royaume-Uni (**UK**)
1er janvier 1981	10	Grèce (**EL**)
1er janvier 1986	12	Espagne (**E**), Portugal (**P**)
1er janvier 1995	15	Autriche (**A**), Finlande (**FIN**), Suède (**S**)
1er mai 2004	25	Chypre (**CY**), Estonie (**EE**), Hongrie (**HU**), Lettonie (**LV**), Lituanie (**LT**), Malte (**MT**), Pologne (**PL**), République tchèque (**CZ**), Slovaquie (**SK**), Slovénie (**SI**)

L'Espace économique européen (EEE) comprend les 25 pays de l'Union européenne (UE) + l'Islande, le Liechtenstein et la Norvège. En ajoutant la Suisse, on obtient l'Association européenne de libre-échange (AELE), qui garantit des relations économiques et commerciales dans des conditions de concurrence égales.

Les vingt-cinq pays représentent un territoire de 3 929 000 km² pour 453 millions d'habitants, ce qui classe l'Union européenne première puissance commerciale du monde.

■ L'Union européenne à 25 : comment ça marche ?

« La nation est notre héritage, le monde est notre territoire, l'Europe doit être notre volonté. » Jean Boissonnat

Comment s'entendre sans se confondre ? Comment développer une solidarité d'intérêts européens pour faire face aux enjeux politiques, sociaux et économiques mondiaux ? Tel est le défi de l'Union européenne, qui compte, depuis le 1er mai 2004, vingt-cinq pays (dix-huit Républiques et sept monarchies) qui sont tout à la fois partenaires et concurrents.

Bien des évolutions juridiques restent nécessaires pour mieux coordonner les lois sociales et fiscales européennes, mais l'idée majeure est que les États membres réalisent ensemble ce qui peut être bénéfique et efficace au niveau européen plutôt qu'à l'échelle de chaque pays. Le « principe de subsidiarité » limite de fait les pouvoirs de l'Union européenne, qui ne peut décider de tout.

La citoyenneté européenne s'ajoute à la citoyenneté nationale et, bien sûr, ne la remplace pas. En 2005, les ressortissants des États membres sont libres de travailler, s'installer, étudier, circuler dans l'un ou l'autre des pays de l'Union européenne ; toutefois, les nouveaux pays ont un statut transitoire avant l'accès au libre établissement.

La Norvège et la Suisse ont renoncé pour l'instant à leur candidature à l'entrée dans l'UE. L'élargissement à la Roumanie et à la Bulgarie est acquis en janvier 2007, et des rapprochements politiques, économiques et culturels sont en cours avec d'autres pays, notamment la Turquie.

45

■ Au fil de l'histoire européenne

« L'Europe est une famille. Comme dans les familles… on s'embrasse, se dispute, se tourne le dos mais on parle toujours la même langue. » Marc Fumaroli

L'événement européen majeur du troisième millénaire a été l'entrée en vigueur de l'euro, la monnaie unique dans l'Union européenne. De fait, c'est la première fois dans les annales que des pays décident librement de partager la même monnaie. C'est la plus grande opération de change de l'histoire monétaire.

Le 1er janvier 2002, pièces et billets en euros ont remplacé les monnaies nationales dans les poches de 305 millions d'Européens. En 2005, 12 pays sur 25 ont adopté l'euro : l'Allemagne, l'Autriche, la Belgique, l'Espagne, la Finlande, la France, l'Irlande, l'Italie, le Luxembourg, les Pays-Bas, la Suède et la Grèce, tandis que le Danemark, le Royaume-Uni et la Suède ont décidé d'attendre la suite des événements ; quant aux autres pays, ils doivent satisfaire à des obligations préalables. La Slovénie entrera dans la zone euro le 1er janvier 2007.

Aujourd'hui, quatre traités successifs définissent le fonctionnement de l'Union européenne : les traités de Rome (25 mars 1951), le traité de Maastricht (7 février 1992), celui d'Amsterdam (2 octobre 1997) et celui de Nice (9 décembre 2000). Le Parlement européen est élu tous les 5 ans, au suffrage universel depuis 1979. En 2004, 732 députés européens ont été élus, dont 84 représentent la France.

Chaque État préside l'Union pendant 6 mois. En 2006 : au premier semestre, l'Autriche ; au second, la Finlande.

Organisation de l'Union européenne

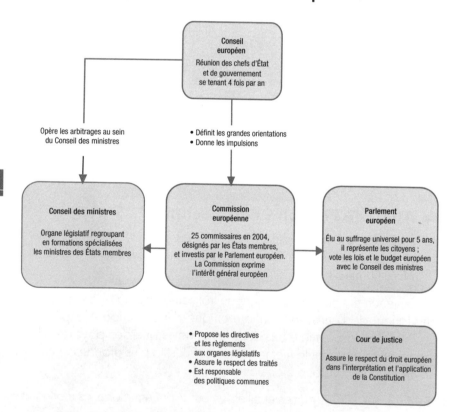

Conseil européen
Réunion des chefs d'État et de gouvernement se tenant 4 fois par an

Opère les arbitrages au sein du Conseil des ministres

• Définit les grandes orientations
• Donne les impulsions

Conseil des ministres
Organe législatif regroupant en formations spécialisées les ministres des États membres

Commission européenne
25 commissaires en 2004, désignés par les États membres, et investis par le Parlement européen. La Commission exprime l'intérêt général européen

Parlement européen
Élu au suffrage universel pour 5 ans, il représente les citoyens ; vote les lois et le budget européen avec le Conseil des ministres

• Propose les directives et les règlements aux organes législatifs
• Assure le respect des traités
• Est responsable des politiques communes

Cour de justice
Assure le respect du droit européen dans l'interprétation et l'application de la Constitution

Paradoxal, le projet de traité constitutionnel ratifié par les 25 chefs d'État à Rome, le 29 octobre 2004, n'a pas été ratifié par les Français et les Néerlandais, consultés par référendum au printemps 2005, mais il l'a été notamment par les Espagnols, les Luxembourgeois et le Parlement allemand.

La convention Schengen, signée en 1985, porte le nom de la commune du Luxembourg où a été conclu l'accord créant un espace sans frontières intérieures entre 15 pays européens. Le Système d'information Schengen (SIS) coordonne une politique commune en matière de police, de douanes et de justice. Le « visa unique Schengen » permet aux touristes non européens de voyager librement à l'intérieur de l'espace dit « Schengen ». Les contrôles systématiques des personnes sont effectués aux frontières externes des 15 pays signataires et aux aéroports. Cette disposition peut toutefois être suspendue s'il y a un risque de troubles à l'ordre public et à la sécurité nationale.

> « L'Europe est trop grande pour être unie. Mais elle est trop petite pour être divisée. Son double destin est là. » Daniel Faucher

■ Les symboles européens

• Le **drapeau** de l'Europe, choisi par le Conseil de l'Europe en 1955, présente un cercle de douze étoiles d'or sur fond azur ; le nombre 12 symbolise le chiffre parfait. Il a été adopté par la Communauté économique européenne en 1986 et flotte maintenant aux côtés de chacun des vingt-cinq drapeaux nationaux sur les édifices publics.

- Le **passeport « Union européenne »**, de couleur bordeaux, conforte la double citoyenneté – européenne et nationale – et porte aussi le nom du pays de nationalité de son détenteur. Dans les aéroports, il y a une file réservée aux passeports « UE ».

- L'**hymne européen** est une adaptation du prélude de l'« Ode à la joie » de la *Neuvième Symphonie* de Beethoven.

- **« Unité dans la diversité »** est la **devise** choisie parmi les propositions de 80 000 jeunes Européens. Elle a été promulguée au Parlement européen, à Strasbourg, le 4 mai 2000.

- L'**euro**, monnaie unique, comprend 8 pièces spécifiques à chaque pays et 7 billets identiques pour les 12 pays de la zone euro. Le logo de l'euro s'inspire de l'epsilon grec et du E de « Europe ».

- La **Journée de l'Europe** est le 9 mai, en commémoration du 9 mai 1950. C'est le jour où, du salon de l'Horloge (au Quai d'Orsay), Robert Schuman, ministre français des Affaires étrangères, a annoncé, en accord avec l'Allemagne, la création d'une Communauté européenne du charbon et de l'acier. C'était la première pierre de la construction d'une Europe de paix et de prospérité après la seconde guerre mondiale.

Bruxelles, Luxembourg, Strasbourg et Francfort sont les **capitales de l'Union européenne**. Le siège de la Commission européenne est à Bruxelles. Luxembourg abrite la Cour européenne de justice tandis que Strasbourg accueille le Parlement européen, le palais de l'Europe, le siège du Conseil de l'Europe et la Cour européenne des droits de l'homme. La Banque centrale européenne se trouve à Francfort-sur-le-Main.

À tour de rôle, des villes européennes sont labellisées pour un an « capitale culturelle de l'Europe ». Cette initiative valorise des réalisations culturelles nouvelles et un patrimoine historique considéré comme bien commun des Européens. En 2004, Gênes (en Italie) et Lille (en France) ont eu ce privilège. Cork, en Irlande, a pris le relais en 2005. Patras, en Grèce, est l'élue 2006. Les Européens préférés des Français sont la navigatrice Ellen MacArthur (GB), le ténor Luciano Pavarotti (I) et la comédienne Monica Bellucci (I), d'après une enquête Europe-Metro-IFOP de mai 2006.

Le *Journal officiel des communautés européennes* (JOCE) est publié dans les 20 langues officielles de l'Union européenne.

■ L'UE et l'ONU

Depuis la création de l'ONU (Organisation des nations unies) en 1945, la France et la Grande-Bretagne sont les deux pays de l'Union européenne – à côté de la Chine, des États-Unis et de la Russie – à disposer d'un siège permanent au Conseil de sécurité. L'ONU, dont le siège est à New York, compte aujourd'hui 191 pays membres sur 196 référencés dans le monde. L'Union européenne contribue au financement de ses missions telles que des programmes humanitaires et les opérations de maintien de la paix des « casques bleus ».

■ Le Conseil de l'Europe

Distinct de l'Union européenne, le Conseil de l'Europe siège à Strasbourg. Créé en 1949, il réunit 46 États membres qui s'attachent à défendre la démocratie et les droits de l'homme ; son action contribue à la coopération entre toutes les nations du continent.

■ D'autres instances européennes

• **La Cour de justice des Communautés européennes (CJCE)** est composée de treize juges nommés par les gouvernements des États membres. De Luxembourg, la CJCE examine les litiges concernant le droit communautaire et peut être saisie par les États membres ou les citoyens européens.

• **Europol** est l'Office européen de police. Sa mission de lutte contre toutes les formes de criminalité s'appuie sur un échange d'informations entre les polices d'Europe dans un souci d'efficacité. De même, **Eurojust**, l'Unité européenne de coopération judiciaire contre le crime organisé, réunit des magistrats des États membres pour lutter de façon coordonnée contre toutes sortes de trafics et de réseaux (terrorisme, drogue, immigration clandestine) orchestrés par des groupes criminels actifs dans plusieurs pays.

49

Point de vue économique

« Je vois la France comme une puissante démocratie moderne, essentielle à la construction de l'Europe de demain… Son histoire récente, ce sont aussi des prouesses techniques, comme Airbus et Ariane, le TGV et l'Eurotunnel… Pour moi, la France a été et sera toujours une seconde patrie, avec une personnalité, une culture et une vision uniques. »
Felix G. Rohatyn (ancien ambassadeur des États-Unis en France)

Si la France a toujours développé sa présence à l'étranger, il s'agit aujourd'hui d'attirer le monde économique dans l'Hexagone. Une politique d'attractivité cible les investisseurs étrangers prêts à contribuer à l'économie française.

De tradition, le triptyque culture-couture-cuisine forme, en trois « C », nos lettres de noblesse et nos cartes postales mais, compétition économique oblige, la France d'aujourd'hui met aussi les points sur les « i » d'innovation, invention et imagination, et le fait savoir. Technologie, aéronautique, aérospatiale, robotique, électronique… ont des labels français et européens d'envergure planétaire :

– la carte à puce de Roland Moreno, la carte à mémoire électronique, devenue une carte de visite mondiale ;

– le viaduc de Millau, au pays du Roquefort. Ses 343 mètres de hauteur en font le plus haut pont du monde ;

– l'*Airbus A 380*, oiseau rare d'envergure européenne, assemblé à Toulouse. Le plus gros avion de ligne pourra transporter plus de 840 passagers ;

– le *Queen Mary II* : 50 000 tonnes d'acier ont été nécessaires pour construire, sur les Chantiers de l'Atlantique (chantiers Aker), ce paquebot géant long de 345 m, véritable île flottante ;

– *Ariane 5*, qui a mis en orbite depuis la Guyane le plus gros satellite de communication du monde ;

– Galileo, le système européen de localisation par une constellation de 30 satellites, facilitera au mètre près la régulation du trafic routier, ferroviaire, maritime et aérien, civil et militaire. Un défi technologique et géopolitique qui garantira une autonomie spatiale européenne à côté du GPS américain. Un atout pour l'*Aerospace Campus* du Grand Toulouse ;

– ITER, le nouveau projet européen de recherches scientifiques sur l'énergie du futur ;

– et toujours les trains à grande vitesse *(TGV)*, un pari technologique lancé sur les rails à 280 km/h en 1981, devenu 25 ans plus tard un succès populaire. Dans cette lignée, *Thalys* relie Paris, Bruxelles et Amsterdam, et *Eurostar*, depuis 1994, va et vient de Paris à Londres en un temps record par le tunnel sous la Manche (49,31 km de long, dont 38 km sous la mer).

■ Distinction

La France a toujours des atomes crochus avec la **physique**… Le prix Nobel de cette discipline a été décerné en 1991 à Pierre-Gilles de Gennes et en 1992 à Georges Charpak (né en Pologne), de géniaux chercheurs français amateurs de littérature et de bons vins. À son tour, Claude Cohen-Tanoudji a partagé le prix Nobel 1997 avec deux scientifiques américains. Mais qui sont les lauréats du Nobel de physique en 1903 ? Pierre et Marie Curie l'avaient emporté. Marie Sklodowska, née en Pologne, sera la première femme professeur de l'enseignement supérieur français. Elle donnera son premier cours à la Sorbonne le 5 novembre 1906. En 1935, sa fille, Irène Joliot-Curie, avec son mari, Frédéric Joliot, a reçu le prix Nobel de **chimie**. Marie Curie elle-même avait remporté ce prix en 1911. Belle et grande histoire de famille !

En 2005, c'est Yves Chauvin qui partage l'honneur du prix Nobel de **chimie** avec les Américains Robert Grubbs et Richard Schrock, qui ont valorisé la découverte du Français par de multiples applications dans le domaine du médicament et des matières plastiques.

… et la bosse des **mathématiques**. La médaille Fields est la distinction suprême de la discipline, décernée tous les quatre ans à des mathématiciens d'exception et de moins de 40 ans. Depuis sa création en 1936 par le Canadien John Charles Fields, le prix compte 9 médaillés Français. En 2002, Laurent Lafforgue est récompensé pour ses remarquables travaux sur la théorie des nombres. En 2006, le « Nobel des maths » a été attribué à quatre chercheurs dont Wendelin Werner, spécialiste des probabilités.

En **médecine**, Luc Montagnier et son équipe de l'Institut Pasteur ont découvert le virus du Sida en 1983. Les recherches biologiques et génétiques se poursuivent dans le but de trouver des traitements pour contrer des maladies jusqu'alors incurables et les prévenir par des vaccins.

Les autres atouts de l'Hexagone

« La France a la chance d'avoir derrière elle une histoire et un potentiel culturel et technique qui correspond "pile poil" à celui que réclame la nouvelle économie. » Christian Blanc

La France dispose d'infrastructures de communications performantes, qu'il s'agisse du réseau de télécommunications, autoroutier ou TGV. Ses liaisons ferroviaires et routières sont en effet les plus importantes d'Europe. Le coût de l'énergie y est abordable. Ces atouts incontestables atténuent la complexité du système réglementaire français, toujours redouté par les entrepreneurs.

Le tourisme est la première activité économique de la France (première destination touristique mondiale). L'agroalimentaire, l'industrie pharmaceutique, les services, les matériaux et l'énergie sont des secteurs d'activité performants. Un emploi sur quatre est lié à l'exportation tandis que les investissements étrangers créent chaque année des milliers d'emplois directs et indirects. À côté des activités de production, les activités technologiques (électronique, télécommunication, informatique…) et les services aux entreprises (centre de recherche et de développement, quartiers généraux…) représentent près de la moitié des décisions d'investissement en France.

La France, troisième pays d'accueil d'investisseurs étrangers (selon l'Agence française pour les investissements internationaux – AFII), cultive l'ambition de recevoir plus et mieux ces entreprises internationales et leurs collaborateurs. C'est pourquoi, avec les régions, les départements et tous les partenaires économiques, l'État développe des modalités techniques et financières favorables à l'implantation d'activités nouvelles, créatrices d'emploi. Les PME (petites et moyennes entreprises) les plus dynamiques sont appelées les « gazelles ». L'Agence pour l'innovation industrielle, implantée à Reims, a pour vocation d'initier et de soutenir ces emplois novateurs.

Innovation, recherche, formation, qualité sont les maîtres mots de la France des entrepreneurs. Dès les années soixante-dix, des régions françaises ont développé, comme aux États-Unis, des « technopoles », véritables sites d'activités de pointe, d'ampleur internationale. Aussi nombre de grandes villes ont-elles créé un environnement *high-tech* réunissant expérience industrielle et universitaire, en étroite collaboration avec les organismes publics et privés chargés du développement territorial tels la Délégation interministérielle à l'aménagement et à la compétitivité des territoires (DIACT), les chambres de commerce et d'industrie, les comités d'expansion économique… Ces technopoles à la française sont au cœur de la dynamique économique locale.

Sophia Antipolis : la pionnière

La *Silicon Valley* californienne a développé la première le concept initial de « parc intelligent à la campagne ». Sur ce modèle, Sophia Antipolis, au milieu des pins méditerranéens, a donné un label haute technologie à la Riviera-Côte d'Azur. Elle est la première technopole d'Europe et réunit 1 260 entreprises où des industriels, des chercheurs et des étudiants de près de soixante-dix nationalités différentes inventent le futur depuis plus de 30 ans.

■ Les pôles de compétitivité

Dans le même esprit d'alliance du public et du privé, des pôles de compétitivité valorisent des zones d'activité où chercheurs, entreprises et universités travaillent en réseaux sur des projets innovants en développement.

Parmi les 67 sites labellisés « pôles de compétitivité » en 2005, certains sont déjà *leaders* mondiaux dans leur spécialité, notamment Toulouse et Bordeaux pour l'aéronautique et l'espace, Lyon pour la santé, Grenoble pour les nanotechnologies, la Provence et la Côte d'Azur pour les communications informatiques sécurisées. Enfin, Paris et Évry développent deux pôles hautement technologiques : pôle systema@tic (logiciels et systèmes complexes) et pôle image, multimédia et vie numérique.

■ G 8, le club des pays les plus industrialisés

Ce club s'est réuni pour la première fois à Rambouillet en 1975, à l'initiative de Valéry Giscard d'Estaing (alors Président de la République française) et de Helmut Schmidt (alors Chancelier d'Allemagne). D'abord cinq puis sept – Allemagne, Canada, États-Unis, France, Grande-Bretagne, Italie, Japon –, ils sont dorénavant huit avec la Russie. Réunis une fois par an, ces pays esquissent les grandes stratégies du monde économique et politique. Le président de la Commission européenne a un fauteuil d'observateur. En 2003, le G 8 s'est tenu à Évian, dans les Vosges, et en 2006 à Saint-Pétersbourg, en Russie.

22 régions en métropole

Les anciennes provinces ont été rayées des cartes au bénéfice de 22 régions administratives, en métropole. Cependant, les Français s'accordent pour dire que la Touraine et le Berry ont plus de résonance identitaire que la région Centre ! Quand deux Normands se rencontrent…, ils se racontent des histoires de Normandie, qu'ils soient de Haute – ou de Basse-Normandie. Il reste d'usage d'appeler « la province » tous les lieux qui se situent hors de Paris et de sa banlieue.

Depuis 1982, chaque région a son assemblée élue au suffrage universel direct. La loi de décentralisation leur a délégué des compétences économiques, sociales, sanitaires et culturelles en liaison avec leurs départements et leurs communes. La réforme constitutionnelle de 2003 élargit ce champ de responsabilités publiques au plus près des citoyens.

La volonté de décentralisation s'illustre de quelques délocalisations institutionnelles. Par exemple, c'est à Nantes que le ministère des Affaires étrangères a installé le Service central de l'état civil des Français nés à l'étranger et des étrangers devenus français, et à Rezé la Sous-Direction de la circulation des étrangers (service des visas).

Chaque région est administrée par un conseil régional élu et son président. De son côté, le préfet de région, nommé en Conseil des ministres, représente l'État auprès du conseil régional. À ce titre, il doit mettre en œuvre la politique du gouvernement sur le plan économique et social et coordonner la politique de décentralisation, dans un souci d'équité et de

Organisation politique et administrative

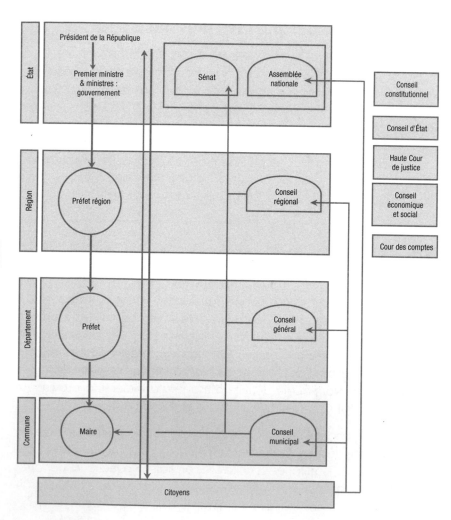

cohérence du territoire. En effet, inégales en superficie et en ressources, certaines régions comptent des zones industrielles ou agricoles riches, d'autres sont arides et dépeuplées ou en mutation économique. Leurs ressources propres, faites essentiellement de taxes locales (habitation, propriété, professionnelle), sont alors très disparates.

Stimulées par la compétition européenne, les régions ont appris à développer leurs atouts : situation géographique, réseau de communications routières, ferroviaires, offre de télécommunication haut débit, qualification de la main-d'œuvre, patrimoine naturel et culturel… et accueil.

L'Alsace, constituée de 2 départements, est la plus petite région, soit 8 300 km². En revanche, la plus grande est Midi-Pyrénées, dont les 8 départements couvrent une superficie de 45 300 km². La Corse, par son histoire et sa géographie, bénéficie d'un statut particulier de collectivité territoriale.

La Guadeloupe, la Martinique, la Réunion et la Guyane ont un statut à la fois de région et de département.

■ Arrêt sur image : le puzzle France en 26 régions

Conseils régionaux ou habitants ont esquissé leur région en quelques traits : caractéristique économique ou technologique, site géographique ou touristique, événement historique, personnage de renommée littéraire, artistique ou politique, spécialité gourmande et musée original.

Alsace

Bas-Rhin (67), Haut-Rhin (68)

8 300 km², 1 753 000 habitants

Strasbourg

- Capitale des institutions européennes
- La plus petite région de France
- Région bilingue : le Rhin est un trait d'union avec l'Allemagne
- Biotechnologies, automobile
- Pays des cigognes et marché de Noël
- Choucroute, bière, vins d'Alsace
- Albert Schweitzer, Maurice Kœchlin, Frédéric Bartholdi
- Musée français du chemin de fer (Mulhouse)

Aquitaine

Dordogne (24), Gironde (33), Landes (40), Lot-et-Garonne (47), Pyrénées-Atlantiques (64)
41 300 km², 3 003 000 habitants

Bordeaux

- La plus longue plage de France (l'Atlantique)
- Tourisme et vignobles
- Agro-industrie, bois, parachimie
- Le plus grand massif de pins d'Europe
- Montagne et océan
- Vins, foie gras, truffes…
- Les 3 M : Montaigne, Montesquieu et Mauriac
- Musée d'Aquitaine (Bordeaux)

Auvergne

Allier (03), Cantal (15), Haute-Loire (43),
Puy-de-Dôme (63)
26 000 km², 1 294 000 habitants

Clermont-Ferrand

- Lacs et volcans du Massif central, Vulcania
- Eaux et sources thermales, art roman
- Bibendum (pneumatiques), agroalimentaire,
- Le cantal, le bleu d'Auvergne, la gentiane
- Capitale du court métrage
- Vercingétorix, La Fayette, Blaise Pascal
- Musée des couteliers (Thiers)

Bourgogne

Côte-d'Or (21), Nièvre (58), Saône-
et-Loire (71), Yonne (89)
31 600 km², 1 610 000 habitants

Dijon

- Capitale des ducs de Bourgogne
- Institut de la vigne et du vin
- Sidérurgie, électronique
- Édifices romans
- Kir, moutarde, escargots, pain d'épice
- Alphonse de Lamartine, Bernard Loiseau, François Pompon
- Musée Nicéphore Niepce (photographie – Châlon-sur-Saône)

Bretagne

Côtes d'Armor (22), Finistère (29), Ille-
et-Vilaine (35), Morbihan (56)

27 200 km², 2 934 000 habitants

Rennes

- La mer et la terre : 2 sources de richesse
- Constructions navales, télécommunications
- Ports de plaisance, de pêche
- Berceau des Celtes, le parlement de Bretagne
- Crêpes, fruits de mer
- Chateaubriand, Jacques Cartier, Robert Surcouf
- Océanopolis (Brest)

Centre

Cher (18), Eure-et-Loir (28), Indre (36),
Indre-et-Loire (37), Loir-et-Cher (41),
Loiret (45)
39 000 km², 2 423 000 habitants

Orléans

- Cœur de France, la Loire et ses châteaux
- *Cosmetic Valley* : parfums et médicaments
- Terres céréalières : le « grenier de la France »
- Forêts centenaires et châteaux de la Loire
- Tarte Tatin, fromage de chèvre
- François Rabelais, George Sand, René Descartes
- Château-musée Meillan

Champagne-Ardenne

Ardennes (08), Aube (10), Marne (51),
Haute-Marne (52)
25 500 km², 1 285 000 habitants

Chalons-en-Champagne

- Champagne
- Forêts, chasse et sangliers
- Textile, agroalimentaire, métallurgie
- Biscuits roses de Reims
- Arthur Rimbaud, général de Gaulle
- Abbatiale St-Rémi (Reims)

Corse

Corse-du-Sud (20A), Haute-Corse (20B)

8 500 km², 268 300 habitants

Ajaccio

- Île de Beauté
- Tourisme, agroalimentaire
- Entre mer et maquis
- Fromage de brebis, clémentines
- Napoléon Bonaparte
- Chants et polyphonies
- Musée d'ethnographie corse (Bastia)

Franche-Comté

Doubs (25), Jura (39), Haute-Saône (70), Territoire-de-Belfort (90)

16 200 km², 1 103 000 habitants

Besançon

- Automobile, horlogerie, lunetterie, jouet
- Montagne, forêts et eau
- Massif du Jura
- Ski de fond et VTT
- Vin jaune et vin de paille
- Victor Hugo, Louis Pasteur, Gustave Courbet
- Musée du temps (Besançon)

Île-de-France

Paris (75), Seine-et-Marne (77), Yvelines (78), Essonne (91), Hauts-de-Seine (92), Seine-St-Denis (93), Val-de-Marne (94), Val-d'Oise (95)

12 000 km², 11 300 000 habitants

Paris

- La région capitale
- Nombreux sièges sociaux d'entreprises
- Tourisme d'affaires et culturel : la Tour Eiffel
- Grande région naturelle : 20 % urbanisé !
- Berceau de l'art gothique, château de Versailles (78)
- Paris-beurre (sandwich), champignons de Paris
- Louis XIV, Jean Cocteau, Édith Piaf
- Musée de l'air et de l'espace (Le Bourget, 93)

Languedoc-Roussillon

Aude (11), Gard (30), Hérault (34), Lozère (48), Pyrénées-Orientales (66)

27 400 km², 2 421 000 habitants

Montpellier

- La plus ancienne faculté de médecine
- Aujourd'hui : Euromédecine, technologies nucléaires
- Le vignoble le plus vaste de France
- Le sel, le bœuf gardiane
- Pays de l'Occitanie et de la Catalogne
- Le pont du Gard (vestige romain)
- Georges Brassens
- Musée d'art contemporain (Nîmes)

Limousin

Corrèze (19), Creuse (23), Haute-Vienne (87)

17 000 km², 693 300 habitants

Limoges

- Capitale de la porcelaine, des arts de la table…
- Agroalimentaire (race bovine : limousine)
- Forêt et industrie du papier, électronique
- Tapisseries d'Aubusson
- Crêpes, châtaignes
- Auguste Renoir, Jean Giraudoux
- Festival des francophonies
- Musée national de la porcelaine (Limoges)

Lorraine

Meurthe-et-Moselle (54), Meuse (55), Moselle (57), Vosges (88)

23 500 km², 2 266 300 habitants

Metz

- Région frontalière (Allemagne, Belgique et Luxembourg)
- Centre de recherche écologie et environnement
- Verdun : champs de bataille de la 1re guerre mondiale (1914-1918)
- Massif des Vosges
- Eaux, quiche lorraine et mirabelle
- Jules Ferry, Jeanne d'Arc, Fernand Braudel
- Musée de l'art nouveau et villa Majorelle (Nancy)

Midi-Pyrénées

Ariège (09), Aveyron (12), Gers (31), Haute-Garonne (32), Lot (46), Hautes-Pyrénées (65), Tarn (81), Tarn-et-Garonne (82)

45 300 km², 2 636 000 habitants

Toulouse

- Ville « rose », 2e ville universitaire
- Industrie spatiale et aéronautique *(Airbus 380)*
- Chaîne des Pyrénées, pont de Millau
- Pays du rugby
- Cassoulet et roquefort
- Toulouse-Lautrec, Claude Nougaro, Henri IV
- Musée Champollion (Figeac)

Nord – Pas-de-Calais

Nord (59), Pas-de-Calais (62)
12 400 km², 3 935 000 habitants

Lille

- Capitale des Flandres
- Eurotunnel : France/Grande-Bretagne
- Transports et logistique, vente à distance, automobile
- Beffrois, pavés et carnavals
- Moules-frites et bière
- Maximilien Robespierre et Henri Matisse
- Musée d'art et d'industrie : la Piscine (Roubaix)

Basse-Normandie

Calvados (14), Manche (50), Orne (61)
17 600 km², 1 402 000 habitants

Caen

- Plages du débarquement, Mont-St-Michel
- Industrie nucléaire, monétique, recherche médicale
- Pont de Normandie sur la Seine
- Élevage de chevaux de course
- Pomme, camembert et crème fraîche
- Comtesse de Ségur, Marcel Proust, Alexis de Tocqueville
- Festival du film américain (Deauville)
- Mémorial de Caen

Haute-Normandie

Eure (27), Seine-Maritime (76)

12 300 km², 1 779 000 habitants

Rouen

- Ville aux 100 clochers
- Vallée de la Seine industrielle, verre, lin
- 500 ports au monde sont reliés avec Le Havre
- Falaises d'Étretat
- Berceau des impressionnistes : Claude Monet…
- Guy de Maupassant, Pierre Corneille, Gustave Flaubert
- Musée des terres-neuvas et de la pêche (Fécamp)

Pays de la Loire

Loire-Atlantique (44), Maine-et-Loire (49), Mayenne (53), Sarthe (72), Vendée (85)
32 100 km², 3 257 000 habitants

Nantes

- Porte de l'Atlantique (l'océan et la Loire)
- Pays bleu (450 km de côtes) et pays vert
- Chantiers de l'Atlantique, biothérapies
- Le jardin de la France (cultures maraîchères)
- Vin du Val de Loire, Anjou
- École de cavalerie de Saumur (Cadre noir)
- Jules Verne, le douanier Rousseau
- Vendée Globe, circuit des 24 heures du Mans

Picardie

Aisne (02), Oise (60), Somme (80)

19 400 km², 1 826 000 habitants

Amiens

- Agroalimentaire (biotechnologies végétales), production de sucre
- Préhistoire et archéologie
- Terre de cathédrales gothiques (Beauvais, la plus haute cathédrale du monde)
- Forêts domaniales
- Jean de La Fontaine, Jean Racine, Alexandre Dumas
- Musée Jules Verne (Amiens)

Poitou-Charentes

Charente (16), Charente-Maritime (17), Deux-Sèvres (79), Vienne (86)
19 400 km², 1 652 000 habitants

Poitiers

- Le Futuroscope : parc de l'image
- Festival de la bande dessinée (BD) à Angoulême
- Pays agricole et maritime, marais poitevin
- Art roman, palais de justice (Poitiers)
- Huîtres, cognac
- Pierre Loti, François Mitterrand, Jean Monnet
- Musée naval (Rochefort)

Provence-Alpes-Côte d'Azur

Alpes-de-Haute-Provence (04), Hautes-Alpes (05), Alpes-Maritimes (06), Bouches-du-Rhône (13), Var (83), Vaucluse (84)

31 500 km², 4 537 000 habitants

Marseille

- Plus vieille ville de France (Gaulle romaine)
- Côte d'Azur-Riviera, Euroméditerranée
- Sophia Antipolis : 1ʳᵉ technopole
- Projet ITER, robotique, pétrochimie
- Mimosa, herbes de Provence et bouillabaisse
- Marcel Pagnol, Paul Cézanne
- Musée international de la parfumerie (Grasse)

Rhône-Alpes

Ain (01), Ardèche (07), Drôme (26), Isère (38), Loire (42), Rhône (69), Savoie (73), Haute-Savoie (74)

43 700 km², 5 771 000 habitants

Lyon

- 1ᵉʳ domaine skiable du monde : les Alpes
- Microélectronique, multimédia, nucléaire
- Frontière avec l'Italie et la Suisse
- Gratin dauphinois et bouchons lyonnais
- Les frères Lumière (cinéma), Jean-Jacques Rousseau
- Musée des tissus et des arts décoratifs (Lyon)

Régions et départements d'outre-mer

Guadeloupe

Département (971)

1 700 km², 442 400 habitants

Basse-Terre

- Archipel de 8 îles habitées (les principales : Grande – et Basse-Terre)
- La Soufrière (volcan 1 484 m)
- Saint-Barthélemy, Marie-Galante…
- Bananes, canne à sucre
- Tourisme et agroalimentaire
- Maryse Condé, Marie-José Perec
- Réserve naturelle du Grand Cul-de-sac

Martinique

Département (972)

1 100 km², 393 000 habitants

Fort-de-France

- Île des Antilles dans la mer des Caraïbes
- Martinique : nom inspiré de saint Martin, fêté le 11 novembre (découverte de l'île en 1502)
- Montagne Pelée (1 397 m)
- Canne à sucre, rhum agricole (AOC), biens d'équipement
- Mangouste et colibri
- Aimé Césaire, Patrick Chamoiseau, Raphaël Confiant

Réunion

Département (974)

2 500 km², 763 200 habitants

Saint-Denis

- Île Bourbon et océan Indien
- Terres volcaniques : le piton des Neiges (3 609 m) et le piton de la Fournaise (2 631 m)
- Vanille, canne à sucre, épices, carri
- Géranium
- Raymond Barre, Paul Vergès

Guyane

Département (973)

86 500 km², 184 400 habitants

Cayenne

- Le plus grand département français
- Le seul territoire de l'UE en Amérique du Sud
- Frontière avec le Brésil et le Surinam
- Fusée *Ariane 5* (base de lancement à Kourou)
- Le Maroni et l'Amazonie : orpaillage, bois
- Biodiversité végétale et animale
- Félix Éboué, Gaston Monnerville, Henri Salvador

Collectivités d'outre-mer

- 975 : Saint-Pierre-et-Miquelon
- 984 : Terres Australes et antarctiques françaises
- 985 : Mayotte
- 986 : Wallis-et-Futuna
- 987 : Polynésie française
- 988 : Nouvelle-Calédonie

100 départements : 96 dans l'Hexagone

La France a subi, au fil de l'histoire, un découpage du territoire qui n'a pas d'équivalent en Europe. Formant un véritable puzzle de 100 pièces, les départements ont été créés après la Révolution par Napoléon pour permettre à l'État naissant d'administrer la France de façon égalitaire, sous l'autorité du préfet. Par un habile calcul, chaque département devait en fait compter un certain nombre de citoyens redevables de l'impôt.

Le nom du département s'inspire souvent de ses paysages, de la rivière qui le traverse (Seine, Loire, Cher, Orne), de la montagne locale (Pyrénées, Jura, Vosges), de la végétation (Landes) ou de sa situation géographique (Manche, Nord). L'ordre alphanumérique a subi quelques exceptions depuis que des départements ont pu modifier leur nom pour le rendre plus attractif : les Côtes-du-Nord sont ainsi devenues les Côtes d'Armor mais portent toujours le numéro 22, alors que la Côte-d'Or a le numéro 21.

Le conseil général et son président gèrent les affaires du département, circonscription administrative intermédiaire entre la région et la commune. Ses compétences sont complémentaires de celles du conseil régional, notamment dans le domaine de l'éducation, de l'action sociale, du tourisme, de l'environnement, de la culture, et de la jeunesse et des sports. Le département est également le partenaire financier privilégié des communes pour la réalisation de grands projets (travaux d'aménagement et d'équipement…). Ses ressources proviennent de la fiscalité locale et d'impôts d'État qui leur ont été attribués pour financer les transferts de compétence dus à la décentralisation (taxes d'habitation et taxes foncières sur les propriétés).

Chaque département a son préfet. Nommé par décret du Président de la République en Conseil des ministres, il représente l'État et fait appliquer les lois et respecter l'ordre public. Il dirige les services publics chargés de fonctions administratives (délivrance des pièces d'identité, permis de conduire, carte de séjour temporaire...) et les services de police. En outre, le préfet, seule personnalité civile à porter un uniforme lors de cérémonies officielles, exerce un contrôle administratif et juri-dictionnel sur les actes du conseil général et des conseils municipaux des communes de son département.

Citadines ou rurales : les 36 785 communes

« La ville a une figure, la campagne a une âme. »
Jacques de Lacretelle

La France compte 36 785 villes et villages, dont 214 outre-mer. Tous ont le statut de « commune », on dit aussi « municipalité ». Après la Révolution, la loi du 14 décembre 1789 a créé 40 000 communes qui ont succédé au découpage religieux des paroisses. La commu-nauté autour de l'église devient alors une commune, et le maire prend l'ascendant sur le prêtre. On dit volontiers, sur le ton de l'anecdote, que les Français ont un « esprit de clocher » pour évoquer des rivalités ou des querelles de villages.

La commune est la plus petite unité administrative. Elle est gérée par le maire et son conseil municipal ; le nombre de conseillers varie en fonction du nombre d'habitants (9 conseillers municipaux pour les villages de moins de 100 habitants ou 69 pour les villes de 300 000 habitants et plus, à l'exception de Lyon, qui compte 73 élus, Marseille 101 et Paris 163).

61

Le maire est l'élu préféré des Français : chacun le connaît et peut le rencontrer. Élu par le conseil municipal, il représente l'État au niveau local. Ses attributions sont multiples : officier de l'état civil, chef de la police municipale... Le maire publie et exécute les lois sous l'autorité du préfet, et délivre les permis de construire. Le symbole de sa fonc-tion est l'écharpe tricolore qu'il porte pour les cérémonies publiques. Par exemple, lorsqu'il célèbre un mariage, cet acte juridique civil qui s'effectue à la mairie depuis plus de 200 ans, le maire ou un adjoint porte son écharpe bleu-blanc-rouge, soit en bandoulière (de l'épaule droite vers le côté gauche), soit en ceinture (le bleu en haut et le nœud serré à gauche)

La mairie dispose de différents services ouverts au public ; selon la taille de la commune :
– accueil et informations ;
– état civil (actes de naissance, de mariage, de décès) ;
– affaires sociales ;
– bureau des écoles (inscriptions scolaires selon la carte scolaire) ;
– action culturelle et sportive (bibliothèques, ateliers, équipements sportifs, piscines…).

Les finances municipales sont en grande partie constituées de ressources locales telles que les impôts locaux payés annuellement par les habitants et les taxes foncières dues par les propriétaires. Certaines sont plus riches que d'autres suivant l'importance de leur activité industrielle, commerciale ou patrimoniale et offrent des équipements et des services publics selon leurs ressources. Des dispositifs de péréquation sont destinés à favoriser l'égalité entre les collectivités.

Ensuite, des intérêts économiques et fiscaux ont conduit des communes à coopérer et à se grouper en communauté urbaine, agglomération ou communauté de communes pour mettre en œuvre des services collectifs adaptés aux besoins des populations, notamment en matière de transport, de distribution d'eau potable et de gestion des déchets ménagers.

À la périphérie des grandes villes, la banlieue peut avoir de « beaux quartiers » mais lorsque les médias relatent des faits divers concernant des jeunes « des quartiers », de façon implicite, il s'agit d'une banlieue aux grands ensembles d'immeubles habités par une population défavorisée.

Paris, Lyon et Marseille sont les trois plus grandes villes de France. La loi dite « PLM » divise ces communes en respectivement 20, 16 et 9 arrondissements municipaux. Chacun a une mairie et un conseil d'arrondissement qui élit des représentants pour siéger au conseil municipal de la ville.

Paris, la capitale, a un statut unique en France. Elle est à la fois ville et département. Ainsi le conseil de Paris a-t-il une double fonction : conseil municipal et conseil général qui compte 163 membres élus, dont les 20 maires d'arrondissement. À Paris, l'État est représenté par le préfet de région et le préfet de police.

Depuis 1907, les maires en exercice ont leur association, quelle que soit la taille ou la sensibilité politique de la commune. L'Association des maires de France (AMF) est une force de propositions et un porte-parole des maires et de la pluralité de la vie locale auprès de l'État.

> ## « Mairie » ou « hôtel » de ville
>
> Le mot « hôtel » peut surprendre. Autrefois grande maison bourgeoise, l'hôtel particulier est souvent devenu hôtel du département, hôtel de la région, hôtel des impôts, hôtel de police, hôtel des Monnaies…, à ne pas confondre avec l'hôtel 3 étoiles et son maître d'hôtel.

La mairie, l'église, l'école et le monument aux morts sont les principaux symboles de la commune. La mémoire de la première et de la seconde guerres mondiales est devenue une part de l'histoire des familles françaises. Chaque commune a érigé sur la place ou dans le cimetière un monument où sont gravés les noms des soldats morts pour la France. Un hommage leur est rendu le 8 mai (capitulation de 1945) et le 11 novembre (armistice de 1918). Un site « Mémoire pour la France » les honore. Le bleuet est la fleur du souvenir.

■ Des écoles de démocratie

Des enfants et des adolescents prennent aussi le chemin de la mairie. Élus par leurs camarades, ils sont conseillers municipaux juniors et siègent dans la salle du conseil de leur ville. Avec le plus grand sérieux, ils réfléchissent aux problèmes quotidiens de jeunesse, d'aménagement ou d'environnement… Les élus politiques ont appris à écouter ces jeunes interlocuteurs pleins d'imagination et de bon sens civique.

Le premier conseil municipal d'enfants est né en Alsace, en 1979. Depuis, cette initiative a été adoptée par de nombreuses villes françaises. De même inspiration, des conseils régionaux ou généraux de jeunes ont été créés pour mettre en œuvre des projets à caractère social, économique ou culturel dont ils rendent compte lors des réunions annuelles, animées par le président du conseil régional ou général. À chacun son intitulé : à Paris, c'est le Conseil parisien de la jeunesse.

63

■ Villes jumelées

Qu'ont en commun Paris (F) et Rome (I) ? Lille (F), Liège (B) et Leeds (GB) ? L'Aigle (F) et Aigle (CH) ? Elles sont villes jumelles. Depuis 1956, de nombreuses communes de France ont signé une charte de jumelage avec une commune d'Europe ou du monde pour engager et développer des liens d'amitié et réaliser des échanges culturels, voire économiques, entre leurs populations.

Poisson et Avril ? Ce n'est pas une farce, ces villages existent en France et se sont jumelés pour le plaisir. Dans le même esprit, on dit que le viaduc de Millau a jeté un pont vers le *Bay Bridge* de San Francisco, aux États-Unis.

Le « douzelage » à Granville

Depuis 1991, ce jumelage d'exception apporte sa pierre à la construction européenne. À l'origine, l'idéal et l'audace de quelques Normands de Granville, dans la Manche (50), furent de créer une sorte de G 12 engageant 12 villes des 12 pays de l'Europe des Douze. Restait à inventer un mot pour qualifier ce jumelage « multipolaire » hors du commun. « Douzelage » est né sur fond de drapeau européen à 12 étoiles et a été distingué par les « étoiles d'or du jumelage », décernées par la Commission européenne. C'est une aventure qui se cultive au quotidien et porte de nouveaux fruits puisque le « douzelage » compte aujourd'hui 20 villes de 20 pays de l'Union européenne sur 25 ! Pour ce faire, c'est un incroyable réseau d'Européens convaincus qui œuvre à multiplier des échanges entre toutes les générations, à organiser des rencontres, quelles que soient les distances et les langues pour tisser des liens, partager des idées, vivre la réalité de l'Europe du XXIe siècle.

■ Les communes de A à Z...

Dans l'ordre alphabétique des 36 785 communes, la première est Aast, située dans les Pyrénées-Atlantiques (66) ; la dernière est Zuytpeene, qui se trouve dans le Nord (59). Le nom le plus court est Y, commune de 96 habitants de la Somme (80). Les habitants sont des Upsiloniens (de la lettre « i » en grec – upsilon). Troyes et Sète se prononcent comme les chiffres 3 et 7. En outre, 4 253 noms commencent par « Saint » ou « Sainte » (hagiotoponymes), et on ne compte pas moins de 223 Saint-Martin en mémoire de Martin, un saint familier et généreux. Aube est un village de l'Orne (61) en Normandie, et de Moselle (57) en Lorraine, tandis que l'Aube (10) est un département en Champagne. Laval s'écrit à l'envers comme à l'endroit. Si Francheville et Villefranche comptent les mêmes lettres, ce ne sont pas les mêmes villes. Bretagne est le nom d'une région mais aussi de deux communes (36 et 90). La plus éloignée de Paris est l'île des Pins, en Nouvelle-Calédonie, soit à 16 841 km !

Histoire, tradition ou notoriété ajoutent parfois un label qui mérite explication :
– Avignon, la cité des Papes (ville achetée par le pape Clément VI en 1348);
– Nancy, la ville des Ducs (résidence des ducs de Lorraine au XIIIᵉ siècle);
– Lyon, la capitale des Gaules (*Lugdunum*, fondée par les Romains et capitale de la Gaule);
– Marseille, la cité phocéenne (*Massalia*, créée par des Grecs de Phocée);
– Cannes, capitale du cinéma, Aix-en-Provence de la musique, Limoges de la porcelaine.

▪ Le centre de la France

C'est l'Institut géographique national (IGN) qui situe avec rigueur le centre de la France, qui est revendiqué par différentes communes. Selon l'option de calcul qui inclut la Corse, c'est Nassigny, dans le département de l'Allier (03), qui l'emporte. Si la Corse est hors du périmètre des mesures, c'est Vesdun, dans le département du Cher (18), qui est vainqueur et le fait savoir par une stèle au centre du village.

Du méridien de Paris à la méridienne verte

En 1891, la France suivait l'heure du méridien de Paris. C'est en mesurant la distance de ce méridien courant de Dunkerque (au nord) à Barcelone (au sud) que les cartographes français ont défini le mètre, « *une mesure pour tous les hommes et pour tous les temps* », selon Condorcet.

Le méridien de Paris est représenté par 20 médaillons de bronze portant le nom de François Arago et les initiales « NS » incrustés dans les trottoirs, un hommage original imaginé par l'artiste néerlandais Jean Dibbets. Depuis 1911, le temps universel est fixé par le méridien de Greenwich, en Angleterre. Lorsqu'il est midi à Londres, il est 13 heures à Paris.

L'an 2000 a donné une nouvelle vie au méridien de Paris en le transformant en un extraordinaire monument végétal, selon une idée de l'architecte Paul Chemetov. Des milliers d'arbres aux essences multiples (chênes, tilleuls, oliviers…) ont été plantés de la mer du Nord à l'Espagne, sur le tracé de l'ancien méridien. Il forme une ligne arborée de 1 200 km qui traverse 336 communes, 20 départements et 8 régions.

Le 14 juillet 2000, les Français ont osé organiser un « incroyable pique-nique » populaire et convivial le long de la méridienne verte. Qui aurait imaginé que l'avenue de l'Opéra, à Paris, puisse devenir une table géante couverte d'une nappe à carreaux rouges et blancs, pour partager baguettes, saucissons et camemberts ? Le 14 juillet 2006, le pique-nique de la République a réuni des citoyens en toute simplicité.

Un détour en Île-de-France

« L'Île-de-France… une île dont le tour vaut le détour. »
Claude Lemesle

Paris et sa couronne forment, en huit départements, la région Île-de-France, entourée de la Seine, l'Oise, la Marne et l'Aisne. Ses habitants sont les Franciliens.

Forte de son potentiel économique, de la diversité de son marché de l'emploi et d'une main-d'œuvre qualifiée, l'Île-de-France se situe au premier rang des régions d'Europe.

**Île-de-France : 8 départements,
5 villes-nouvelles**

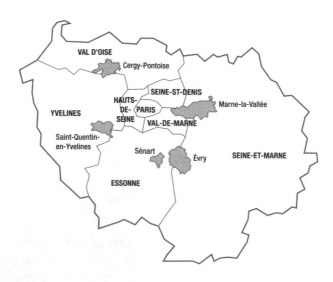

■ L'Île-de-France en chiffres

11,4 millions de Franciliens, soit près de 20 % de la population française, vivent dans l'une des 1 281 communes d'Île-de-France. Plus peuplée que la Suède, la Belgique ou le Portugal, elle est la deuxième région européenne après l'agglomération de Londres.

320 000 entreprises, le tiers du produit intérieur brut et le plus important bassin d'emploi (un cadre sur deux travaille en Île-de-France), avec des disparités sociales et économiques selon les départements.

L'Île-de-France est, avec la région Provence-Alpes-Côte d'Azur, la plus grande productrice de fleurs et plantes. Les trois quarts de l'Île-de-France sont des espaces verts, agricoles et forestiers.

Trois académies, 468 lycées publics et 213 lycées privés, 13 universités. La France compte plus de un million d'étudiants, dont un sur trois est inscrit dans une université d'Île-de-France.

200 musées et plus de 2 000 monuments historiques classés en font la première destination touristique française.

Deux aéroports internationaux : Orly et Roissy – Charles-de-Gaulle, qui est aussi une gare d'interconnexion du réseau TGV.

Le stade de France, à Saint-Denis, accueille des événements sportifs et musicaux de grande ampleur qui drainent un public très diversifié, découvrant les métamorphoses d'une banlieue populaire.

XXIe siècle à La Défense, dans les Hauts-de-Seine : depuis 1969, architectes, urbanistes et paysagistes en ont fait un lieu original de modernité. C'est à la fois un quartier d'affaires international et d'habitat ; on y compte plus de 100 tours, 1 500 entreprises et nombre de sièges sociaux. Cadres et résidents (Alto-Séquanais ou Hauts-Seinais) cohabitent, ordinateurs et art contemporain se défient, centre commercial et salles de réunion s'animent quotidiennement. Le nom « Défense » n'est pas d'inspiration militaire mais évoque le monument du sculpteur Louis-Ernest Barrias en hommage aux combattants du siège de Paris, en 1870.

La Grande Arche offre depuis son belvédère, en plein air, un extraordinaire point de vue sur Paris. La plus longue perspective du monde permet de porter l'œil jusqu'au musée du Louvre en passant par l'Arc de Triomphe, la place de la Concorde, le jardin des Tuileries.

Palettes et pinceaux en Île-de-France

Dans les années 1870, des naturalistes ont inventé un nouveau genre de peinture sur les bords de Seine, en Île-de-France. L'école des impressionnistes est créée à Argenteuil. Claude Monet, Édouard Manet, Pierre Auguste Renoir, Gustave Caillebotte, Camille Pissarro… sont présents par leurs toiles dans tous les plus grands musées du monde. Ils sont à leur façon des ambassadeurs permanents de la région.

▀ Les villes nouvelles ont plus de 25 ans !

Créées de toutes pièces sur décision de l'État à la périphérie de grandes villes, les 5 villes nouvelles de l'Île-de-France sont devenues des pôles de développement économique et d'innovations sociales. Elles accueillent nombre d'entreprises, quartiers généraux ou lieux de production. Nées à la campagne, ces cités imaginées par des urbanistes proposaient aux habitants un cadre de vie structuré : commerces, logements, établissements d'enseignement secondaire et supérieur, équipements culturels et de loisirs… Elles ont aujourd'hui tous les attributs des grandes villes.

Paris

« Aucune ville au monde n'a été mieux aimée ni plus fêtée.
À peine arrivé, le voyageur sent l'étreinte de cette ville
qui est bien plus qu'une ville. » John Steinbeck

Paris, la capitale, bénéficie du prestige et du rayonnement des villes riches d'histoire, d'art et de culture. D'abord Lutèce, la ville des *Parisii*, prend le nom de « Paris » au XIIIe siècle. Le Paris des rois puis de la République garde un ascendant politique et culturel sur la province. Tous les styles et les époques s'y côtoient, classiques, romantiques ou futuristes.

▀ Paris, capitale politique

« Paris n'est pas la France, mais la France sans Paris…
ne serait plus la France. » Pierre Daninos

Paris a toujours été la capitale de France. La plus grande ville de France compte 2 100 000 habitants et concentre les lieux de décision. Le Parlement, les ministères, les ambassades et consulats sont essentiellement concentrés dans les VIIe, VIIIe et XVIe arrondissements.

L'administration de l'État se trouve principalement à Paris, à l'exception de quelques rares délocalisations de services publics, par exemple la prestigieuse École nationale d'administration (ENA), dorénavant installée à Strasbourg.

■ Paris, capitale économique

« À Paris, le métier est un art, et l'art une philosophie. »
Elizabeth Browning

Paris est classée première ville mondiale de congrès internationaux, de salons professionnels et de tourisme d'affaires. Les sièges d'entreprise, les commerces et les banques créent autour de la Bourse une grande place financière. Dès le XIXᵉ siècle, la capitale a valorisé son image économique par l'organisation d'expositions universelles (la gare d'Orsay, construite pour l'exposition de 1900, a été successivement gare de banlieue, théâtre et aujourd'hui musée). Parmi les innovations, de jeunes entreprises se distinguent en matière de jeux vidéo, d'éducation numérique et de biotechnologies.

■ Paris, ville cosmopolite

« Paris n'est rien, ni la France, ni l'Europe…
Une seule chose compte, envers et contre tous les particularismes,
C'est l'engrenage magnifique qui s'appelle le monde. » Ella Maillart

Paris chic et Paris populaire, ville d'universités et d'échanges culturels, ville de communication ouverte sur le monde : l'édition, les médias nationaux et internationaux y ont pignon sur rue. Paris a les atouts intellectuels et les atours touristiques d'une des métropoles les plus attractives. Les différents quartiers – chics, branchés ou populaires – reflètent une grande diversité sociologique. Historiquement, le monde intellectuel se situait rive gauche, autour de la Sorbonne, où l'on parlait le latin (Quartier latin), et des cafés littéraires tandis que l'univers des affaires et du commerce se trouvait rive droite, à proximité de la Bourse.

69

■ Paris, ville effervescente

« Respirer Paris, cela conserve l'âme. » Victor Hugo

Paris propose à ses habitants un cadre de vie animé de multiples commerces, marchés et cafés. On y compte environ 5 300 rues, avenues ou boulevards. La plus longue est la rue de Vaugirard (4 360 m) et la plus courte la rue des Degrés (5,75 m). Les premières plaques de rue datent de 1728, et la numérotation des maisons, côtés pair et impair, de 1806.

Le bois de Boulogne, à l'ouest, et le bois de Vincennes, à l'est, sont les deux poumons verts de Paris. Arborant les jardins publics et les rues, on dénombre une cinquantaine d'essences d'arbres dont les plus fréquents sont les platanes, les marronniers et les tilleuls. On produit chaque année à Paris 10 000 bouteilles de vin, fruit de quelques vignes téméraires.

De l'Arc de Triomphe à la place de la Concorde, les Champs-Élysées se déroulent sur 1 910 mètres. La célèbre avenue, ensoleillée côté pair, est la vitrine par excellence de la vie parisienne : magasins de mode, restaurants, cafés, cinémas, dancings… « Les Champs », pour les intimes, en voient de toutes les couleurs au fil de l'année : défilés du 14 juillet, arrivée du Tour de France, rendez-vous du 31 décembre, etc.

Paris a aussi ses turbulences : coût élevé des logements, bruit, pollution, temps passé dans les transports en commun ou perdu dans les embouteillages… La capitale se heurte aux défis posés à toutes les grandes métropoles du monde en matière de circulation, d'habitat et d'insécurité. Un échange d'expériences avec d'autres capitales européennes sur toutes ces problématiques urbaines enrichit le débat mais ne peut apporter de solutions miracle. En outre, Paris participe activement à des projets de coopération, en particulier avec Pékin, Le Caire et Phnom Penh.

Une rose des vents aux armes de Paris incluse dans un pavé octogonal de bronze, sur le parvis de Notre-Dame, place Jean-Paul II, est le point zéro des routes de France utilisé par les géographes pour mesurer les distances kilométriques à partir de Paris, sur une idée d'André Michelin, en 1918.

■ Paris, ville lumière

« L'invention d'éclairer Paris par une infinité de lumières mérite que les peuples les plus éloignés viennent voir… Ces lumières sont suspendues dans des parois de verre à égale distance dans un ordre admirable. »
Un Sicilien ébloui, en 1692

À partir de 1524, on demande aux Parisiens de placer une chandelle allumée sur le bord de leurs fenêtres pour faire fuir les brigands et rendre les rues plus sûres. Un siècle plus tard, Gabriel de La Reynie, premier lieutenant général de police de Paris, organise l'éclairage public, d'où l'expression « Paris, ville lumière ». Un slogan plus que jamais consacré par une mise en lumière d'exception.

Paris sur plan

*« Je rêve d'écrire un plan de Paris pour personnes de tout repos,
c'est-à-dire pour des promeneurs qui ont du temps à perdre
et qui aiment Paris. »* Léon-Paul Fargue

Une spirale de 10 km de diamètre qui s'enroule comme un escargot autour de l'île de la Cité et se divise en 20 arrondissements sur une superficie de 87 km², encerclée par les 35,5 km du boulevard Périphérique. Les Parisiens entretiennent un rapport affectif avec leur quartier, qui s'articule autour du boulanger, du marché et de la Poste.

La Seine a sa rive droite et sa rive gauche. Elle compte 37 ponts : le pont Neuf est le plus vieux pont de Paris… ; le plus récent, le pont piétonnier Simone de Beauvoir, relie le parc de Bercy à la Bibliothèque nationale de France.

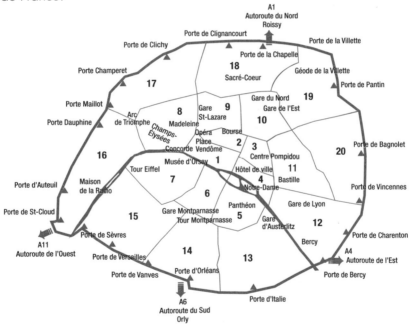

Paris, ses homonymes

« Avec deux lettres de plus, Paris serait un paradis. » Jules Renard

Paris est un nom qui s'est démultiplié à l'étranger. Deux villes se nomment « Paris » au Canada, et au moins douze aux États-Unis. Et même Paris au Texas a une réplique miniature de la Tour Eiffel, coiffée d'un chapeau de cow-boy.

Pour en savoir plus

www.elysee.fr

www.premier-ministre.gouv.fr

www.assemblee-nat.fr

www.senat.fr

www.diplomatie.fr

www.ile-de-France.fr

www.paris.fr

www.journal-officiel.gouv.fr

www.insee.fr

www.asapfrance.info

www.ign.fr (Géoportail)

www.touteleurope.fr

Les Français au quotidien

« *La France n'a jamais réussi à être aussi glorieusement tricolore qu'en étant multicolore. Ses Zidane, autrefois, s'appelaient Offenbach, Picasso, Kopa ou Mimoun, Marie Curie ou Félix Éboué.* »

Jean-François Kahn

Quelques traits culturels

« Chaque Français est une pièce unique qui forme l'immense puzzle français d'une extraordinaire complexité. » Akio Suzuki

De tous temps, des peuples ont croisé leurs cultures et métissé leurs racines, faisant de la France d'aujourd'hui un pays tricolore par son drapeau et multicolore par son peuple aux visages multiples.

« Il connaît bien mal la France, celui qui ne connaît que la France. » Churchill parlant de l'Angleterre a la sagesse de penser que l'on ne connaît son pays que si l'on est allé se frotter aux autres. Et ces autres, que disent-ils de la France ?

Perceptions, représentations, clichés soulignent ou simplifient à l'excès la réalité, alors parlons-en. Que dit-on de la France et des Français dans les coulisses étrangères ? Et vous, quel est votre point de vue ?

Un groupe d'étudiants des quatre coins du monde en a esquissé à grands traits un portrait hexagonal. Ainsi sommes-nous !

▬ Portrait

« La France, c'est un pays entre le ciel et la terre. C'est la vie et l'envie, la passion et l'émotion mais les Français ont toujours trop d'intentions sans lendemain. »

« Ici, le passé est constamment dans le présent. Les Français ont les yeux dans le dos. Ils sont impressionnistes et peu réalistes. »

« La France est double : parisienne et provinciale, traditionnelle et moderne. Les Français oscillent entre altruisme et individualisme, égalité et hiérarchie, gravité et légèreté, tu et vous, oui et non, fromage ou dessert, rouge ou blanc, tranquillisant et champagne ! Est-ce la francitude ? »

« Les Français sont des enfants gâtés, bavards et débrouillards. Vrais caméléons, ils sont à la fois contestataires, conformistes et conquérants. Libres de penser, ils ont le culte de la parlotte. »

« Ils trouvent toujours le temps de faire ce qu'ils aiment : manger, parler et vivre. »

« Lorsque vous demandez l'heure à un Français, il vous explique comment on fabrique une montre. Descartes n'est jamais loin. »

« L'esprit français est aussi énigmatique que le sourire de la Joconde, aussi complexe que l'orthographe. Il y a toujours des exceptions à la règle. »

« Les Français ont deux types de talent : monter des usines à gaz et savoir sortir de l'impasse par un mystérieux sixième sens : l'incomparable système D-débrouillard, le sens de la créativité à la française. »

« Les Françaises aiment les compliments sans faire d'histoires féministes. »

« La France est le pays de mes livres. C'est un pays élitiste qui ouvre ses musées et ses châteaux à tous. Les écoles de musique sont gratuites. En fait, le service public est pour tout le monde, même pour les riches. »

« Il faut des montagnes de papier pour tout. Vraiment, vous savez compliquer les choses simples. »

■ Florilège

« Les Français ont l'art d'avoir trop chaud aujourd'hui et auront trop froid demain. »

« Ils râlent, c'est un signe de santé ; ce sont des pessimistes distingués qui critiquent souvent leur pays mais n'aiment pas que d'autres le fassent. »

« Il faut affronter l'improvisation latine des Français sans oublier l'esprit de système qui peut faire des miracles. C'est la prime à la débrouillardise, au nom de code système D. »

« Ils aiment la nouveauté mais pas le changement, mais ils peuvent surprendre et se montrer plus flexibles en réalité qu'en apparence : le passage à l'euro, en 2002, n'a pas entraîné de révolution. »

« Les Français ont une facilité à faire du banal et de l'ordinaire un vrai plaisir. En France, les choses simples ont de la valeur. »

« Étatisme, intérêt général… terroir, autant de concepts à la française… intraduisibles dans une autre langue. Les Français pensent que l'État sait ce qui est bon pour eux, alors à chaque problème, ils appellent au secours ! »

« Les Français aiment la vie. Est-ce parce que la France compte tant de morts dans sa terre, des gens de tous pays tués par les guerres ? »

« Ils sont toujours disponibles mais toujours débordés. Ils bougent tout le temps, sauf à table. »

« France éternelle, Français mortels. »

« Pays merveilleux, peuple bizarre. »

« France extra, Français terrestres. »

« France évidemment, Français éventuellement. »

■ Journalistes, historiens, écrivains… ils l'ont dit !

« Vous, les Français, êtes dans les idées, les concepts. Nous, Anglais, sommes dans le concret, dans les faits. » John Henley

« En France, on prévoit tout et c'est souvent le contraire qui se passe… Ils sont indomptables, ces Français. » Lutz Krusche

« Le cœur de la singularité française, c'est le respect témoigné à l'intelligence et à la culture. » Theodore Zeldin

« Les Français passent leur vie à mettre au point des règles ingénieuses, puis à trouver des moyens encore plus astucieux d'y échapper. C'est le fameux système D qui redonne des proportions humaines à la rigidité des procédures officielles. » John Ardagh

« Être Français, c'est dire "nous" à propos de tout ce qui s'est passé dans l'Hexagone de Vercingétorix à nos jours, victoires et défaites comprises, gloires et humiliations comprises… et le dire en français. » Jean Hourcade

« Heureux sont les Français, avec des hauts et des bas. Ils vivent une sorte de grand écart entre l'optimisme à l'égard de leur petite bulle personnelle et le pessimisme qu'ils éprouvent vis-à-vis de la société. » Pierre Bréchon

« Les Français sont plus sages qu'ils ne semblent. » Francis Bacon (1625)

Le Français mutant, mutin ou mouton ?

En 2001, le sociologue Gérard Mermet identifie trois types de France, incarnés par trois groupes de Français : les **mutants** ont pris le train des évolutions technologiques et sont ouverts sur le monde. Les **mutins** symbolisent le principe de précaution et de résistance au changement. Ils contribuent à l'anxiété collective, tandis que les **moutons** sont de classiques suiveurs qui, lorsque les preuves de progrès seront faites, feront comme tout le monde.

Savoir être et savoir-vivre

« L'esprit de politesse est une certaine attention à faire que les autres soient contents de nous et d'eux-mêmes. » Jean de La Bruyère

Chaque culture a ses conventions sociales et ses politesses. Les Français cultivent quelques principes transmis par l'éducation. Le « savoir-vivre » à la française n'est plus une liste d'obligations à respecter, mais plutôt un ensemble de courtoisie et d'attentions qui s'inscrit dans la vie quotidienne.

■ Hiérarchie des relations à la française

La réserve et la distance prévalent lors de nouvelles rencontres dans le train ou l'avion. En revanche, il est aimable d'échanger quelques mots, au cours du voyage, avec son voisin : la météo, le paysage ou l'actualité sont des sujets de conversation passe-partout. Il serait déplacé de poser des questions personnelles à un inconnu que l'on va quitter deux heures plus tard, sans même savoir à qui l'on a parlé. Les Français se présentent rarement lors de ces rencontres éphémères.

Les relations figurent en bonne place dans le carnet d'adresses mais ne sont pas encore des amis. Les Français aiment constituer un réseau prêt à l'entraide tant sur le plan personnel que professionnel. En contrepartie, il est indispensable d'entretenir ces bonnes relations en donnant des nouvelles si l'on veut compter sur la réactivité des uns ou des autres.

« Il n'y a pas de plaisir comparable à celui de rencontrer un vieil ami, excepté peut-être celui d'en faire un nouveau. » Rudyard Kipling

Avisés, les Français prennent le temps pour établir des liens d'amitié complices et durables. Les amis partagent, bien sûr, les bonheurs mais aussi les soucis et, parfois, des vérités difficiles à entendre. En toute confiance, ils échangent conseils et services. La famille et les amis forment le cercle des proches qui se retrouvent régulièrement autour d'un repas ou d'un verre, à l'occasion d'un week-end ou de vacances.

On dit que les petits cadeaux entretiennent l'amitié. Quel cadeau aimeriez-vous recevoir de France ?
– *« être invitée à dîner chez des Français qui me raconteraient l'histoire de leur famille en me montrant leur album photos »* Sara Williams ;
– *« avoir les clés de son appartement à condition qu'il donne sur la Tour Eiffel »* Alain Machu.

Un cadeau de France : la statue de la Liberté

C'est en 1884 que la République française offre la statue de la Liberté au peuple des États-Unis pour commémorer leur indépendance. Frédéric Auguste Bartholdi, sculpteur alsacien, se serait inspiré des traits d'une femme s'élançant, torche à la main, sur les barricades des émeutes de 1848, à Paris. C'est Gustave Eiffel qui a construit la structure métallique.

Posée sur un piédestal dans le port de New York, à *Ellis Island*, *Lady Liberty* tient dans une main un flambeau qui veut éclairer le monde. Elle a accueilli tous les émigrants débarquant aux États-Unis. Le 30 novembre 1884, Victor Hugo dit à sa façon combien la statue de la Liberté est un lien d'amitié entre la France et les États-Unis : *« La mer, cette grande agitée, constate l'union de deux grandes terres apaisées. »*

La petite sœur de la statue de la Liberté de New York se trouve à Paris, sur l'île des Cygnes (entre le pont de Grenelle et celui de Bir Hakeim). Cette réplique de l'originale qui regarde vers l'Amérique est un cadeau des Américains de Paris pour remercier la France.

Cadeau aussi : près du pont de l'Alma se trouve la copie conforme de la flamme de la statue de la Liberté de New York, offerte par le journal l'*International Herald Tribune* (IHT) à la ville de Paris pour fêter son centenaire (l'IHT a été créé à Paris en 1887).

Des admirateurs de la princesse Diana, tuée en 1997 dans un accident de voiture à proximité, imaginent qu'il s'agit d'une flamme à sa mémoire.

Des courtoisies et des convenances

Hommes et femmes établissent volontiers des contacts spontanés et courtois. Les présentations se font directement – « Je suis Jean Dupont » –, sinon c'est l'ami commun qui s'en charge et qui, selon l'usage, présente un homme à une femme, le plus jeune au plus âgé. Tendre la main et la serrer brièvement en échangeant un regard est la forme de salutation habituelle. Utiliser les prénoms et se tutoyer ne se fait pas d'emblée, même entre personnes de la même génération ; il est préférable de le proposer. Les Français cultivent, dites-vous, l'art de la séduction. N'est-ce pas une façon de se faire remarquer par l'autre sur le plan intellectuel, artistique… et plus si affinités ?

B comme « bise », « bisou », « baiser »

« Un baiser complet est un baiser donné et un baiser rendu. »
Anthelme Brillat-Savarin

Les bises sont réservées aux relations familiales et amicales, soit entre femmes, soit entre hommes et femmes qui ont des liens privilégiés. Deux hommes, s'ils sont père et fils, frères ou vieux amis, s'embrassent spontanément. Ces chaleureuses familiarités diffèrent selon les régions. On est plus démonstratif au sud qu'au nord du pays. Les jeunes enfants tendent généralement leur joue pour un bisou, même si la personne leur est inconnue.

Toutefois, les Français se dérobent à cette forme de politesse lorsqu'ils ont la grippe, pour éviter ainsi de contaminer leur entourage.

▬ Les voisins

« À Paris, personne ne se mêle de rien. Tous tes voisins se fichent éperdument de savoir avec qui tu t'enfermes chez toi (tant que tu ne fais pas de bruit). » Zoé Valdes

« Avec mes voisins, c'est chacun chez soi mais ils ont mes clés pour arroser les plantes en mon absence. »

« Je ne connais pas ma voisine, mais je reconnais son parfum dans l'ascenseur. »

Dans les grandes villes, le rythme de vie (famille, travail, transport, courses…) laisse peu de temps aux relations de voisinage. Les Parisiens, en particulier, semblent toujours pressés. On ne choisit pas ses voisins, mais vous reconnaîtrez vite quelques visages du quartier. Sans attendre, présentez-vous aux plus souriants car les Français font rarement le premier pas. Vous les trouverez peut-être très discrets ou trop distants, et ne vous étonnez pas de rester sur le pas de la porte lors d'un premier contact.

Les « voisinades »

Depuis 1999, fin mai, des rencontres de voisins s'organisent, dans le cadre de l'opération « Immeubles en fête », autour de pique-niques de rue, de repas de quartier ou d'apéritifs. Au fil du calendrier, d'autres initiatives spontanées permettent d'élargir les contacts ou d'échanger des services à la manière d'un village. D'autres préfèrent l'anonymat de la ville et restent à distance de ces agapes.

Si vous tombez sur des gens peu courtois, changez de porte, d'autres seront plus serviables. Vous serez agréablement surpris d'entendre la boulangère prendre de vos nouvelles.

■ Invitation ou proposition

Avez-vous reçu un bristol ? « Bristol » est le nom d'une ville anglaise où se fabriquait un carton de belle qualité. Devenu synonyme de « carton d'invitation », « bristol » est un nom commun dans le dictionnaire. L'heure d'un cocktail ou d'une réception y sera indiquée. Ne venez ni trop tôt – vous seriez les premiers –, ni trop tard car il n'y aurait plus de « petits fours ».

Une invitation à déjeuner vous sera proposée à 12 h 30 ou 13 heures tandis que l'heure du dîner se situe à 20 heures ou 20 h 30. Le cordon-bleu qui reçoit appréciera un quart d'heure de retard bienveillant pour lui permettre de régler les derniers détails du repas. Au-delà de 15 minutes, on s'inquiétera de votre retard.

Sachez faire la différence entre une invitation que vous aurez le plaisir d'accepter et une proposition. Ainsi, « *voulez-vous venir au théâtre avec nous ?* » est une offre qui ne signifie pas que la place vous est offerte. D'ailleurs, lors d'un repas à l'extérieur, il est assez fréquent que chacun paie sa dépense.

■ Comme chez soi

« *Le tact est de faire croire à vos invités qu'ils sont chez eux alors que vous auriez parfois souhaité qu'ils y restent.* » Marc Lambron

Vous entendrez parfois l'expression « *faites comme chez vous* », autrement dit « *soyez à l'aise* », mais l'expression ne peut être prise « au pied de la lettre », et il serait sans-gêne de lire le journal ou de téléphoner sans l'avoir demandé.

Si, dès votre arrivée, il vous est demandé l'heure de votre départ, c'est par égard pour vous. Le seul but est de servir le repas au bon rythme pour vous permettre de partir à temps (dernier métro ou train, rendez-vous suivant…).

■ Bouquet ou chocolats ?

Offrir des fleurs est une délicate attention. Si l'invitation vous semble formelle, faites-les livrer à l'avance ou le lendemain, en remerciant d'un mot. Le fleuriste compose de très jolis bouquets comptant un nombre impair de fleurs. Une exception : les roses peuvent s'offrir à la douzaine, sinon à l'unité.

Les fleurs ont leur saison et leur symbole. Ainsi, en France et en Europe du Sud, les chrysanthèmes fleurissent les cimetières et ne s'offrent donc pas en signe d'amitié, de même que les soucis, homonymes de « tracas ».

Choisir une spécialité de pays peut être également appréciée, et préférer une bouteille de vin ou un livre est un signe de complicité entre amis dont on connaît les goûts.

« C'est pour offrir ? » est la question rituelle du vendeur et, quelle que soit la nature ou la valeur du présent, il prendra le temps de faire un paquet-cadeau et d'y ajouter un ruban, même s'il y a la queue devant sa boutique.

Un cadeau est habituellement ouvert en présence des invités et mis à l'honneur : les fleurs disposées dans un vase, la boîte de chocolats prête à être goûtée, le bibelot posé en évidence sur un meuble… Lorsque des amis se reçoivent souvent, il est naturel de contribuer de façon spontanée au repas en apportant un plat, le dessert ou le vin.

■ L'heure de l'apéritif

« L'apéritif, c'est la prière du soir des Français. » Paul Morand

Les Français se retrouvent volontiers autour d'un verre avec quelques « amuse-gueules ». Cocktail, vin doux, alcool sur glaçons ou jus de fruit, l'apéritif est un plaisant moment de détente. Le traditionnel *« à votre santé »* est le signal pour lever son verre, voire trinquer lorsque l'on est en petit comité ou porter un toast comme message de bienvenue.

L'apéritif dînatoire a ses adeptes. Quelques plats vite faits ou salades sont improvisés. C'est une façon de prolonger la soirée en toute convivialité.

■ À table

« Un bon repas favorise la conversation, un bon vin lui donne de l'esprit. » A. Brillat-Savarin

Nappe et serviettes en tissu, bougies, six à dix couverts : c'est un repas formel. Les hôtes se placent face à face et mettent à leur droite les invités d'importance puis les autres convives selon leurs affinités en alternant, si possible, une femme et un homme. Le premier coup de fourchette revient à la maîtresse de maison. Bon appétit !

La conversation à table évoque d'abord des généralités telles que la pluie et le beau temps ou les faits divers. Les Français sont plutôt réservés sur les sujets de religion, de même que sur les questions d'argent. Souvent éduqués dans l'idée que « l'argent ne fait pas le bonheur », ils feignent de ne pas y attacher d'importance.

Selon l'actualité, il peut être tentant d'entrer dans le vif de sujets politiques ou économiques qui font débat. La discussion peut être contradictoire et passionnée sans toutefois compromettre les relations amicales des convives. Comme le dit Jean-François Revel, « *les deux principes du dîner en ville sont qu'il faut traiter superficiellement des sujets importants et qu'une soirée est réussie quand tout le monde parle à la fois* ».

■ Au menu

« *Ce qui est beau en gourmandise, c'est de partager.* »
Sonia Rykiel

Les tendances culinaires changent, mais un repas classique voit se succéder l'entrée, le plat principal (ou plat de résistance), la salade, le fromage et le pain, et le dessert. À table, il y a deux verres ; le grand à gauche est pour l'eau, l'autre pour le vin. Le maître des lieux s'assurera qu'il est toujours mi-plein. Les couverts se placent du côté de la main qui les utilise : fourchette à gauche et couteau à droite (tant pis pour les gauchers).

Le plus souvent, sauf s'il y a un serveur, les plats sont tour à tour apportés à table et chacun se sert, les femmes les premières. Si vous avez des contraintes diététiques, philosophiques ou religieuses, dites-le simplement à l'avance pour éviter tout embarras au cours du repas.

83

Le moment de fumer peut être à la fin du repas, mais il convient de le demander. Il est agréable de passer au salon pour prendre le café. C'est l'occasion de changer de voisin et de prolonger confortablement la soirée, mais il est raisonnable de partir aux premiers signes visibles de fatigue.

Le dîner peut être « fait maison » mais, si vous n'aimez pas cuisiner, vous pouvez recourir aux plats préparés par un traiteur ou inviter vos amis dans un excellent – petit ou grand – restaurant.

Un buffet est informel et permet de se mêler aux autres invités pour lier connaissance et goûter tranquillement à tous les plats.

« Chez mon copain français, le dîner se passe à la maison, il faut mettre le couvert dans un certain ordre. Toute la famille mange à la même heure, assis à la même place autour de la table, et parle en mangeant. C'est comme un événement, c'est parfois un peu long, mais c'est bon. » Jonathan (15 ans)

Art de vivre... et bon vivant

« Je me suis rendu compte que manger est un rituel, un acte de civilisation, presque une prise de position philosophique. » Emil Michel Cioran

La cuisine est promue au rang d'art culinaire et les chefs en sont les créateurs. Un Conseil national des arts culinaires a d'ailleurs pour mission de préserver le patrimoine gourmand.

Débat entre classiques et modernes, la cuisine mêlant les saveurs sucrée et salée est souvent jugée sophistiquée et si allégée qu'elle vous laisse sur votre faim ! Tous sont d'accord sur un principe : la table est un art de vivre qui implique au moins deux ingrédients, le temps et la convivialité. *« En France, les recettes, les repas ont pour finalité d'être partagés et savourés. »* Patricia Wells

La France aux 400 fromages mange à la carte. Comment pourrait-elle se reconnaître dans un plat unique ? Il est en effet impossible de citer un plat national tant il y a de spécialités régionales ou de recettes familiales, transmises de génération en génération. Certains plats portent le nom d'un terroir – escalope normande, bœuf bourguignon – ou d'une personnalité, d'un lieu qui évoquent leur histoire : savarin (Anthelme Brillat-Savarin), pêche Melba (la cantatrice Nellie Melba), chateaubriand (écrivain et ambassadeur à Londres), bouchée à la reine, tarte Tatin...

En 2004, un sondage publié dans le magazine *Elle à table* place les « moules marinière » en première position des « bons petits plats » préférés des Français, suivies de la blanquette de veau et du pot-au-feu, du couscous, de la choucroute puis du steak frites. Pizza et quiche lorraine ne font plus recette, à l'exception des soirées de football à la télévision.

Que dire des cuisses de grenouille, étonnant cliché associé aux Français ? Certes, elles figurent sur quelques menus touristiques en Bourgogne et en Lorraine, mais rarement à la table familiale. En outre, l'élevage des grenouilles – espèce protégée – est interdit en France depuis 1977, et la saison de pêche réduite à 15 jours par an. Aussi les cuisses de batracien servies en France sont-elles importées d'Asie ou d'Europe de l'Est, et nombre de Français n'y ont jamais goûté.

La plupart des Français savent qu'une alimentation saine contribue à la santé et sont attachés à leurs trois repas quotidiens. Le déjeuner et le dîner sont diversifiés : viande, poisson ou œufs, légumes, fromage ou fruits : trois plats le midi et deux le soir. Bien manger commence par se mettre à table. Le repas, même rapide, a ses rituels et ses vertus. Il se prend à heure fixe, en famille autour de la table de la cuisine ou de la salle à manger. Partager les plats nécessite de regarder l'assiette de son voisin pour équilibrer les portions, et d'attendre son tour en discutant.

Bien sûr, le rythme de la vie professionnelle des femmes a considérablement modifié l'« esprit cuisine ». À la maison, les repas de la semaine sont souvent légers : cuisine simple, nature ou surgelée... qui allie l'équilibre alimentaire et la rapidité de préparation.

La cuisine devient une activité créative le week-end, souvent prisée par les messieurs qui aiment révéler leurs talents de cordon-bleu à leur famille ou à leurs amis. Lorsque le livre de cuisine ne suffit plus, il est chic de prendre des cours avec des chefs.

Chaque saison a ses plaisirs de table : le printemps revient avec ses légumes nouveaux ; l'été aime les salades composées, les grillades et un peu d'exotisme et d'épices ; l'automne préfère souvent les gratins qui sortent du four, tandis que l'hiver régale les mangeurs de soupes et de plats mijotés dans les marmites familiales.

Cordon-bleu, blanc, rouge

85

La plupart des magazines ont une rubrique « recettes de cuisine » et « adresses de bonnes tables ». Les fins gourmets trouveront aussi une presse spécialisée qui met en appétit.

Les étoiles ne tombent pas du ciel et il faut les mériter : dans les années trente, le *Guide rouge* a le premier institué la distinction « étoile » pour honorer les bonnes tables. Millésimé et classé par villes dans l'ordre alphabétique, la bible rouge fait référence. Le *Pudlo France* sélectionne 5 000 adresses de chefs confirmés et de jeunes talents. Le guide *Gault et Millau* décerne ses toques, et le *Bottin gourmand* propose une sélection des meilleurs restaurants de France tout en jouant au guide de voyage. Les *Lieux de toujours Mercier* invitent à la confidence. Le populaire *Guide du routard* a une édition *Hôtels et restos de France* qui propose ses 4 000 bonnes adresses.

Le menu du réveillon et du jour de Noël reste des plus traditionnels : huîtres, foie gras, saumon fumé, dinde ou oie farcie, bûche de Noël – ce gâteau roulé et décoré à la manière d'une bûche de bois que l'on met dans la cheminée et qui lui a donné son nom.

▬ Petit déjeuner ou brunch du week-end

« Le dimanche matin, en France, cela sent la baguette et les croissants chauds. » Léo

Croustillante, c'est un délice au petit-déjeuner. La baguette est ce long pain blanc d'environ 80 cm qui peut se manger par les deux bouts. Elle a été créée dans les années cinquante, à Paris, pour faire oublier aux Français les mauvais souvenirs du pain noir de la guerre. Selon les secrets de fabrication du boulanger, elle est appelée « flûte à l'ancienne », « baguette tradition »…

La mode du *brunch* plaît aux Français. Le samedi ou le dimanche, en famille ou avec des amis, chacun apprécie de se retrouver autour d'un *breakfast-lunch* sucré-salé qui se dévore après une grasse matinée ou au retour du marché. Au menu, viennoiseries (brioches, pains au lait, croissants), pain, fromage, fruits et autres gourmandises.

▬ Pause déjeuner

Si les Français aiment prendre leur temps à table, la vie active les obligent à manger vite. Estimée à 1 h 20 en l'an 2000, la pause déjeuner s'est réduite à 40 mn en 2004. La coupure du midi se résume parfois à un « en-cas » avalé à la hâte pour faire une course, du lèche-vitrine, une séance de gymnastique.

– La cafétéria propose des formules standard de restauration rapide : même décor et même carte.

– Le café ou la brasserie peuvent servir quelques spécialités chaudes : crêpe, quiche lorraine, croque-monsieur ou croque-madame (au féminin : il est recouvert d'un œuf) ; le sandwich carré grillé avec jambon et gruyère a été servi la première fois à Paris, en 1910.

– Si vous demandez un « Paris-beurre » et une « noisette » dans un café traditionnel, il vous sera servi un sandwich au jambon et un café crème. Le premier est une invention de John Montagu, comte de Sandwich qui, ne voulant pas quitter la table de jeu pour manger, se fit préparer par son cuisinier une tranche de viande entre deux tranches de pain frais. Depuis 1762, les sandwichs aux multiples garnitures sont les plus populaires des repas pris sur le pouce.

Pique-nique

Déjeuner sur l'herbe ou sur le bitume, autrement dit pique-niquer, est tendance, même à Paris. La mode prend sa source le 14 juillet 2000, lorsque la première fête nationale du troisième millénaire réunit plus de 2 millions de Français pour un « Incroyable pique-nique » autour d'une nappe à carreaux déroulée le long de la méridienne verte. Retour à la nature et à l'insouciance de l'enfance, le pique-nique est synonyme de liberté et de simplicité pour tous.

■ Au restaurant

Les restaurants sont nombreux, de différents styles et à tous les prix. Le déjeuner est servi entre 12 h et 14 h 30, et le dîner entre 19 h et 22 h. La plupart ont un jour de fermeture hebdomadaire.

Le pain et la carafe d'eau sont gratuits tandis que la bouteille d'eau minérale « plate ou gazeuse » et toute autre boisson sont facturées. Les prix proposés par les restaurants sont libres et doivent être affichés, service compris. « L'addition, s'il vous plaît » inclut toujours le service, qu'il ne faut pas confondre avec le pourboire. Bien sûr, il est aimable de laisser quelques pièces en plus sur la table lorsque le service est attentif, mais ce n'est pas un dû.

Beaucoup d'entreprises proposent à leurs salariés des tickets-restaurant ou chèques-déjeuner. Les restaurants et les traiteurs qui acceptent cette forme de paiement le signalent par un autocollant sur la porte du magasin.

Vous souhaitez manger rapidement, à bon marché ? Il existe une gamme de petits restaurants français ou exotiques et de brasseries qui affichent un plat du jour, un menu conseillé et assurent un service rapide. Les adresses se transmettent de bouche à oreille ou bien se découvrent au hasard d'un quartier ou d'une promenade.

Les grands restaurants affichent une carte gastronomique dans un décor raffiné qui contribue à la réputation de la maison. Il est recommandé de réserver sa table à l'avance en indiquant le nombre de couverts et l'heure d'arrivée ainsi que votre souhait pour un espace fumeur ou non. Vos amis ont probablement de bonnes adresses qu'ils vous livreront sur le ton de la confidence. Un restaurant est un lieu privé ouvert au public. L'entrée ne peut être refusée aux enfants accompagnés ou pour motif discriminatoire. Lorsqu'un vendeur est autorisé à y présenter ses fleurs, chacun reste libre d'acheter ou de refuser l'offre.

« Vous êtes des gastronomes pas si chauvins car vous savez apprécier les cuisines d'ailleurs. » Carlos Pascual

De fait, les cuisines d'ailleurs ont un franc succès auprès des Français, qui sont les plus gros consommateurs européens de fromage de Hollande, de vin de Porto, de saumon norvégien ou écossais. Chili con carne, nems, paella, sushis… apportent diversité et couleurs aux menus quotidiens.

■ Grands crus et petits vins

« Derrière le vin, il y a les paysages, les hommes qui le font, toute une culture et une symbolique. » Jean-Paul Kauffman

Les propriétés, longtemps familiales, changent de mains : des investisseurs manifestent un intérêt croissant pour les vignobles français, dont ils se portent acquéreurs.

Quelle que soit sa taille, la vigne offre un alignement de ceps qui fait la fierté du vigneron. Mais pourquoi planter des rosiers en bordure des vignobles ? Ce n'est pas seulement joli, c'est d'abord utile car les feuilles de rosier, plus tendres que les feuilles de vigne, porteront les premiers indices d'une maladie végétale, ce qui permet au viticulteur d'agir à temps.

Blanc, rosé, rouge, il vous est permis d'assortir plats et vins selon votre goût. Les amateurs éclairés consomment les vins blancs secs ou les rouges frais avant les crus rouges « chambrés » (servis à la température de la pièce). Un vin jeune se boit avant un cru plus âgé. On laisse même la poussière sur les vieilles bouteilles… c'est plus authentique, sinon le vin est versé préalablement dans une carafe pour qu'il y décante et développe son arôme.

On peut deviner la provenance d'un vin avant de lire l'étiquette grâce à la forme de la bouteille ; elles sont en effet différentes selon les crus. Bouteille en longueur : c'est un vin d'Alsace ; bouteille en rondeur : c'est un vin de Bourgogne. D'une contenance habituelle de 75 cl, une bouteille peut être proposée, au restaurant, en demi-format de 33 cl, appelée « fillette ».

■ Les mots du vin

« Le vin, on le regarde, on le hume, après seulement on pose son verre et on en parle. » Talleyrand

– À l'œil : sa robe est d'une belle brillance, aux reflets rubis… il a du jambage et des larmes.

– Au nez : fruité, fleuri et légèrement boisé, patience il prend du bouquet.

– En bouche : il est gouleyant, ses flaveurs sont délicates ; son arôme est puissant.

Le champagne

« Ce vin frais… l'écume pétillante de nos Français est l'image brillante. » Voltaire

Avant d'être appelé « champagne », le vin blond était surnommé « saulte bouchon ». Tandis que dom Pérignon découvre la montée des bulles dans une bouteille, à la même époque Isaac Newton observe la chute des pommes. À chacun son attraction ! Robe or pâle, corolle de mousse et bulles fines, le champagne est un symbole de fête ou de succès dans la plupart des pays du monde. Ce vin de plaisir par excellence est un subtil assemblage de trois cépages (pinot noir, pinot meunier et chardonnay). Lorsqu'un champagne est fait de raisins d'une seule année, c'est un millésime. Les grandes maisons cultivent l'art des cuvées spéciales et de l'élégance de la bouteille.

Le vignoble champenois produit plus de 300 millions de bouteilles par an. Il s'étend sur 35 000 hectares, répartis strictement sur 5 départements : l'Aisne, l'Aube, la Haute-Marne, la Marne et la Seine-et-Marne. Selon la loi, la mention « champagne » doit être imprimée sur l'étiquette et le bouchon de liège. Brut ou demi-sec, il doit être servi frais (8-10° C) mais non frappé ; une coupe de champagne est appréciée à l'apéritif ou – vrai luxe – en accompagnement d'un repas de fête. Mieux qu'une coupe, une flûte ou un verre tulipe favorise l'alchimie des bulles et exhale l'arôme du champagne tout en gardant sa fraîcheur. Pour saluer un événement, il est de tradition d'offrir un vin d'honneur. On compte environ 6 coupes ou 8 flûtes par bouteille.

Paroles de sommelier, son verre à la main : « *c'est un vin tranquille, flatteur en bouche et charpenté qui réjouit le palais !* » L'initiation à l'œnologie est proposée à tout amateur qui est curieux d'apprendre, par exemple, que le cépage est la variété de plant d'une vigne, que le millésime est l'année de récolte du raisin. Les principes de vinification sont très élaborés. Le savez-vous ? Le raisin noir donne un jus blanc et produira un vin blanc si la peau colorante de ce raisin est laissée dans le pressoir. Ainsi la transparence du vin rosé s'obtient-elle par un habile mélange de jus rouge et blanc.

• Dans le monde du vin de Bordeaux, « *château* » indique le domaine, la propriété où se cultive la vigne et se fait le vin. C'est une appellation attribuée par décret. Sur l'étiquette, la mention « *mis en bouteille au château* » garantit son origine et l'authenticité de sa fabrication. Le Bordelais est la première région viticole du monde : 100 000 hectares de vigne et plus de 4 000 châteaux !

• Les vins de Bourgogne sont pour la plupart des grands crus qui doivent vieillir quelques années à la propriété avant de se faire apprécier ; les connaisseurs vous diront qu'ils doivent prendre de la bouteille. La Bourgogne doit à son célèbre chanoine Kir le cocktail du même nom, l'un des apéritifs les plus consommés en France. Il est composé d'un doigt de crème de cassis allongé de vin blanc, de Bourgogne bien sûr. Le kir devient royal si le vin est remplacé par du champagne.

• C'est un rendez-vous incontournable : « *Le beaujolais nouveau est arrivé* » ; il est attendu à Paris, à Londres, à New York ou à Tokyo… chaque troisième jeudi de novembre, à minuit. Le beaujolais nouveau ou primeur est bien sûr le vin qui se boit le plus ce jour-là. « *Trois fleuves arrosent Lyon : le Rhône, la Saône et le beaujolais.* » Léon Daudet.

Les confréries du vin

Les confréries de traditions médiévales, consacrées au vin ou à la gastronomie, sont nombreuses en France. Ordre des coteaux de Champagne, Confrérie des chevaliers du taste-vin, Académie des gastronomes… chacune possède ses insignes, sa tenue, sa devise et ses rites d'intronisation.

Les Compagnons du beaujolais en habits (tablier vert, veste et chapeau noirs) ressemblent à de fiers vignerons, de bonne humeur. Hommes et femmes prêtent serment d'honorer et de promouvoir les vins du Beaujolais en toute circonstance. À vos taste-vin ! Il y a dix crus de beaujolais fruités, fleuris, et comment ne pas apprécier un verre de saint-amour, dont la robe est d'une belle brillance.

« Les Français sont si fiers de leurs vins qu'ils ont donné à certaines de leurs villes le nom d'un grand cru. » Oscar Wilde

• Vins du Val de Loire, qui se confondent avec leur ville : Saumur, Chinon, Cahors…

• Vins d'Alsace, principalement des blancs.

• Côtes du Rhône, côtes de Provence, côtes du Roussillon, côtes du Languedoc.

• Vin de Corse…

Autant de cépages différents et de vins de caractère… à déguster.

Les grands crus et les vins primeurs composent une carte à tous les prix. L'appellation d'origine contrôlée (AOC), qui garantit la qualité originale, labellise 32 fromages et 400 vins ou alcools. Pour le vin, ce titre définit un terroir précis, des cépages et des techniques de vinification. Dorénavant, ces produits recevront aussi l'estampille européenne « appellation d'origine protégée » (AOP), certifiant la méthode et la zone géographique de fabrication.

Depuis 1919, toute bouteille de vin a une étiquette portant son nom ou sa dénomination, son millésime (année de la vendange), le nom du producteur et le lieu de mise en bouteille, ainsi que le volume et le degré d'alcool. Il y a des millésimes exceptionnels qui se refléteront sur le prix de vente. En outre, une « Marianne » et la mention « République française » doivent figurer sur la capsule qui recouvre le bouchon. C'est la preuve que les taxes ont été payées.

• Hiérarchie des vins : lexique

– Vin de table de France : mélange de cépages ;
– vin de pays : vin d'une région vinicole définie ;
– AO VDQS : appellation d'origine, vin de qualité supérieure ;
– AOC : appellation d'origine contrôlée attribuée à une région délimitée (vin griffé, cru classé, cru bourgeois…) ;
– VDL : vin de liqueur (pineau des Charentes) ;
– VDN : vin doux naturel (muscat…)

Anjou, bordeaux, bourgogne, champagne… une bouteille contient 0,75 l, soit 6 à 7 verres ; un magnum contient 1,5 l, un jéroboam 3 l, un mathusalem 6 l, un salmanazar 9 l, un balthazar 12 l, un nabuchodonosor 15 l (soit 20 bouteilles).

Le vin rouge se sert entre 15 et 18° C, le vin blanc sec entre 10 et 12° C. La loi Évin a institué une formule de précaution applicable sur toutes les boissons alcoolisées : « *À boire avec modération* » ; une incitation à boire moins mais à boire mieux.

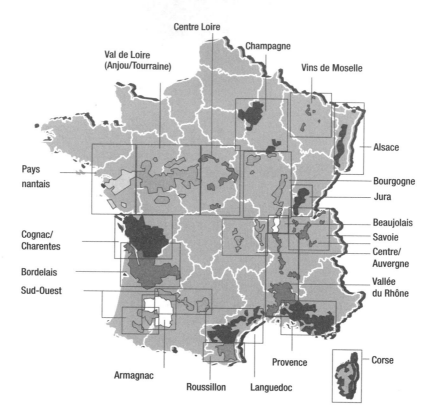

Le terroir

« *C'est un mot mystérieux qui ne se traduit pas en anglais* » John Lichfield. Cuisiné à toutes les sauces, le terroir, « *en agriculture gourmande, c'est la rencontre entre un sol, un climat et un homme. Un vin fidèle à son terroir, c'est un vin qui a la gueule de l'endroit où il est né, la couleur du climat qui l'a vu naître et les tripes du bonhomme qui l'a fait naître* » Périco Légasse (*Nos amours de la France. République, identités, régions*).

Les vins et les fromages portent souvent le nom du terroir où ils naissent. Devenus une référence touristique, gastronomique ou viticole, les terroirs préservent l'histoire et les habitudes pour mieux fabriquer des produits labellisés par l'Institut national des appellations contrôlées.

- **Vin et fromage**

Le vin est l'ami du fromage, rouge le plus souvent, mais le vin blanc séduit de plus en plus. Vous trouverez chez le boulanger un pain aux noix pour accompagner un fromage de chèvre, un pain au cumin pour déguster un munster ou bien encore au raisin pour goûter les bleus d'Auvergne. Il est habituel de présenter les fromages entamés pour en voir le degré d'affinage. Le fromage a, comme les fruits, ses saisons. De fait, les vaches et les chèvres qui mangent l'herbe du mois d'avril donnent un lait aux saveurs printanières.

French paradox

Un Français, dit-on, passe douze ans de sa vie à table. Il mange par an au moins 23 kilos de fromage arrosés de vin et boit 100 litres d'eau et 2 litres de champagne par an. Comment une alimentation faite de fromage, de beurre, de blanquette de veau, etc., en un mot de mets riches en calories, plus des fruits et des légumes sans oublier un verre de vin, protège-t-elle nos artères ? C'est le *French paradox*, selon des chercheurs américains qui constatent que bonne chère rime avec bonne santé.

◼ Même à Paris

Au XIVᵉ siècle, les moines vignerons de l'abbaye de Passy, rue des Eaux à Paris, cultivaient quelques vignes et entreposaient leur vin dans les caves voûtées. Celles-ci sont devenues le musée du vin, on y raconte l'histoire viticole, ses métiers, et on peut s'initier à l'œnologie et à la dégustation.

◼ Spiritueux

La France s'illustre aussi par sa diversité en « spiritueux » ; ces alcools ou eaux-de-vie, produits par distillation, se servent en fin de repas ou en cocktail. L'âge est la grande vertu des alcools. Ils sont souvent un subtil mélange de plusieurs millésimes.

- Quelques alcools de région :

– le calvados en Normandie (pomme), servi traditionnellement au milieu d'un copieux repas : c'est le « trou normand » ;
– le kirsch en Alsace (cerise) ;
– le cognac en Charente (raisin) ;
– le marc de Bourgogne (raisin).

93

Les alcools se boivent après le café, en digestif, dans un verre tiédi en forme de tulipe.

On peut lire sur la bouteille :
– « vieux » ou « réserve » (3 ans d'âge) ;
– « *vieille réserve* » *(4 ans d'âge)* ;
– « VSOP » : *Very Special Old Pale* (5 ans d'âge) ; traduction souriante : **v**erser **s**ans **o**ublier **p**ersonne ! ;
– « hors d'âge » (après 6 ans).

Bistrots
et terrasses des cafés

« Le café est une institution indéfinissable…, un cabinet d'avocat, une Bourse, une coulisse de théâtre, un club, une salle de lecture… »
Honoré de Balzac

Bar, bistrot, troquet, estaminet, café traditionnel, populaire ou branché, ce lieu semble éternel. Un nom qui rappelle un moment de son histoire : le Café d'époque, le Bar de l'église, le Bistrot gaulois, la Brasserie de France, Chez nous…

■ Bistrot de quartier

Le café fait partie de la vie sociale du quartier, chacun y offre sa tournée. Lieu populaire de passe-temps entre habitués, c'est le seul endroit où l'on peut refaire le monde devant un petit noir et un œuf dur au comptoir.

94

Les uns s'accordent quelques minutes au « *zinc* » le temps d'un expresso ou d'un ballon de rouge, les autres s'y installent pour lire, travailler, rêver. On s'y donne rendez-vous entre amis pour le plaisir d'une discussion sans fin.

■ Le bistrot à vins

Le patron du bistrot à vins, vigneron dans l'âme, privilégie quelques bons crus qui font la réputation de sa cave. Son bistrot a du caractère, il lui ressemble : chaleureux et authentique. Le vin se sert au verre, au pichet ou à la bouteille, il est particulièrement apprécié avec un « *plat du chef* », une charcuterie régionale ou un fromage de pays.

■ Les pubs

Des patrons irlandais ou britanniques ont su recréer en France l'atmosphère de leurs *pubs* préférés. Ce sont des lieux recommandés pour prendre un bain d'anglais en allant à la rencontre de la communauté anglophone, qui s'y retrouve comme chez elle.

■ Les brasseries

Amateurs de houblon, les brasseries sont consacrées à la bière, qu'elle soit à la pression, en bouteille, blonde, brune ou rousse. Les tables avec nappe sont réservées à la restauration, des repas rapides y sont servis à toute heure.

■ Terrasses

Un trait de soleil sur deux doigts de ciel bleu, et « *la terrasse de café remplace tous les théâtres en plein air* ». Les parasols s'emparent du trottoir, le client est au premier rang pour le spectacle de la rue. Ce plaisir est un luxe qu'envient d'autres pays. Dès les premiers froids, la rue passe derrière la vitre et les fauteuils se replient en terrasse couverte.

Quelques terrasses plein ciel de Paris offrent un point de vue qui vaut le détour : Institut du monde arabe, centre Beaubourg, musée d'Orsay, tour Montparnasse ou Tour d'argent…

Ces dernières années, les quartiers touristiques ont vu fleurir des cafés-terrasses, parfois si exotiques qu'il n'est pas sûr d'y entendre parler français ; le tarif des consommations y est souvent cher, d'ailleurs les consommateurs préférés des patrons sont les visiteurs de passage.

95

■ Les cafés célèbres

Le Procope, rue de l'Ancienne Comédie à Paris, fut la première maison à boire le café, breuvage sombre et arôme nouveau adopté par Louis XIV et sa cour. Francesco Procopio, venu de Sicile, ouvre en 1686 une boutique pour vendre le café à la tasse. Son succès fut immédiat. Les gens de lettres s'y bousculent : Voltaire, Rousseau, Diderot, Victor Hugo, Molière, La Fontaine… Les encyclopédistes, les romantiques, les révolutionnaires… y refont l'histoire et tenteront d'éclairer leur siècle, le XVIIIe, le siècle des Lumières. On dit que Benjamin Franklin y écrivit un chapitre de la Constitution américaine. Trois siècles plus tard, le Procope peut toujours vous servir un café et vous présenter, à l'heure des repas, la carte d'un restaurant de légende.

D'autres lieux ont cultivé aussi une tradition littéraire et artistique qui ont fait leur renom : la Closerie des Lilas, le Flore, la Coupole, les Éditeurs… L'atmosphère y reste inspirée. On s'y montre et on y guette des têtes connues. Ces cafés parisiens sont mythiques, et ceux qui les ont fréquentés y rôdent toujours : Louis Aragon, Guillaume Apollinaire, Léon-Paul Fargue, Jean-Paul Sartre et Simone de Beauvoir, Jacques Prévert et les autres… Aux Deux Magots, Alfred Jarry se fait remarquer en brisant un miroir d'un coup de revolver afin de déclarer à une femme « de marbre » : « Madame, la glace est rompue entre nous. Causons. »

Aujourd'hui, le Fumoir, café voisin du Louvre, est un lieu simplement chic et chaleureux de la rive droite. Parquet, bougies, fauteuils de cuir patiné constituent les ingrédients d'une ambiance qui convient à la conversation. Les accents et les saveurs sont d'ici et d'ailleurs. La presse y est internationale, à l'image des clients. En confidence, le coin bibliothèque est un havre de paix pour les amoureux de lettres.

Détails pratiques

Les horaires d'ouverture des cafés sont variables selon la région, le climat, le quartier ou le rythme du patron. Les tarifs des consommations doivent être affichés, service compris, ou figurer sur la carte ; ils sont majorés la nuit, et plus élevés en terrasse ou en salle qu'au bar. L'accès aux toilettes est réservé aux clients.

L'activité du bar-tabac est multiple : comme son nom l'indique, on y trouve cigarettes et tabac, et souvent, on peut y jouer au loto et parier sur les chevaux lorsqu'y figure l'enseigne « PMU ». Les clients passent, gagnent ou perdent, mais les fidèles restent. Sous le contrôle de l'État, les timbres fiscaux y sont vendus.

■ Café philo, cyber-café…

Des cafés à thème fleurissent dans les grandes villes, par exemple :

• le bistrot philo, où les discussions sont plus abstraites que celles du café du commerce ; rendez-vous d'intellectuels, on y débat passionnément des sujets de société ;

• l'Internet au café, une façon de rentabiliser l'investissement technologique et de le mettre à la portée des surfeurs en recherche de connexions sur la Toile ;

• les cafés sport, qui ont une façon collective de partager des émotions sportives en diffusant sur écran géant les compétitions qui comptent.

▬ Salons de thé

L'heure du thé à l'anglaise a ses inconditionnels. L'atmosphère feutrée est idéale pour les conversations discrètes. Quelques librairies servent le thé en même temps qu'elles vendent des livres. La qualité de l'accueil met le lecteur en appétit de livres et de « *petits fours* ».

Mode et couture

« La mode est une frivolité essentielle. La mode se démode, le style jamais. » Coco Chanel

Selon les saisons, s'habiller demande un peu d'imagination et de style. Mode d'été ou d'hiver, pour rêver un peu ou beaucoup, vous trouverez des centaines de boutiques classiques, griffées ou dégriffées, à tous les prix. Les Françaises et les Français se sentent libres de mélanger les genres et recherchent le confort de vêtements agréables à porter. Pourtant, les codes vestimentaires continuent d'exister implicitement, et il est devenu difficile de savoir comment s'habiller pour telle ou telle circonstance. Le plus sûr est de prendre avis ou de relire son carton, qui porte peut-être un indice : « tenue de soirée », « tenue de ville »…

En 1926, Coco Chanel (Gabrielle Bonheur-Chasnel) crée la fameuse petite robe noire, une façon d'être simplement élégante en toute circonstance. Simple et stylée, la petite robe noire a changé la vie des femmes quels que soient leur âge et leur silhouette.

« La mode est la littérature de la femme, la toilette est son style personnel. » Octave Uzanne

Vingt et une maisons ont le label « haute couture » et présentent deux collections par an – printemps-été, automne-hiver – lors de prestigieux défilés qui réunissent, à Paris, les créateurs et les élégantes du monde entier (sur carton d'invitation seulement). La presse internationale contribue à cette notoriété ; par exemple, un vrai compliment du magazine *Newsweek* : « *c'est chic, c'est French.* »

Les grandes marques de couture signent aussi leurs accessoires : maroquinerie, bijoux, lunettes, parfums ou foulards…, un luxe à s'offrir ou à se faire offrir.

75 g de soie, 90 cm sur 90 cm

C'est bien sûr le carré en soie, le symbole d'Hermès, aimé et connu du monde entier. Depuis 1937, la maison Hermès compte 870 modèles : thèmes inédits, palette de couleurs et multiples déclinaisons. Brides de gala, ex-libris, emblèmes d'Europe, les merises… demandez leur nom. *« Le carré sert toutes les audaces et toutes les conventions »* et sort ses créations en deux collections annuelles.

■ Uniformes couture

L'uniforme professionnel prend des airs « couture » et donne une image valorisante des institutions françaises et de leurs différents métiers, une façon de savoir plaire en utilisant son savoir-faire. Il facilite aussi l'identification par les clients.

Christian Lacroix a conçu les uniformes d'Air France. La Poste a choisi Pierre Balmain pour habiller de bleu et jaune ses hôtes et hôtesses. Guy Laroche a réalisé des costumes vert bronze et jaunes pour les agents de la RATP.

La Direction des musées de France a son slogan : *« La mode habille les musées »*. Ainsi Yves Saint-Laurent signe-t-il les uniformes des agents du Louvre ; Lanvin habille les hommes du musée d'Orsay, Sonia Rykiel les femmes.

À la boutonnière

« Le désir du privilège et le goût de l'égalité sont les passions dominantes et contradictoires des Français de toute époque. » général de Gaulle

La Légion d'honneur, créée par Napoléon, et l'Ordre national du mérite, créé par le général de Gaulle, récompensent des services éminents et distingués rendus à la nation, à titre civil ou militaire. Ces distinctions exceptionnelles, qui ne se réclament pas, honorent aussi bien des artistes que des scientifiques, des entrepreneurs ou des sportifs, et ont cinq grades – chevalier, officier, commandeur, grand officier et grand-croix – qui se portent en insigne à la boutonnière.

À titre collectif, 68 villes, comme Reims et Verdun, ont été décorées de la Légion d'honneur, dont les villes étrangères de Liège, Belgrade, Luxembourg, Stalingrad et, en 2004, Alger.

Pour en savoir plus

Sites et livres

http://www.guide-du-gourmet.com/fr

http://www.meilleurduchef.com

http://www.recettes-decuisines.net

Gérard Mermet, *Francoscopie 2007. Pour comprendre les Français*, à paraître en octobre 2006.

Jacques Gandouin, Pierre De Brissac, Georges Allary, *Guide du protocole et des usages*, Le Livre de poche, 1996.

Emmanuelle Jary, *Les chemins du goût. À la découverte de la France des saveurs*, Aubanel, 2005.

Travailler et résider en France

« À mesure que la grande industrie s'empare
du monde, la vie devient plus mobile
et le gouvernement de l'État plus compliqué. »

Guglielmo Ferrero

Mobilité :
une histoire de tous les temps

« Nos pères furent sédentaires, nos fils le seront davantage car ils n'auront pour se déplacer que la terre. » Paul Morand

La mondialisation n'est pas une idée neuve car, depuis toujours, l'histoire raconte les épopées d'infatigables voyageurs qui pressentaient la vraie mesure du monde. Chemin faisant, ils commerçaient et échangeaient des marchandises, des idées, des usages qui, au fil du temps, enrichirent leur vie et leur patrimoine. La mobilité est plus que jamais d'actualité, et bouger est la meilleure façon de tracer sa propre « route des épices » et d'étoffer son bagage.

En France, dès les années 1850, l'industrialisation a entraîné une migration de population, principalement rurale, des villages vers les villes. Puis la reconstruction du pays à la suite des deux guerres mondiales (1914-1918 et 1940-1945), a accéléré une immigration de « main-d'œuvre » étrangère. La première ordonnance réglementant l'entrée et le séjour des étrangers date du 2 novembre 1945 et, depuis le 1er mars 2005, c'est le Code de l'entrée et du séjour des étrangers et du droit d'asile (CESEDA) qui fait loi.

L'immigration a, en son temps, contribué à l'essor de la France et au métissage culturel de la nation française. Aujourd'hui, la globalisation de l'économie et la disparité du développement de la planète font de l'émigration et de l'immigration des défis pour tous les pays.

La France se veut attractive et accueillante pour les forces vives qui participent à l'évolution du pays et de son économie. Elle distingue l'immigration pour motifs économiques, familiaux et humanitaires, considérant qu'il y a les étrangers qui viennent aider le pays et ceux qu'il faut aider.

Bienvenue

Selon les estimations douanières, l'Hexagone accueille 76 millions d'étrangers par an, plus qu'elle ne compte d'habitants (62,9 millions). Ils sont touristes, visiteurs, travailleurs, étudiants, stagiaires... et passent en France quelques semaines ou quelques années.

Lors des contrôles à l'entrée en France, tout étranger doit pouvoir présenter un document de voyage valide et justifier auprès d'une autorité de police de l'objet et de la durée de son séjour, en plus de ses moyens de vivre pendant ce temps. En outre, il lui est fait obligation de disposer d'une assurance couvrant ses éventuelles dépenses de santé et, le cas échéant, d'accident et de rapatriement.

Une carte d'identité est suffisante pour le déplacement en Europe des ressortissants des 25 pays membres de l'Union européenne (UE) et de l'Espace économique européen (EEE). La Suisse applique avec réciprocité les règles de libre circulation aux citoyens européens.

De votre nationalité, de vos projets (travail, études, tourisme…) et de vos ressources dépendent les formalités administratives que vous aurez à entreprendre. Toutes les nationalités, à l'exception des citoyens des États de l'UE, l'EEE et la Suisse, sont tenues d'obtenir un « visa long séjour » pour y résider au-delà de 90 jours consécutifs.

■ Différents types de visa

Une demande de visa doit être motivée et effectuée à l'avance auprès du consulat de France du lieu de résidence. Une décision favorable donne lieu à l'émission d'un visa, qui est une vignette apposée dans le passeport par le service consulaire. Cette formalité est, pour la plupart des nationalités, précédée d'une consultation du Réseau mondial visas et éventuellement des services de police du ministère de l'Intérieur, en France.

Les visas portent une mention correspondant à la situation du demandeur. Les plus fréquents sont le visa D – visa de long séjour, valide 3 mois pour permettre l'instruction de la demande de carte de séjour en France – et le visa C – visa de court séjour (moins de 3 mois) pour visite de famille, tourisme, voyage professionnel, etc.

La personne que sa profession conduit à développer des projets en France peut solliciter un visa de « voyage d'affaires » ou un visa de « circulation », éventuellement à entrées multiples. La demande est justifiée par ses activités, par exemple réaliser une étude de marché, visiter un client, négocier un contrat, se rendre à un salon professionnel ou participer à un séminaire dans une filiale du groupe dont il est salarié. Un visa de voyage d'affaires ne permet en aucun cas de participer à l'activité d'une entreprise en France, même provisoirement.

Le demandeur doit présenter au consulat une lettre de mission ou une invitation justifiant du caractère professionnel du déplacement, ainsi qu'une garantie de ressources et de couverture sociale pendant le séjour. Des frais de dossier sont perçus en monnaie locale pour chaque demande et varient selon la nature du visa sollicité.

La durée d'un court séjour en France est encadrée par la durée de validité du visa. En général, elle n'excède pas 3 mois par période de 6 mois consécutifs. Certains consulats insèrent une photo sur le visa.

Depuis 1995, l'espace Schengen constitue un territoire commun entre les pays signataires de la convention sur la libre circulation des personnes, soit 15 pays en tout. Le contrôle informatisé s'effectue aux frontières extérieures, mais chaque État garde le droit de procéder à toute vérification d'identité. Un passeport portant un visa « France » avec la mention « transit Schengen » autorise son détenteur à voyager librement à l'intérieur de cet espace, pendant sa validité, sans toutefois l'autoriser à y résider ou à y travailler. Le Système d'information Schengen (SIS) est une base commune d'informations, comme son nom l'indique.

Quelques grands principes

La France est un pays de droit écrit. L'égalité des droits entre citoyens et entre hommes et femmes est régie par la loi. L'entrée, l'activité professionnelle et le séjour des étrangers en France sont réglementés. La situation professionnelle relève, en lien avec les préfectures, de la direction départementale du travail et de la formation professionnelle (DDTEFP) pour les salariés, des chambres de commerce et d'industrie (CCI) pour les commerçants, des chambres de métier pour les artisans, des ordres professionnels pour les professions dites « réglementées » telles que médecins, avocats, architectes, etc.

Le 1er mai 2004, l'Union européenne des Quinze s'est élargie à dix autres pays, dont tous les ressortissants bénéficient de la libre circulation. En revanche, la liberté d'établissement reste réglementée. À l'exception des Chypriotes et des Maltais, qui bénéficient du droit de circuler et de s'établir librement sur le territoire de l'UE, qu'ils exercent ou non une activité économique, certaines mesures restrictives sont maintenues durant une période transitoire pour les ressortissants d'Estonie, de Lettonie, de Lituanie, de Pologne, de Slovaquie, de Slovénie, de la République tchèque et de Hongrie en matière de libre accès au marché du travail et de circulation ; ils restent en effet tenus de solliciter un titre de séjour s'ils souhaitent exercer une activité professionnelle plus de 3 mois en France. Ce titre de séjour temporaire peut être subordonné à une autorisation de travail, mais ils sont alors dispensés de visa long séjour.

Dans le secteur de la santé, les ressortissants communautaires peuvent bénéficier d'une autorisation d'exercice d'une profession paramédicale si leur formation est jugée équivalente à celle proposée en France, sinon un complément de qualification est nécessaire.

■ Prestation de services

En outre, les ressortissants des nouveaux États membres régulièrement employés par une entreprise établie dans l'un de ces pays européens bénéficient du libre exercice de la « prestation de services ». Ces salariés peuvent être détachés pour une durée limitée sans être soumis à une autorisation de travail.

De façon générale, dans le cadre d'un détachement intragroupe ou d'activités de caractère industriel et commercial exécutées sous le couvert d'un contrat de sous-traitance, l'entreprise en France (qui accueille le salarié) a la responsabilité de vérifier que l'entreprise étrangère, le fournisseur qui lui vend un bien matériel ou le prestataire qui lui fournit un service, non établie en France, applique à ses salariés détachés les dispositions du droit français pour l'exécution du contrat.

Dans tous les cas, à travail égal, le salaire doit être égal même si le salarié travaille sous le couvert de son contrat de travail étranger. Une prestation de service n'est pas une mise à disposition déguisée de personnel étranger auprès d'une entreprise française.

Une prestation de services entre filiales européennes peut être rendue par un salarié non européen employé de façon habituelle par une entreprise établie dans un État membre de l'UE s'il dispose d'une autorisation de travail en cours de validité ou d'un titre de séjour dans ce pays. Il sera alors détaché temporairement en qualité de résident dans l'un des pays de l'UE qui lui permettra de solliciter une carte de séjour à son arrivée en France (application de l'arrêt Vander Elst).

106

Procédures d'immigration

Si les mots « émigré » et « immigré » évoquent une situation de déplacement géographique d'un pays vers un autre, la situation d'étranger est une notion juridique. Un étranger est une personne ayant une autre nationalité que française. Il peut être né en France et garder sa nationalité étrangère initiale. Un immigré est, en toute circonstance, né à l'étranger, de parents étrangers. Il est entré en France avec sa nationalité étrangère, et il peut avoir acquis depuis la nationalité française en France.

La Direction de la population et des migrations (DPM), créée en 1966 et rattachée au ministère de l'Emploi, de la Cohésion sociale et du Logement, administre les questions relatives à l'accueil et à l'intégration des immigrés. De même, elle coordonne la réglementation du travail applicable aux étrangers et décide de l'octroi de la nationalité française.

L'Agence nationale de l'accueil des étrangers et des migrations (ANAEM) est un établissement public qui met en œuvre la politique de l'État en matière d'intégration des étrangers en France. Ainsi, l'ANAEM gère le contrat d'accueil et d'intégration (loi de cohésion sociale du 18 janvier 2005), proposé aux étrangers autorisés à résider durablement en France, notamment dans le cadre du regroupement familial.

Contrat d'accueil et d'intégration

Chaque année, près de 100 000 étrangers, non européens, entrent en France pour y vivre durablement. Sous l'égide de l'ANAEM qui coordonne son application, un contrat d'accueil et d'intégration nominatif est proposé à chaque adulte dès leur arrivée. Intitulé « bienvenue en France », le CAI stipule les engagements réciproques entre l'État représenté par le préfet du département qui en est signataire et met en œuvre les dispositifs d'accueil et la personne étrangère qui s'engage à suivre des cours de langue française si nécessaire et une formation civique. Cet accompagnement, gratuit pour l'étranger et financé par l'impôt, est un effort commun qui contribue à une intégration progressive à la société dans le respect des lois et des valeurs de la République française et donne lieu à évaluation.

En outre, tout étranger devant résider plus de trois mois en France doit passer, à son arrivée, un examen de santé sous l'égide de l'ANAEM. Le certificat médical est exigé avant toute prise de fonction dans une entreprise et doit être joint au dossier de demande de carte de séjour. L'ANAEM perçoit, pour ses différentes prestations, des redevances forfaitaires, taxes à la charge de l'entreprise d'accueil ou du demandeur lors d'une démarche individuelle.

Différents statuts salariés

C'est votre nationalité, associée à votre situation personnelle et professionnelle, qui déterminera votre statut en France au regard du droit du travail, de celui de la Sécurité sociale et du droit fiscal.

■ Au regard du droit du travail

L'entreprise doit initier la procédure d'introduction du salarié étranger. La première étape est la demande d'autorisation de travail auprès de la DDTEFP dont il relève ou du lieu de travail, selon la situation.

● **Statut de « salarié permanent »** : l'entreprise, en France, veut embaucher un étranger. Son contrat de travail est à durée indéterminée, et son salaire, payé en France, donne lieu à des bulletins de salaire conformes à la législation française.

En pratique, un transfert intragroupe s'inscrit dans la stratégie de gestion de carrière conduite par l'entreprise. Ses collaborateurs dont l'expertise est reconnue doivent développer une expérience à l'international.

Sinon, pour tout recrutement direct d'un collaborateur étranger, l'entreprise a l'obligation de publier son offre d'emploi (ANPE, presse…) afin de proposer préalablement le poste sur le marché de l'emploi en France et d'étudier les candidatures éventuelles. La DDTEFP contrôlera cette démarche avant d'instruire le dossier de l'étranger pressenti.

Un avis favorable engage l'entreprise à gérer ce collaborateur étranger comme un salarié habituel. Elle effectuera une déclaration unique d'embauche (DUE) avant sa prise de fonction et l'inscrira sur le registre unique du personnel avec le numéro de l'autorisation de travail (copie annexée).

● **Statut de « salarié détaché »** : l'entreprise, en France, accueille un salarié d'une entreprise à l'étranger. Celui-ci exécute sa mission de prestations de services (assistance technique, audit, transfert de compétences…) pour le bénéfice et sous le contrôle de son employeur, qui le rémunère. Il ne peut s'agir d'une mise à disposition, et la durée de sa mission reste temporaire. Le salarié détaché bénéficiera, en France, des avantages et de la convention collective dont relève son entreprise d'accueil, notamment en ce qui concerne les congés.

L'autorisation provisoire de travail (APT) est confirmée par une carte émise par la DDTEFP, qui encadre sa durée par périodes maximales de 9 mois renouvelables selon la situation. Cette APT confirme la situation de travail temporaire attachée à l'entreprise qui l'a sollicitée, elle ne permet donc pas de changer d'employeur en France.

● **Exception : le conjoint d'un citoyen européen** est dispensé d'autorisation de travail dès lors que le couple peut prouver, en plus de la citoyenneté européenne de l'un, sa vie commune en France. Ensemble, ils doivent solliciter une carte de séjour « membre de famille Union européenne » auprès de la préfecture de leur lieu de résidence.

Schéma d'une procédure d'introduction « salarié »

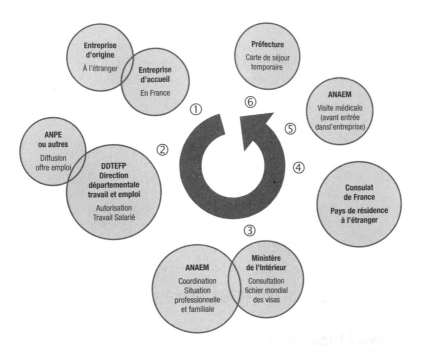

Cadres étrangers dirigeants ou de « haut niveau »

Depuis mars 2004, dans le cadre de l'attractivité économique de la France, la procédure de délivrance des autorisations de travail et des titres de séjour est simplifiée pour les cadres étrangers dirigeants ou de haut niveau (non EEE ou Suisse) s'ils sont transférés dans une société en France, en qualité de *salariés permanents* ».

Toutefois, l'entreprise d'accueil doit prouver sa pérennité tandis que le collaborateur pressenti justifie, avant son transfert, d'une ancienneté minimum dans le groupe. Son salaire mensuel brut minimum doit être égal ou supérieur à 5 000 euros, qui lui seront payés en France dès sa prise de fonction.

L'ANAEM coordonne la procédure « haut niveau » en transmettant le dossier successivement à la DDTEFP, au consulat de France du pays de résidence et à la préfecture jusqu'à la remise de la carte de séjour portant la mention « salarié », et « visiteur » pour le conjoint s'il y a lieu.

En outre, dans ce dispositif, le conjoint étranger peut accéder au marché du travail en France sur présentation d'une offre d'embauche à l'ANAEM, pour un salaire d'au moins 2 000 euros. Une procédure simplifiée de changement de statut lui est alors applicable.

■ Au regard du droit de la Sécurité sociale

• **Salarié permanent ou salarié détaché**, le ressortissant d'un pays disposant d'une convention bilatérale de sécurité sociale avec la France qui présente un certificat de couverture sociale valide pourra bénéficier du maintien dans son système de protection sociale d'origine, autrement dit d'un détachement de sécurité sociale.

Sinon, l'entreprise d'accueil en France devra affilier le salarié étranger auprès de l'Union pour le recouvrement des cotisations de Sécurité sociale et d'allocations familiales (URSSAF) et payer les charges sociales obligatoires au titre d'employeur ou pour le compte de la société d'origine.

L'employeur commet une faute si le salarié autorisé à travailler en France n'est pas affilié à un organisme de couverture sociale (français ou étranger lors d'un détachement).

Situations particulières

■ Travail indépendant

Une activité professionnelle non salariée n'est pas soumise à autorisation de travail par la DDTEFP mais nécessite l'obtention d'un visa de long séjour « *visiteur* » auprès du consulat de France. Des preuves de ressources financières régulières et d'une couverture sociale seront requises, permettant une installation en France en toute autonomie économique.

Il sera notamment exigé du demandeur de motiver son projet professionnel ou artistique et de s'inscrire aux organismes dont relève cette activité (chambres des métiers qui représentent les artisans) et à l'URSSAF. Le travailleur indépendant peut être aidé dans la gestion de son statut par une « *société de portage* » qui agit comme intermédiaire auprès de ses clients.

Les professions libérales telles qu'avocat, architecte, etc. ont des obligations fixées par l'ordre professionnel concerné.

■ Travail saisonnier

Certains secteurs tels que le tourisme, l'agriculture, etc. ont des activités saisonnières qui nécessitent un apport de main-d'œuvre temporaire, notamment lors de la période des récoltes de fruits et légumes.

Les offres d'emplois doivent être diffusées en France, et l'embauche de travailleurs étrangers non européens implique une autorisation de travail nominative et une visite médicale de l'ANAEM.

■ Statut scientifique

Le chercheur étranger, non ressortissant de l'UE, titulaire d'une « convention d'accueil » avec un organisme français agréé (public ou privé) pour y effectuer des travaux de recherche ou dispenser un enseignement universitaire, obtiendra du consulat de France un visa « scientifique ». À son arrivée en France, la préfecture de son lieu de résidence lui remettra sur demande une carte de séjour temporaire « scientifique ».

■ Fonction publique

La plupart des emplois permanents de la fonction publique sont désormais ouverts aux citoyens de l'Union européenne, à l'exception des professions liées à la souveraineté nationale : diplomatie, justice, police, défense.

Les agents diplomatiques et consulaires étrangers en poste en France, de même que les étrangers salariés d'organisations internationales ont des statuts spécifiques qui relèvent d'accords bilatéraux réciproques. Le conjoint bénéficie d'un titre de séjour et, selon les termes de l'accord, peut parfois solliciter une autorisation de travail.

Le « travail irrégulier » est un délit

La loi renforce le rôle des agents de contrôle, notamment des inspecteurs du travail, des agents des impôts, des organismes de Sécurité sociale, qui sont habilités à échanger tous documents ou renseignements utiles à leur mission. Le constat d'un manque d'autorisation de travail et/ou de titre de séjour par un travailleur non européen peut entraîner la qualification de travail irrégulier (illégal). Selon le Code du travail, c'est un « délit » qui relève de sanctions pénales (emprisonnement), et de sanctions administratives et financières à l'encontre du représentant de l'entreprise. Personnes physiques et morales encourent de plus une confiscation de leurs biens. L'étranger sera contraint de quitter le territoire.

Les employeurs étrangers risquent une interdiction de séjour en France de 5 ans, voire une interdiction définitive du territoire français.

> **Travail au noir**
>
> L'expression familière « travail au noir » serait apparue au Moyen Âge, lorsqu'il est devenu obligatoire d'exécuter les travaux manuels à la lumière du jour. Les ouvrages fabriqués à la chandelle ont été qualifiés de « travail fait au noir » car exécutés sans respecter l'obligation imposée.

Création d'une entreprise commerciale ou d'un bureau de représentation

L'exercice en France d'une activité commerciale, industrielle ou artisanale par des étrangers nécessite une autorisation préfectorale préalable, dont sont dispensés les ressortissants des États membres de l'OCDE, soit, en plus de l'EEE, l'Australie, le Canada, la Corée du Sud, les États-Unis, le Japon, le Mexique, la Nouvelle-Zélande, la Suisse et la Turquie.

Les personnes appelées à résider en France doivent cependant effectuer des formalités afin d'obtenir un titre de séjour « commerçant » leur permettant d'être inscrites au Registre du commerce ou des métiers, à l'ordre professionnel concerné. Pour ce faire, le consulat français du lieu de résidence à l'étranger est le premier interlocuteur.

Journalistes et correspondants étrangers

Un journaliste non européen muni d'un visa long séjour doit, dès son arrivée en France, solliciter son accréditation en qualité de correspondant de la presse étrangère. Le Bureau des accréditations du ministère des Affaires étrangères coordonne l'instruction du dossier en vue de l'établissement d'une carte de presse nominative. Cette carte professionnelle devra être jointe à la demande de carte de séjour auprès de la préfecture du lieu de résidence.

Une carte de presse ne permet pas d'exercer une autre profession salariée, libérale ou commerciale, et le journaliste doit apporter la preuve qu'il tire de son activité de presse la source de ses revenus en France.

Conjoints et enfants

La notion de conjoint ne concerne que l'époux ou l'épouse. Le dispositif famille accompagnante et regroupement familial s'attache au statut matrimonial et parental.

Deux étrangers résidant en France peuvent conclure un PACS auprès du Tribunal de grande instance de leur lieu de domicile mais le PACS n'ouvre pas droit au séjour du partenaire.

■ Familles accompagnantes

La procédure « famille accompagnante » ne concerne que le conjoint et les enfants de moins de 18 ans du cadre étranger, dont l'employeur formule la demande auprès de l'ANAEM, annexé au dossier présenté à la DDTEFP. L'ANAEM centralise l'ensemble du dossier familial et professionnel pour le transférer au consulat de France du pays de résidence.

■ Regroupement familial

Toute personne a en effet droit au respect de sa vie privée et familiale dès lors qu'elle est conforme aux lois du pays d'accueil. Ainsi, depuis 1974, un étranger peut demander à être rejoint par son conjoint et ses enfants mineurs après une période d'installation régulière en France d'au moins 18 mois. Il doit justifier d'une situation professionnelle stable et d'un logement, et qu'il peut assumer la charge financière de sa famille par un revenu au moins égal au SMIC avant allocations familiales, conditions qui seront vérifiées par le maire ou l'ANAEM.

La demande de regroupement familial est présentée, selon les départements, auprès de l'ANAEM dont relève le domicile. Après visite médicale, la décision finale de regroupement de la famille en France revient au préfet.

Inactifs

■ Visiteur avec ressources personnelles

La personne non active qui souhaite s'installer en France a un droit d'installation à condition de justifier de ressources et d'une couverture sociale auprès du consulat de France lors de la demande d'un visa de long séjour « visiteur ». Dès son arrivée en France, elle devra demander un titre de séjour auprès de la préfecture de son lieu de résidence.

■ Résident en retraite

Si la retraite est consécutive à une activité professionnelle en France, le retraité fera valoir ses droits sociaux, qui lui permettront de solliciter le renouvellement de sa carte de séjour temporaire ou de résidence.

De même, des retraités qui vivent à l'étranger après avoir disposé d'une carte de résident en France peuvent solliciter auprès du consulat de France de leur pays de nouvelle résidence une carte de séjour portant la mention « retraité », qui leur permet de séjourner en France périodiquement.

■ Retraité européen

Selon le règlement communautaire du 14 juin 1971, un citoyen européen peut bénéficier de la totalisation de toutes ses périodes d'activité dans un pays européen. Il doit demander le transfert en France des droits acquis si c'est son pays de retraite.

Droit d'asile

La France a signé la convention de Genève de 1951, qui régit les modalités de l'asile. C'est l'Office français de protection des réfugiés et apatrides (OFPRA) qui instruit les demandes d'asile des étrangers qui subissent des persécutions politiques dans leur pays. En 2005, c'est la France qui, parmi les autres pays d'Europe, a enregistré le plus de demandes de statut de « réfugié ».

114

Carte de séjour temporaire

Un étranger dont le séjour en France est supérieur à 90 jours doit solliciter une « carte de séjour temporaire » (CST) auprès du préfet de son département de résidence. Il convient de présenter le dossier dans les 2 mois qui suivent son arrivée en France. Dans l'attente de l'instruction du dossier, un récépissé de demande de carte de séjour d'une validité de 3 mois lui est remis.

La carte de séjour temporaire porte soit la mention « salarié » (en CDI), soit les mentions « visiteur », « profession artistique et culturelle », « vie privée et famille » ou « étudiant » selon la situation de la personne, soit la mention « travailleur temporaire » (en cas d'activité exercée pour une durée déterminée : détachement ou CDD).

– La carte de séjour temporaire portant la mention « salarié » est le titre unique de séjour et de travail.

– Les « salariés détachés » se voient remettre une carte de séjour portant la mention « travailleur temporaire » de la même durée que leur autorisation provisoire de travail (APT).

– La mention « scientifique » est attribuée aux chercheurs étrangers venant en mission au sein d'organismes de recherche ou d'enseignement universitaire, dans le cadre d'un protocole d'accord.

– Le conjoint obtiendra un titre de séjour portant la mention « visiteur » sur présentation d'une attestation de prise en charge financière par l'époux salarié. Ce titre ne l'autorise pas à occuper un emploi salarié.

La valorisation de l'immigration de travail est au cœur de la loi promulguée le 24 juillet 2006. Elle prévoit notamment la création d'une nouvelle carte de séjour « compétences et talents » d'une validité de trois ans, attribuée selon le contenu et l'intérêt du projet professionnel des étrangers hautement qualifiés.

La CST a une validité maximum de un an et elle est renouvelable sur présentation de justificatifs Le renouvellement de la carte de séjour temporaire doit être demandé auprès de la préfecture dont relève le domicile dans les 2 mois qui précèdent sa date d'expiration. Des justificatifs de votre situation en France vous seront demandés (situation professionnelle, ressources, domicile, fiscalité…).

Tout changement de domicile doit être déclaré dans les meilleurs délais à la mairie ou auprès du service de police ou de gendarmerie correspondant à la nouvelle adresse.

Les ressortissants de l'EEE et de la Suisse sont dispensés de titre de séjour. Ils peuvent toutefois le solliciter pour raison professionnelle ou personnelle. À l'exception de Malte et de Chypre, une carte de séjour reste exigée pour les ressortissants des nouveaux pays de l'UE s'ils veulent exercer une activité en France.

À la préfecture de police de Paris

Si vous êtes domicilié à Paris, la demande de carte de séjour temporaire peut s'effectuer par courrier adressé à la « cellule postale ». En retour, la préfecture de police vous adressera à votre domicile, dans les semaines qui suivent, deux formulaires à signer et à retourner par La Poste. Quelques semaines plus tard, vous pourrez vous présenter en personne, muni de votre passeport, pour y retirer votre carte de séjour temporaire.

Enfants étrangers en France

Les enfants étrangers de moins de 18 ans doivent disposer d'un document certifiant leur résidence en France. Sorte de « carte d'identité » de l'enfant, valable 5 ans, elle lui permet de circuler librement sur le territoire Schengen et sera notamment contrôlée par la police des frontières pour rentrer en France sans visa. Le ou les deux parents disposant de l'autorité parentale doivent en effectuer la demande auprès de la préfecture qui a établi leur propre carte de séjour. On leur demandera notamment de présenter le passeport, le certificat de naissance de l'enfant et son visa long séjour s'il est né à l'étranger, ainsi qu'un certificat de scolarité s'il a plus de 6 ans.

Lorsque l'enfant est né à l'étranger de parents étrangers, c'est un « **document de circulation pour étranger mineur** » (DCEM) qui sera remis. Si l'enfant est né en France, la carte émise sera intitulée **« titre d'identité républicain »** (TIR).

Carte de résident

À l'issue de cinq années de résidence régulière et continue en France, il vous est possible de solliciter une « carte de résident », valable 10 ans, qui confirme votre volonté d'installation durable en France. La stabilité de votre situation personnelle et professionnelle devra être démontrée, notamment la régularité de vos ressources personnelles, de votre couverture sociale française et de vos obligations fiscales (déclarations de revenus et paiement des impôts dus). En outre, la connaissance de la langue française et des principes de la République française sera requise.

Les titulaires d'une carte de résident ne sont plus soumis à autorisation de travail. Ils peuvent exercer l'activité de leur choix sur le territoire hexagonal. Ce titre est renouvelable de plein droit si vous n'avez pas séjourné plus de 3 ans consécutifs hors de France au cours des 10 dernières années.

Un étranger marié depuis au moins 3 ans avec un ressortissant français peut bénéficier de plein droit d'une carte de résident, à condition que la communauté de vie entre les époux soit prouvée, que le conjoint ait conservé la nationalité française et, lorsque le mariage a été célébré à l'étranger, qu'il ait été préalablement transcrit sur les registres de l'état civil français.

Régularisation ou changement de statut

Un étranger présent en France mais ne disposant pas d'un visa long séjour peut, à titre exceptionnel, demander une dérogation pour la régularisation de sa situation, invoquant essentiellement une raison familiale ou un précédent séjour régulier en France. Un projet professionnel ou une promesse d'embauche joint(e) au dossier personnel sera examiné(e) attentivement par la préfecture et, si besoin, par la DDTEFP avant décision.

Le titulaire d'une carte de séjour « visiteur » peut solliciter le réexamen de sa situation en vue d'un changement de statut s'il a une proposition d'emploi qui doit être acceptée par la DDTEFP.

Acquisition de la nationalité française

L'acquisition de la nationalité française est définie par le Code civil. La nationalité est un lien juridique avec un État qui attribue des droits et des devoirs prévus par la loi. En outre, la citoyenneté confère des droits à participer à la vie civique et politique du pays dès la majorité, 18 ans en France (droit de vote et d'éligibilité).

■ par déclaration d'acquisition de la nationalité française par mariage

L'étranger – titulaire d'un titre de séjour – conjoint depuis au moins trois ans d'un Français avec lequel la communauté de vie (matérielle et affective) est permanente peut demander la nationalité française. Il doit également justifier d'une résidence ininterrompue en France d'au moins un an, sinon la durée de communauté de vie est portée à trois ans.

La durée du mariage est supprimée lorsque le couple a un enfant dont la filiation à l'égard des deux conjoints est établie. La requête doit être présentée auprès du tribunal d'instance de leur lieu de résidence.

■ par naturalisation

Un étranger majeur résidant en France depuis au moins 5 ans et disposant d'un titre de séjour en cours de validité peut présenter une demande de naturalisation auprès de la préfecture de son lieu de rési-

117

dence. La durée de résidence peut être réduite à 2 ans si le demandeur a rendu des services particuliers ou effectué des études supérieures réussies en France. De même, le délai de résidence est réduit pour les ressortissants de pays ayant des liens historiques avec la France.

L'octroi de la nationalité française relève du pouvoir d'appréciation de l'État, qui, outre l'examen rigoureux du dossier, s'assure de la bonne intégration du demandeur (conversation courante en langue française, connaissance des droits et devoirs liés à la citoyenneté française, casier judiciaire vierge).

Vous ne pourrez pas bénéficier d'une double nationalité si le pays de votre première nationalité a ratifié la convention de Strasbourg du 6 mai 1963, signée dans le cadre du Conseil de l'Europe, comme l'Autriche, la Belgique, le Danemark, l'Espagne, l'Irlande, l'Italie, le Luxembourg, la Norvège, les Pays-Bas, le Royaume-Uni, la Suède et d'autres pays qui s'y opposent, comme l'Allemagne. Toutefois, une disposition du 2 février 1993 entre la France, l'Italie et les Pays-Bas permet au ressortissant de ces pays de conserver sa nationalité d'origine en cas d'acquisition de la nationalité d'un autre État signataire. La France considère le double national comme français sur le territoire français.

Les enfants mineurs d'un étranger qui acquiert la nationalité française sont automatiquement français sous réserve qu'ils vivent avec leurs parents naturalisés. De même, ils perdent leur nationalité d'origine si leurs parents la perdent, en application de la convention de Strasbourg.

Dès la publication au *Journal officiel* du décret de naturalisation portant le nom du demandeur, il est français. Il lui sera remis un dossier comprenant son décret de naturalisation, ses actes d'état civil français et des papiers d'identité. Certaines préfectures organisent une cérémonie républicaine en l'honneur des nouveaux citoyens français.

▬ Les enfants

• La filiation : le droit du sang

Tout enfant mineur dont l'un des parents est français est automatiquement de nationalité française quel que soit son lieu de naissance, en France ou à l'étranger.

• Le lieu de naissance : le droit du sol

Depuis 1998, un enfant né de parents étrangers en France sera automatiquement français à sa majorité s'il est domicilié en France à cette date et s'il y a résidé de façon continue ou discontinue pendant une période de cinq ans depuis l'âge de 11 ans et, bien sûr, s'il ne s'y oppose pas. Dans certains cas, une demande anticipée peut être effectuée dès l'âge de 16 ans par l'enfant ou par ses parents dès 13 ans.

• Selon le principe du double droit du sol

Un enfant né en France de père et mère étrangers mais dont l'un au moins des parents est né en France et y a vécu acquiert la nationalité française.

Authentification ou légalisation

■ Apposition de l'apostille

La convention de La Haye du 5 octobre 1961 est un accord international. Elle supprime l'exigence de la légalisation des actes publics étrangers. La légalisation authentifie le contenu d'un acte public tandis que l'apostille authentifie la signature d'une personne publique portée sur un acte public et sa qualité de signataire, l'identité du sceau ou du timbre porté sur un document officiel.

Par exemple, lors d'une demande de naturalisation, les documents tels que les actes administratifs et d'état civil, les actes judiciaires, les actes notariés doivent être soumis à la formalité dite de l'« apostille » pour faire preuve de la véracité des signataires de l'acte.

119

En France, les cours d'appel – et le Palais de justice pour Paris – ont compétence pour apposer l'apostille, qui est gratuite. Votre consulat vous indiquera les lieux et conditions de cette démarche dans votre pays.

L'apostille est rédigée dans la langue officielle du pays qui la délivre, éventuellement dans une seconde langue telle que l'anglais. Quel que soit le pays d'origine, le titre « Apostille, convention de La Haye du 5 octobre 1961 » doit être écrit en français.

Par ailleurs, il peut être demandé que la signature d'un acte établi par un agent diplomatique ou consulaire soit légalisée par le consulat du pays qui l'a délivré. De même, il peut vous être demandé de certifier sur l'honneur un contrat sous seing privé ou une copie conforme à l'original en y apposant votre signature et la date.

Le Casier judiciaire

Le Casier judiciaire est un fichier national qui consigne toutes les condamnations prononcées par les juridictions pénales (tribunal de police et correctionnel, cour d'assises) et certaines autres décisions prises par les juridictions commerciales ou par des autorités administratives, et il les classe selon leur gravité en 3 catégories. Le bulletin n° 1 conserve l'ensemble des condamnations, il ne sera remis qu'aux autorités judiciaires ; le bulletin n° 2 peut notamment être requis par l'administration avant l'admission à un emploi public ; le bulletin n° 3 comporte les condamnations les plus graves ou des sanctions comme la suppression du permis de conduire.

Lorsqu'un employeur demande un extrait de casier judiciaire, il s'agit du bulletin n° 3, délivré sur sa demande à la personne concernée. Il suffit de joindre une copie de son passeport, de sa carte de séjour ou de sa carte d'identité et de les adresser au Casier judiciaire (107 rue du Landreau, 44079 Nantes Cedex 1, ou par Internet : http://www. cjn.justice.gouv.fr). Un casier vierge est barré d'un trait.

La délivrance ou le renouvellement d'un titre de séjour, temporaire ou de résident, sont subordonnés au respect des règles d'ordre public qui s'imposent à tous sur le territoire français. La vérification est effectuée par la préfecture, qui consulte le Casier judiciaire.

Jeunes majeurs

Dès 18 ans, tout jeune étranger non européen doit être titulaire d'une carte temporaire de séjour. S'il fête sa majorité en France, il devra en faire la demande à la préfecture de son lieu de résidence et la motiver (études, emploi…). Sinon, il devra obtenir un visa « étudiant » avant son arrivée en France. Dans tous les cas, il devra justifier, pour vivre en France, de ressources financières et d'une couverture sociale (Sécurité sociale étudiant ou assurance volontaire).

L'étudiant qui dispose d'une carte de séjour « étudiant-élève » peut être autorisé à travailler par la DDTEPF, soit 20 heures par semaine ou un maximum de 800 heures au cours d'une année. À titre dérogatoire, lors des vacances, l'étudiant peut travailler à plein temps 3 mois entre le 1er juin et le 31 octobre, et 2 semaines aux vacances de Pâques ou de Noël.

■ Stagiaires

La France accueille de plus en plus de stagiaires étrangers à des fins de formation professionnelle en entreprise ou de perfectionnement, dans le cadre d'échanges ou d'accords de stage, pour une période ne dépassant pas 18 mois.

– Un « stage d'information » effectué en entreprise est en principe de courte durée (3 mois). C'est une mission d'observation et d'études proposée à un jeune étranger qui ne doit pas être assimilée à une activité professionnelle et ne donne pas lieu à rémunération. C'est la condition d'acceptation de ce statut par la DDTEFP.

– Un étudiant effectuant ses études à l'étranger peut bénéficier d'un stage en France. Une convention de stage tripartite entre l'entreprise, l'étudiant et l'université, validée par le service de coopération universitaire culturel de l'ambassade de France devra être présentée par l'entreprise d'accueil auprès de la DDTEFP dont elle relève. Une lettre de confirmation de la DDTEFP permettra au stagiaire de solliciter un visa pour la durée du stage auprès du consulat de France de son lieu de résidence.

Un étudiant disposant d'une carte de séjour « étudiant-élève » peut avoir à effectuer un « stage obligatoire » prévu dans le cursus. Il est alors couvert par une convention de stage tripartite – entreprise, organisme de formation, étudiant – et n'a pas à solliciter d'autorisation de travail.

• Échanges internationaux gérés par l'ANAEM

Des accords de stages professionnels ont été signés entre la France et dix pays – l'Autriche, le Canada, l'Espagne, les États-Unis, la Finlande, la Norvège, la Pologne, la Suède, la Suisse et la Nouvelle-Zélande ; ils permettent aux entreprises de sélectionner et d'accueillir des stagiaires étrangers de 18 ans à 30 ou 35 ans possédant une expérience professionnelle dans un secteur d'activité.

L'ANAEM diffuse l'offre et la demande et assure, en liaison avec ses partenaires à l'étranger, les formalités administratives entre les pays. Les stagiaires sont salariés et rémunérés selon les barèmes de leur profession, ils bénéficient de la protection sociale du pays d'accueil ou des dispositions de conventions bilatérales de sécurité sociale.

• Les premiers pas d'une carrière internationale avec l'AIESEC

L'Association internationale des étudiants en sciences économiques et commerciales recrute, pour des sociétés françaises, des étudiants et de jeunes diplômés dans plus de 90 pays du monde. Ils sont rémunérés pour leur mission temporaire.

Outre la sélection du stagiaire selon le profil défini par l'entreprise qui le rétribue, l'AIESEC assure son accueil et les formalités administratives nécessaires au séjour en France.

■ Campus France

Nouvelle organisation, Campus France a pour vocation de promouvoir les études supérieures en France et de coordonner le dispositif d'accueil des étudiants et chercheurs « étrangers ».

• ÉduFrance

Les ministères de l'Éducation nationale, des Affaires étrangères, de la Culture et du Commerce extérieur ont créé conjointement ÉduFrance pour promouvoir à l'étranger les études supérieures françaises lors de manifestations éducatives. ÉduFrance (www.edufrance.fr) est le contact privilégié, en matière d'information et d'orientation, des 120 000 étrangers accueillis par la France parmi ses 2 millions d'étudiants.

• Égide

Par convention avec l'État français – mais aussi avec des gouvernements étrangers, des organismes internationaux, des entreprises ou des laboratoires de recherche –, Égide assure l'accueil en France ainsi que la gestion administrative et financière d'étudiants ou stagiaires boursiers ou non. Égide (www.egide.asso.fr) reçoit près de 30 000 personnes de tous les continents pour toute forme et toute durée de séjour.

Une « bourse » d'études ou de stage peut être octroyée aux ressortissants de tous les pays liés avec la France par des accords diplomatiques ou de coopération, des départements et territoires d'outre-mer mais aussi des Français résidant habituellement à l'étranger venus effectuer en France un « stage d'information » d'une durée limitée à 3 mois.

Les boursiers bénéficient du régime de Sécurité sociale étudiant s'ils ont moins de 26 ans, sinon ils peuvent être affiliés au système de protection sociale Égide.

• Le programme Chateaubriand

Ce programme a pour but de favoriser les relations scientifiques franco-américaines. Des étudiants venant des États-Unis vont, au cours d'une année, découvrir la France et ses ressources intellectuelles dans diverses disciplines : médicales, économiques, scientifiques, sociales ou administratives. Des organismes publics ou des entreprises industrielles accueillent ces « chercheurs boursiers » dans leur domaine de compétences et cofinancent ce programme avec le ministère des Affaires étrangères.

- ### • Le programme Eiffel

Les bourses Eiffel permettent à 400 étudiants étrangers de préparer en France un mastère dans les domaines scientifique et technique, économique et gestion, droit et sciences politiques. Depuis 1999, près 2 000 étudiants en ont bénéficié.

La fondation Kastler

La France accueille chaque année des scientifiques de haut niveau. La fondation nationale Alfred Kastler (www.fnak.fr) a pour vocation de développer les échanges entre chercheurs dont les projets d'étude passent par la France. Un réseau d'accueil et de suivi est actif dans toutes les régions, sous forme de « centres de mobilité ». Il est coordonné par la direction de la fondation, sise à Strasbourg. Une carte de chercheur-invité donne accès à une aide personnalisée sur le plan administratif et juridique. La base de données des chercheurs, renseignée par les scientifiques eux-mêmes, est devenue un outil clé de partage d'expériences favorisant la mobilité.

■ Le CNOUS

Centre national des œuvres universitaires et scolaires, le CNOUS (www.cnous.fr) a également une mission d'accueil et de gestion de boursiers étrangers en France ainsi que d'organisation de manifestations à caractère international et d'accueil de délégations étrangères, en lien avec le ministère des Affaires étrangères.

123

Vos papiers, s'il vous plaît?

Dans votre portefeuille, vous posséderez un véritable jeu de cartes : carte de séjour, carte vitale, carte grise, carte bleue et autres cartes à puce, carte de visite, carte orange si vous êtes en Île-de-France… et vous avez carte blanche pour poursuivre la collection !

Votre titre de séjour est votre carte d'identité en France, portez-la sur vous ; les Français ont en effet l'habitude de présenter une pièce d'identité, qui est de plus en plus souvent demandée pour entrer dans certains orga-

nismes publics et entreprises privées, ou tout simplement pour payer par chèque bancaire les achats effectués au supermarché, par exemple.

En outre, « toute personne se trouvant sur le territoire national doit accepter un contrôle d'identité » s'il est effectué par un officier de police, c'est la loi. La carte de séjour doit alors être présentée avec le passeport.

Les passeports à lecture optique sont en usage depuis 2001, mais le règlement européen du 13 décembre 2004 prévoit l'obligation de passeports avec données biométriques intégrées dans une puce lisible à distance pour le passage des frontières internationales.

Si la police vous demande « *vos papiers, s'il vous plaît* » lorsque vous conduisez, il s'agit de justifier votre situation d'automobiliste en présentant votre permis de conduire (cf. p 235).

Documents essentiels

Les différents ministères et services publics proposent des sites Internet très documentés (ex. : www.vie-publique.fr ; www.service-public.fr – portail de l'administration française). Le site du ministère des Affaires étrangères (www.diplomatie.fr) est le plus souvent bilingue : français et langue locale. Les préfectures et les villes présentent aussi leurs services en ligne.

Ainsi, de plus en plus de démarches administratives peuvent être réalisées de chez soi, par téléprocédure, telles que la déclaration de revenus, l'information d'un changement d'adresse auprès de différentes administrations en une seule déclaration (Sécurité sociale, services fiscaux, notamment). La plupart des formulaires administratifs sont accessibles par téléchargement (formulaire de demande de visa…).

L'administration, souvent critiquée pour sa complexité réglementaire et le délai de ses procédures, s'est mise à l'heure des technologies mais, comme dans nombre de pays du monde, il est nécessaire de présenter le bon dossier au bon endroit, et au bon moment !

Certaines formalités nécessitent des justificatifs d'identité, de domicile, de diplômes… Il est pratique d'avoir un « dossier de base » toujours prêt à l'emploi, réunissant par exemple :
• un extrait de naissance, de mariage… traduits en français (voir votre consulat pour traduction assermentée) ;

• des copies certifiées conformes de documents dont vous garderez toujours les originaux : diplômes, CV *(curriculum vitae)* en français ;
• un justificatif de domicile : bail ou attestation du propriétaire, facture d'électricité ;
• des photos d'identité de face, en noir et blanc (format 3,5 x 4,5 cm) ;
• des documents médicaux (Sécurité sociale, carte vitale…) ;
• des enveloppes et timbres-poste.

La présentation d'un justificatif de domicile est obligatoire pour la remise de documents tels que :
• le titre de séjour ;
• le certificat d'immatriculation du véhicule ;
• le document de circulation pour étranger mineur.

De même, un justificatif de domicile sera demandé lors de l'inscription des enfants dans un établissement scolaire, pour la demande d'immatriculation consulaire, ainsi que pour l'inscription sur les listes électorales complémentaires pour les citoyens des États membres de l'UE.

125

Carte consulaire

Dès votre installation en France, il est recommandé de vous inscrire auprès de votre consulat. Vous êtes ainsi connu, et certaines procédures administratives avec votre pays d'origine peuvent être simplifiées.

Votre carte consulaire, facultative mais très utile, vous permet aussi de vous inscrire sur la liste des électeurs et de voter lors des différentes consultations électorales de votre pays. Vous l'obtiendrez auprès de votre consulat.

Si la réglementation française vous fait obligation de déclarer à la mairie de votre lieu de résidence, en France, tout événement familial (naissance, reconnaissance d'enfant, mariage, décès), il est important aussi de les faire transcrire sur les registres de l'état civil de votre consulat.

■ Papiers... perdus, volés...

Si, malencontreusement, vous perdez ou vous vous faites voler vos documents d'identité, il vous faut impérativement faire une déclaration de perte ou de vol au service de police ou de gendarmerie du lieu où s'est produit le vol, sinon de votre domicile. Un récépissé de perte ou de vol vous permet d'« être en règle » provisoirement et de refaire faire vos précieux papiers auprès de votre ambassade ou consulat en France.

Une précaution sage consiste à garder chez soi une photocopie de tous ses documents personnels (passeport, visa, carte de séjour, permis de conduire...) pour simplifier les formalités s'il est besoin de demander des duplicata.

Sans papiers

L'expression « sans papiers » est apparue à la fin des années quatre-vingt pour désigner les étrangers en situation illégale sur le territoire français. Le travail sans autorisation est qualifié d'« irrégulier », autrement dit de « travail au noir ». Le terme « clandestin » désigne le défaut de titre de séjour.

■ Des organisations internationales en France

Plusieurs organisations internationales ont leur siège à Paris... :

• l'OCDE (Organisation de coopération et de développement économiques), créée en 1961 et qui a pour mission de renforcer l'économie de ses 25 pays membres, d'en améliorer l'efficacité, de promouvoir l'économie de marché, de développer le libre-échange et de contribuer à la croissance des pays aussi bien industrialisés qu'en développement ;

• l'UNESCO (Organisation des nations unies pour l'éducation, la science et la culture), créée en 1946 et qui réunit 165 pays qui contribuent ensemble au maintien de la paix en rapprochant les nations par les modes de communication et les moyens éducatifs, scientifiques, culturels.

… ou une représentation :

• le FMI (Fonds monétaire international), qui a son siège européen avenue d'Iéna ;

• l'UNICEF *(United Nations International Children's Emergency Found)*, service spécialisé de l'ONU pour l'aide à l'enfance des pays en développement, dont le siège est à New York. la comédienne Emmanuelle Béart est l'ambassadrice du comité français.

■ Des profils d'entreprises

L'internationalisation concerne de plus en plus d'entreprises et leurs filiales, de PME/PMI (petites et moyennes entreprises/industries) et d'entreprises publiques.

L'observateur étranger s'étonne souvent de la diversité des formes juridiques utilisées en France pour exercer une activité commerciale, industrielle ou financière. Les banques, par exemple, peuvent être des sociétés commerciales à capital privé ou public ; elles peuvent avoir le statut de sociétés coopératives ; elles peuvent être régies par des textes spécifiques, comme la Banque de France.

127

Des structures telles que l'EPIC (établissement public industriel et commercial) permettent à l'État d'exercer une activité industrielle (par exemple, EDF – Électricité de France). La propriété revient à l'État mais la gestion est soumise aux règles du droit commercial. De même, le GIE (groupement d'intérêt économique) ouvre à des entreprises la possibilité de mettre en commun certains de leurs moyens sans perdre leur autonomie (le GIE Airbus est un exemple européen).

L'association du capital public et de capitaux privés est une caractéristique de l'économie française, qui avait mérité le nom d'« économie mixte ». L'État se réserve ainsi un droit de regard dans les domaines

stratégiques tels que l'armement, l'énergie… Elles sont actives dans les secteurs des services aux collectivités (eau, énergie, gestion des équipements d'envergure tels que la Tour Eiffel, le Futuroscope, Sophia Antipolis, le Mémorial de Caen, etc.).

Après la seconde guerre mondiale, l'État s'inspire du colbertisme et prend le contrôle de grandes entreprises pour activer la reconstruction de la France. Les plus importantes vagues de nationalisation ont eu lieu en 1945.

La doctrine de Jean-Baptiste Colbert, ministre de Louis XIV de 1661 à 1683, est un modèle de dirigisme et de protectionnisme d'État. J.-B.Colbert veut favoriser les échanges commerciaux en édifiant des infrastructures, notamment les routes royales et les canaux. Il crée les grandes manufactures telles que les Tapisseries des Gobelins, la Porcelaine de Sèvres, utiles aux fastes du Roi-Soleil et de sa cour, à Versailles.

La notion de « service public », apparue à la fin du XIXe siècle, fait bien sûr référence à l'État et à ses différentes administrations, qui constituent le « secteur public ». Les services publics sont en principe accessibles à tous les citoyens. Ainsi, l'électricité est distribuée sur l'ensemble du territoire, en ville ou à la campagne par EDF, qui en a actuellement le monopole. Une ouverture de capital de l'entreprise publique aux actionnaires privés a eu lieu en 2005, avec préservation des obligations de service public envers les consommateurs.

Jusque dans les années quatre-vingt, un grand nombre d'entreprises françaises ont eu directement ou indirectement l'État pour actionnaire principal ; à ce titre, il nomme les dirigeants et impose la tutelle d'un ou de plusieurs ministères.

La transposition en droit français des directives européennes redistribue les cartes. En effet, depuis 1985, dans le contexte d'une économie européenne et mondialisée, la tendance est à la privatisation, partielle ou globale, des entreprises du secteur public. France Télécom est ainsi devenu l'un des acteurs européens de l'Internet et des technologies sans fil. Le débat est à l'ordre du jour à la SNCF, à La Poste et à EDF. Le monopole d'État disparaît et le soutien aux fleurons nationaux est encadré. L'équilibre intérêt général/intérêt financier est un enjeu majeur lorsque la notion de « client » supplante peu à peu celle d'« usager ».

Le troisième millénaire voit l'inéluctable interdépendance des marchés mondiaux démultiplier les mouvements de désindustrialisation et de délocalisation auxquels la France n'échappe pas. Les Français se tournent alors vers l'État pour qu'il défende le capital national et social. La notion de patriotisme économique apparaît dans le discours politique.

Les entreprises privées

La notion de société est juridique tandis que le terme « entreprise » indique l'activité. La société est « le contrat par lequel plusieurs personnes mettent en commun soit des biens, soit leur activité en vue de réaliser des bénéfices et de les partager » (art. 1832 du Code civil). Elle peut avoir différentes formes juridiques. C'est une personne morale qui a un nom (sa raison sociale), un siège social et des biens.

La SARL (Société à Responsabilité Limitée) et l'EI (Entreprise Individuelle, aussi appelée entreprise en nom propre) sont les formes d'entreprises les plus répandues dans l'Hexagone. Concernant près des deux tiers des sociétés, elles couvrent la plupart des activités commerciales.

Principales formes juridiques des sociétés commerciales en France

	Avantages	Conditions	Activités non couvertes
La Société à Responsabilité Limitée (SARL)	**20 % des entreprises** – permet la création d'une société avec peu de capitaux – conserve un caractère familial à l'entreprise – limite la responsabilité des associés – donne au gérant de la société la possibilité de bénéficier, sous certaines conditions, du régime de protection sociale des salariés	– le capital social, librement déterminé, par les associés, dans les statuts peut être composé d'apports en numéraire (argent) et/ou en nature (matériel, brevet...) – la SARL doit avoir au minimum un autre associé (en plus de vous) et au maximum quatre-vingt-dix-neuf (au-delà de 100 associés, la société doit être dissoute ou transformée)	– les entreprises d'assurances – les entreprises de capitalisation – les entreprises d'épargne – les entreprises de crédit différé – les sociétés d'investissement
EURL (entreprise unipersonnelle à responsabilité limitée) forme juridique dérivée de la SARL dont les règles de fonctionnement ont été adaptées à la présence d'un associé unique	**environ 2% des entreprises** – permet à une personne seule de créer une société sans avoir à s'associer – limite la responsabilité de l'associé unique ; – autorise la création d'une société avec relativement peu de capitaux ; – facilite la transformation en SARL – rend possible le choix entre l'imposition sur le revenu ou sur les sociétés	– le montant du capital social étant librement déterminé par l'associé unique dans les statuts, il doit être composé d'apports en numéraire (argent) et/ou en nature (matériel, brevet...) – en cas d'apport en numéraire, il est possible d'apporter seulement le cinquième du capital et de libérer le reste dans un délai de cinq ans	– les entreprises d'assurances – les entreprises de capitalisation – les entreprises d'épargne – les entreprises de crédit différé – les sociétés d'investissement À noter : les sociétés immobilières de gestion doivent obligatoirement être exercées sous forme de SARL ou d'EURL

	Avantages	Conditions	Activités
La Société Anonyme (SA)	**5 % des entreprises** – permet de faire appel aux capitaux d'un grand nombre d'actionnaires (appel public à l'épargne) ; – limite la responsabilité des actionnaires (associés)	– capital minimum de 37 000 euros (225 000 euros si la **SA** fait appel public à l'épargne) ; – la SA doit avoir au minimum six autres actionnaires (en plus de vous) – obligation de nommer un commissaire aux comptes dés la création	– doivent obligatoirement être exercées sous forme de **SA** : – les entreprises de crédit différé – les sociétés d'investissement – les entreprises d'assurances
L'Entreprise Individuelle (EI) aussi appelée entreprise en nom propre	**54 % des entreprises** – permet aux personnes physiques désirant exercer une activité commerciale sans créer de société – permet de démarrer rapidement une activité sans devoir constituer un capital minimum – facilite la gestion (moins de formalisme) ; – autorise le choix d'un régime d'imposition simplifié (micro entreprise, forfait). À noter : pour une personne mariée sous un régime de communauté, l'**entreprise individuelle** ne met pas le patrimoine de sa famille à l'abri des risques inhérents à son activité. Aussi, avant de créer son entreprise, le futur exploitant devrait envisager de changer de régime matrimonial et d'opter pour un régime de séparation de biens	– vous devez exercer une activité par nature commerciale – vous avez 18 ans révolus et n'êtes pas soumis un régime d'incapacité (notamment tutelle et curatelle) – vous n'êtes pas frappé d'une interdiction d'exercer le commerce (par exemple, faillite sans réhabilitation) – vous n'exercez pas, en plus, une activité incompatible avec le statut de commerçant (par exemple, fonctionnaire)	

NB : chaque société est enregistrée sous un numéro attribué de 9 chiffres (SIREN) + un numéro de 5 chiffres de classement interne (NIC) qui forment ensemble le numéro de SIRET (14 chiffres). Un numéro d'activité principale de 4 chiffres (code APE) est donné selon la nomenclature des activités.

Chaque société possède une personnalité juridique propre (c'est une personne morale), un nom (raison sociale), un domicile (siège social) et des biens (capital social).

130

■ Organisation et hiérarchie

Chaque entreprise porte l'empreinte de son fondateur. L'organigramme donne une photographie de la structure fonctionnelle et hiérarchique. Depuis les années soixante, le concept de *management* est préféré aux notions traditionnelles de direction, d'administration et de gestion. Une nouvelle génération de patrons développe une logique de responsabilisation des collaborateurs dans un souci de productivité. Ainsi, les mots « motivation », « flexibilité », « qualité »… et « rentabilité » se déclinent à tous les temps. Ils s'appliquent aux hommes et aux produits.

Les technologies se sont imposées à tous et ont, à l'évidence, simplifié les relations hiérarchiques et favorisé le partage d'information ainsi que la création de réseaux. Toutefois, les Français ont le sens du respect de l'autorité, tout en cultivant une perpétuelle contestation des systèmes.

■ Découvrez l'entreprise

La plupart des entreprises accompagnent les premiers pas d'un nouvel arrivant. Quelques sociétés préfèrent organiser une réunion collective de présentation de l'entreprise tandis que d'autres personnalisent l'accueil de chaque nouveau collaborateur.

Vous aurez probablement accès aux documents que la société a l'obligation de présenter (rapport annuel, règlement intérieur, bilan social…) ; d'autres restent à l'initiative de chaque société.

• Le rapport annuel donne une « image publique » de l'entreprise. Ses éléments financiers et statistiques intéressent les partenaires et la presse économique.

• Le bilan social, réservé aux sociétés de plus de 300 personnes, présente un état des lieux de la situation sociale.

• Le règlement intérieur énonce les règles générales et permanentes de l'entreprise, les devoirs et obligations des salariés en matière d'horaires, de discipline, de sécurité, de subordination hiérarchique notamment.

• L'Intranet, dans de nombreuses entreprises, est l'outil d'information par excellence qui peu à peu remplace le livret d'accueil et le journal interne.

• Les « mémos » sont les classiques notes de service, d'information ou d'actualité.

Pour compléter la découverte d'une entreprise, il est indispensable d'établir des contacts en se présentant aux différents départements ou services. Enfin, de façon informelle, autour de la machine à café par exemple, il ne reste qu'à se renseigner sur les rites et rythmes en vigueur et à apprivoiser le jargon maison, souvent difficile à décoder. S'il peut être source de malentendus, il crée aussi une certaine connivence dans l'entreprise !

Dans les grandes entreprises

Ressources humaines, communication… sont des termes qu'il est intéressant de repérer. Ils sont attachés à des services qui peuvent vous faciliter l'installation et l'adaptation dans une nouvelle entreprise.

■ Direction des ressources humaines (DRH)

L'approche de « gestion des ressources humaines » est souvent préférée à la notion d'administration du personnel dans les entreprises internationales. Outre la politique d'emploi, de recrutement, de rémunération, de formation pour tous les salariés de l'entreprise, la direction des ressources humaines gère la situation administrative et professionnelle des expatriés, et coordonne la gestion des carrières. Elle assure le plus souvent l'accueil et l'assistance auprès des salariés étrangers.

■ Direction de la communication (Dircom)

En interne, elle coordonne l'information en direction des salariés et favorise tout mode de communication. En externe, elle est en charge de l'image de l'entreprise, de ses relations publiques et de sa notoriété.

■ Service médical et social

Lors d'un recrutement, vous êtes soumis à une visite médicale d'embauche au cours de la période d'essai. Puis une visite médicale tous les deux ans aura pour objet de vérifier l'aptitude des salariés à leur emploi.

Dans les plus grandes entreprises, un médecin du travail, des infirmières et une assistante sociale sont à l'écoute des salariés pour traiter des problèmes de santé et des difficultés personnelles ou familiales qui retentissent sur leur vie professionnelle. Ils sont rigoureusement tenus au secret professionnel. Ils ont de plus une fonction importante d'informations – individuellement ou collectivement – en matière de prévention de la santé et de sécurité au travail.

Les instances représentatives dans l'entreprise

Trois institutions peuvent intervenir, dans le cadre d'une entreprise, au titre de représentants du personnel. Elles ont différentes prérogatives et influent sur le système des relations sociales.

■ Les délégués du personnel (DP)

Depuis 1936, une entreprise de plus de 10 salariés doit avoir un ou des délégués du personnel élus pour deux ans. Les DP ont pour mission de présenter les revendications individuelles ou collectives relatives à l'application du Code du travail et des conventions collectives, aux salaires et en particulier aux conditions de travail dans l'entreprise. Ils se réunissent une fois par mois avec l'employeur.

Les salariés étrangers sont électeurs au même titre que les Français dès lors qu'ils justifient de 3 mois d'ancienneté. De même, ils sont éligibles s'ils travaillent dans l'entreprise depuis au moins un an.

■ Le comité d'entreprise (CE)

À partir de 50 salariés (équivalent temps plein), une entreprise doit obligatoirement avoir un comité d'entreprise dont les membres sont élus pour deux ans par collèges (non-cadres et cadres). L'employeur, président du CE, informe et consulte cette instance sur l'organisation, la gestion et la marche générale de l'entreprise.

Le comité d'entreprise doté de la personnalité civile, créé depuis 1945, est l'« expression collective des salariés » selon le Code du travail. Il exerce une veille sociale, économique et technologique et a un pouvoir d'investigation sur l'activité économique et sociale de l'entreprise. Il gère également les activités sociales et culturelles.

De plus, une directive européenne de mars 2002 rend à son tour obligatoires l'information et la consultation des salariés selon la culture de chaque pays de l'UE.

Le CE gère un budget de fonctionnement obligatoire et un budget d'œuvres sociales (facultatif), versé par l'entreprise, correspondant à un pourcentage de l'ensemble des salaires payés annuellement ; pour le premier, l'entreprise verse une subvention obligatoire qui correspond à 0,2 % de la masse salariale (ensemble des salaires payés annuellement). Concernant les activités sociales et culturelles du CE destinées aux

133

salariés et à leur famille, elles sont très diverses : restaurant d'entreprise, animation d'une bibliothèque, clubs de sport, organisation de voyages, de spectacles, cadeaux d'entreprise. Quelques CE importants gèrent même des propriétés immobilières et des centres de vacances.

Quant au comité d'hygiène, de sécurité et des conditions de travail (CHSCT), qui se réunit au niveau de l'établissement de plus de 50 salariés, il est élu par un collège réunissant les membres du CE et des délégués du personnel (DP) ; le CHSCT réunit des salariés, l'employeur et des spécialistes des questions de santé et de sécurité qui siègent avec voix consultative, il veille au respect des règles en matière de sécurité et de conditions de travail et à la mise en place de mesures de prévention des risques professionnels.

■ Les organisations syndicales

Une entreprise de plus de 11 salariés peut avoir des sections syndicales qui désignent leurs délégués pour intervenir dans les négociations d'entreprise. Ces délégués peuvent être distincts des élus du personnel dans une entreprise de plus de 50 salariés. En France, le taux de syndicalisation est faible. Il est estimé à 8 % dans le secteur privé et 13 % dans le secteur public.

Les syndicats sont devenus des partenaires sociaux concernés par le progrès de leur entreprise et les problèmes d'emploi, et le face-à-face avec la direction semble plus réaliste, sauf dans quelques secteurs professionnels en restructuration drastique ou, au contraire, historiquement protégés, comme certaines entreprises publiques. Une grève des transports qui paralyse une partie du pays a toujours un fort impact économique et médiatique.

La grève

Au Moyen Âge, la place de Grève, entre les bords de Seine et l'hôtel de ville de Paris, était le lieu des événements publics et de tristes spectacles d'exécutions en tout genre. Entre bûcher et potence, les bateaux y accostaient et les ouvriers s'y rassemblaient pour demander du travail. Attendre ou revendiquer un emploi était alors « faire grève ».

Arrêt partiel ou total du travail par les salariés, la grève est un droit reconnu en France depuis 1864, inscrit dans la Constitution de 1946. Elle est souvent assortie de manifestations qui expriment le conflit à l'extérieur de l'entreprise, prenant à témoin l'opinion publique.

■ Cinq syndicats légalement représentatifs

La CGT (Confédération générale du travail), créée en 1895.

La CFTC (Confédération française des travailleurs chrétiens) : 1919.

La CFE-CGC (Confédération française de l'encadrement-Confédération générale des cadres) : 1944.

FO (Force ouvrière) : 1948 (scission dans la CGT).

La CFDT (Confédération française démocratique du travail) : 1964 (scission dans la CFTC).

D'autres syndicats d'entreprise sont apparus plus récemment, tels que les syndicats SUD (Solidaires unitaires démocratiques) regroupant 27 syndicats en 1998, ou l'UNSA (Union nationale des syndicats autonomes), fondée en 1993 notamment par la FEN (Fédération de l'éducation nationale) et la FASP (Fédération autonome des syndicats de police), et la FSU (Fédération syndicale unitaire de l'enseignement), qui s'élargit à toute la fonction publique.

La diversité des courants syndicalistes s'inspire de différentes idéologies. Ils sont corporatifs (professionnels, patronaux, commerçants, médecins…) ou de défense de certaines catégories socioprofessionnelles (ouvriers, cadres, fonctionnaires). Historiquement, la CGT, de tendance communiste, est la plus représentative dans le monde ouvrier. Des syndicats autonomes, indépendants ou des corporations ont aussi une audience dans les entreprises.

Les salariés étrangers adhèrent librement au syndicat professionnel de leur choix. Ils peuvent être désignés comme délégués syndicaux après un an d'ancienneté dans l'entreprise.

135

Les représentations des entreprises

■ Les associations et les syndicats patronaux

Le MEDEF (Mouvement des entreprises de France) représente les entreprises de toutes tailles et de tous secteurs professionnels (industrie, commerce, services) auprès des pouvoirs publics et des syndicats de salariés, notamment lors des négociations de conventions collectives.

C'est une organisation de pression, de coordination et d'information forte de plus de un million d'entreprises. Sa branche MEDEF International représente les entreprises françaises à l'étranger. Quant à la CGPME (Confédération générale des petites et moyennes entreprises), elle est le porte-parole de 500 000 petites entreprises. L'Union professionnelle artisanale (UPA) est, elle, la voix des artisans.

■ Les chambres de commerce et d'industrie (CCI)

Vitrines économiques et lieux d'échanges, les CCI représentent toutes les entreprises et sont dirigées par des chefs d'entreprise élus par leurs homologues industriels, commerçants et prestataires de services de leur secteur géographique.

À la manière d'un observatoire local de l'emploi et de la formation, les 161 CCI françaises développent des filières d'enseignement et de conseil adaptées aux besoins des entreprises et des différents secteurs de l'économie. Elle les aident à s'adapter au marché européen et international.

De plus, elles administrent des établissements d'enseignement (les écoles supérieures de commerce) et gèrent des équipements collectifs : ports, aéroports, sites d'exposition… Les ressources des CCI proviennent pour une grande part de la « taxe professionnelle ».

Les « *world trade centers* » sont présents dans la plupart des régions et sont généralement gérés par les CCI locales. Lieux de rencontres pour les entreprises françaises et étrangères, ils ont, comme leur nom l'indique, des missions tournées vers l'international grâce à leur réseau mondial.

Les CCI se regroupent en chambres régionales de commerce et d'industrie (CRCI) qui concourent activement au développement économique de la région et ont des missions spécifiques (de formation, par exemple).

CCIP (Paris)

La Chambre de commerce et d'industrie de Paris (CCIP) compte plus de 310 000 entreprises. Ses grandes écoles, de renommée internationale – HEC, ESC-EAP… –, sont des établissements d'enseignement mais aussi des « laboratoires d'idées et d'initiatives » adaptés au marché de l'emploi.

Paris – Île-de-France Capitale économique, créée par la CCIP, a pour vocation la promotion de Paris et de l'Île-de-France auprès des investisseurs étrangers et contribue à l'attractivité de la région capitale.

■ CCI étrangères ou bilatérales

Les chambres de commerce étrangères ou bilatérales, le plus souvent implantées à Paris, ont pour mission le développement des relations économiques entre leur pays et la France. Elles sont aussi un point de rencontre et d'information des cadres expatriés de filiales étrangères. La plus ancienne est la Chambre de commerce franco-britannique, ouverte en 1873 à Paris.

Parallèlement, les CCI françaises sont présentes dans 75 pays pour être le relais des exportateurs et importateurs tricolores en lien avec les postes d'expansion économique des ambassades françaises.

■ La Chambre de commerce internationale

Organisme non gouvernemental, la Chambre de commerce internationale (CCI) représente les milieux économiques au niveau mondial et s'implique dans les domaines commerciaux, financiers et monétaires. Instituée en 1920, elle encourage les échanges et l'investissement de par le monde. La Cour d'arbitrage de la CCI est une instance de règlement des différends commerciaux à caractère international.

Les grandes lignes de la législation sociale

■ Le droit du travail : un code

La loi fixe les conditions de travail, le système de protection sociale et les relations entre salariés et employeurs. C'est le Code du travail qui fait référence en matière de droit social. Il est divisé en « livres », « titres », « chapitres », « articles ». Ainsi, le livre I traite du contrat de travail, le livre II des conditions de travail, le livre III des réglementations de l'emploi, etc.

L'inspecteur et le contrôleur du travail veillent particulièrement à l'application de l'article du livre III, titre II, chapitre V (autrement dit art. L. 325), qui réunit les mesures de lutte contre le travail illégal.

■ Convention collective

C'est un accord par branche d'activité ou secteur professionnel qui précise les conditions d'emploi, de travail et de formation ainsi que les avantages sociaux supplémentaires accordés aux salariés (salaires,

137

congés payés…). Elle peut être complétée par un accord d'entreprise signé par l'employeur et les délégués mandatés par les syndicats. Conventions collectives et accords d'entreprise peuvent comporter des dispositions plus favorables que celles du Code du travail mais ne peuvent y déroger.

Depuis la loi de 1971, toutes les entreprises doivent consacrer à la formation professionnelle continue du personnel un pourcentage des salaires annuels (masse salariale). Un plan de formation auprès d'organismes agréés est établi annuellement afin de développer les compétences et les qualifications des salariés et, par là même, la compétitivité de l'entreprise. Depuis 2004, le droit individuel à la formation (DIF) permet à tout salarié en CDI de cumuler 20h de crédit de formation par an.

■ Le contrat de travail

L'idée de contrat de travail naît en France en 1898. C'est un contrat de droit privé. Un contrat de travail existe de plein droit lorsqu'un travail est effectué pour autrui, en situation de subordination, c'est-à-dire sous l'autorité d'un employeur et contre rémunération.

L'entreprise dispose de plusieurs types de contrat de travail selon la nature de l'emploi et la situation du candidat pressenti. Le contrat à durée indéterminée (CDI) peut être conclu oralement, sauf si la convention collective du secteur d'activité prévoit un contrat écrit. En revanche, un contrat de travail à durée déterminée (CDD) est impérativement écrit. Il peut être motivé par un remplacement de congé maternité ou de congé maladie de longue durée, sinon une surcharge ponctuelle de travail. Il est renouvelable une fois et sa durée est limitée.

Le contrat écrit ou la lettre d'engagement définissent, outre les renseignements d'identité du salarié et de son employeur, la fonction, le grade et le coefficient, la rémunération, les conditions de travail (lieu d'activité, durée et horaires de travail, période d'essai…), les avantages divers. Il peut comporter des clauses spécifiques d'obligations envers l'entreprise (mobilité, confidentialité, exclusivité, objectifs…). Toute situation particulière (avantages et contraintes) doit faire l'objet d'une négociation avant la signature du contrat. Si votre contrat de travail est établi en français, vous pouvez en demander la traduction dans votre langue.

Les entreprises comptant au maximum 20 salariés ont à leur disposition, depuis le 4 août 2005, un contrat de travail dit « contrat nouvelles embauches » (CNE). À durée indéterminée, ce contrat est assorti d'une période d'essai de deux ans durant laquelle il peut être rompu sans motif à l'initiative de l'employeur ou du salarié.

Les très petites entreprises, de moins de 5 salariés, disposent d'une formule chèque-emploi qui permet, à partir d'un formulaire d'identification de l'entreprise et du salarié, de gérer les déclarations, de calculer les cotisations et d'établir les bulletins de paie. Ce document vaut contrat de travail. Le chèque-emploi service universel (CESU), sur le même modèle, intéresse tout particulièrement le secteur des services aux familles (garde d'enfants, soutien scolaire) et aux personnes âgées (repas, ménage, jardin…).

■ Durée du travail

Dans les entreprises de plus de 20 salariés, la durée légale hebdomadaire du travail est de 35 heures depuis 2000. Chaque entreprise a négocié avec les partenaires sociaux pour déterminer ses propres modalités d'application de la loi. Ainsi, la formule « réduction du temps de travail annualisée » (RTT) octroie aux salariés des jours de repos supplémentaires en contrepartie de plus de flexibilité et de productivité ; travailler moins mais travailler mieux était l'argument.

La loi du 31 mars 2005 assouplit le dispositif des 35 heures et autorise les salariés, après accord d'entreprise, à effectuer des heures supplémentaires selon l'activité de l'entreprise et à cumuler les RTT sous forme de compte épargne-temps négociable.

Les outils technologiques et bureautiques permettent de nouvelles formes de travail de type « télétravail ». Le salarié, selon son statut, doit gérer à distance son temps de travail.

■ Congés

Les Français utilisent tour à tour les mots « congé » ou « vacances » pour dire qu'ils ne travaillent pas. Les salariés ont légalement droit à deux jours et demi ouvrables de congé par mois de travail. Ces droits s'acquièrent entre le 1er juin de l'année précédente et le 31 mai de celle en cours. Par exemple, si vous êtes embauché le 1er décembre, vous aurez travaillé 6 mois au 31 mai et aurez ainsi droit à 2,5 x 6, soit 15 jours de congés annuels. C'est en jours ouvrables que l'on calcule les congés payés sauf si la convention collective, plus avantageuse, prévoit le calcul en jours ouvrés.

Les **jours ouvrables** sont les six premiers jours dans la semaine, le septième – le dimanche – est jour de repos hebdomadaire, sauf obligation professionnelle pour les services publics et certains commerces.

Les **jours ouvrés** sont les jours effectivement travaillés par le salarié, soit en général 5 jours consécutifs. « Ouvrables » et « ouvrés » viennent des mots « ouvrier » et « œuvre ».

Travailler une année complète ouvre droit à 5 semaines de congés payés. Le calendrier des congés est fixé en accord avec l'employeur, soucieux de la bonne marche de l'entreprise et des vœux de ses salariés. Le congé principal doit être pris entre le 1er mai et le 31 octobre. La cinquième semaine est prise ultérieurement.

Les salariés ont des droits à la formation et, dans certaines conditions, ils peuvent obtenir un « congé formation », un congé sabbatique. En outre, la loi octroie des congés pour événements familiaux (mariage, naissances, décès selon le degré de parenté). Les congés maternité et paternité sont rémunérés par la Sécurité sociale et non par l'employeur. Le congé parental d'éducation relève de critères particuliers.

Dans une année de 365 jours,

On compte 271 jours travaillés pour un plein temps, 52 jours de repos hebdomadaire, 11 jours fériés, 30 jours de congés payés et une journée de solidarité instituée en 2005 en faveur des personnes âgées et handicapées, à date variable selon l'intérêt de l'entreprise et du salarié. En tout, un salarié travaille 1 607 heures payées 1 600 heures.

140

Votre situation professionnelle en France

• Vous avez accepté un « détachement » : à votre contrat de travail initial s'ajoute une « lettre de mission » qui règle le transfert temporaire auprès d'une filiale en France et les modalités (indemnités, logement, durée de la mission). Votre salaire sera payé comme d'habitude, à l'étranger. Si votre pays et la France ont signé une convention bilatérale en matière de sécurité sociale et de fiscalité, vous garderez votre couverture sociale d'origine.

• Vous êtes « expatrié » : votre contrat de travail initial est suspendu pour une période convenue ou à durée indéterminée, selon l'avenant qui précise votre mission en France. Vous bénéficierez d'un contrat de travail français et serez payé en France. S'il y a des accords sociaux et fiscaux internationaux entre votre pays et la France, ils vous seront applicables.

• Vous avez signé un contrat de travail de droit local : c'est une embauche directe par une société en France. Après autorisation de travail, vous serez géré comme un salarié habituel et affilé à la Sécurité sociale française.

Tout salaire doit être égal ou supérieur au SMIC (salaire minimum interprofessionnel de croissance), dont le montant est actualisé annuellement. Il est, au 1er juillet 2006, de 1 254,28 euros bruts par mois, soit 8,27 euros bruts de l'heure. Il doit y avoir égalité de traitement ; en particulier, à travail égal, le salaire doit être égal pour tous, notamment entre hommes et femmes. Tout recrutement est soumis à autorisation de travail par la DDTEFP.

Le bulletin de salaire ou fiche de paye

L'employeur remet au salarié une fiche de paye en même temps qu'est versé le salaire à la fin de chaque mois. Le bulletin de salaire identifie le salarié et l'employeur. Le montant du salaire brut y est inscrit. Amputé des diverses cotisations sociales du salarié, il devient un salaire total net… et imposable. La fiche de paye présume qu'il y a contrat de travail. Le salaire est payé mensuellement par virement ou chèque bancaire. Il est nécessaire de conserver la totalité de ses bulletins de paie, qui peuvent être utiles au moment de calculer sa retraite.

141

■ Des recours éventuels

• Dans le cadre de la DDTEFP (direction départementale du travail et de la formation professionnelle), l'inspection du travail a pour mission de veiller à l'application du droit du travail dans les entreprises. Le constat d'une infraction donne lieu à la rédaction d'un procès-verbal qui, selon la gravité, pourra être transmis par la DDTEFP au tribunal compétent aux fins de poursuites. L'inspection du travail peut aussi être consultée pour un conseil, voire une médiation lors d'une discorde entre salarié et employeur.

• Les conseils de prud'hommes sont des juridictions spécialisées en droit du travail qui ont pour mission de régler par conciliation ou de juger les désaccords et les conflits qui peuvent exister entre employeurs et salariés, notamment lors d'un licenciement. Ils sont composés en nombre égal de représentants des employeurs et des salariés, élus tous les 5 ans. Les étrangers sont électeurs au même titre que les Français, mais non éligibles.

Protection sociale

La protection sociale regroupe l'ensemble des systèmes qui ont pour finalité de protéger les individus contre les conséquences financières des « risques sociaux » : maladie, invalidité, maternité, vieillesse, chômage, coût des enfants, exclusion… La protection sociale est ainsi une gigantesque machine à redistribuer. Ce système est principalement alimenté par le travail.

■ La Sécurité sociale

Créée le 4 octobre 1945, la Sécurité sociale est fondée sur le principe de la solidarité nationale par système de répartition. Le régime général de la Sécurité sociale, en France, est financé par la contribution des salariés et des employeurs. Il garantit aux ayants droit une partie des risques ou des dépenses de maladie, d'invalidité, de vieillesse, de décès mais aussi de maternité et d'accident de travail.

L'intitulé « Sécurité sociale » recouvre plusieurs systèmes : le régime général de Sécurité sociale (qui concerne les salariés du secteur privé), dirigé par un conseil d'administration paritaire (patronat/syndicats) ; les autres régimes, dits « spéciaux », ont une gestion spécifique liée à un secteur d'activité (agriculture, commerce…) ou à une entreprise (ex. : EDF, SNCF, La Poste…).

La protection sociale recouvre différents domaines de risque et donc de protection :

• le risque **santé** (assurance maladie et maternité : remboursement partiel de soins et de médicaments, versement d'indemnités journalières en cas d'arrêt de travail) ;

• le risque **vieillesse** : versement de pensions de retraite ;

• le risque **famille** : allocations familiales, à montant variable selon le nombre d'enfants (incitation à la natalité), logement, pré – ou postnatales ;

• le risque **emploi** : assurance chômage versée par les ASSEDIC lorsque le droit est ouvert par une précédente situation d'emploi, sinon par l'État au titre d'allocation de solidarité ;

• l'**exclusion** sociale, qui entraîne le versement du RMI (revenu minimum d'insertion).

Les dépenses de santé ont considérablement augmenté, et l'on parle d'un déficit chronique de la Sécurité sociale. Depuis 2005, un forfait de un euro est retenu sur chaque remboursement de frais maladie. Le taux de chômage élevé entraîne de moindres rentrées de cotisations tandis qu'une longue espérance de vie augmente les dépenses de santé et la durée de versement des retraites ! Autant dire que réduire le déséquilibre financier est difficile.

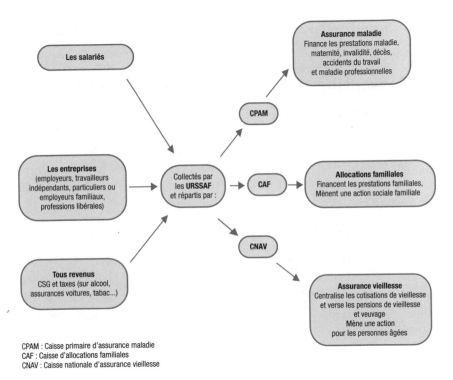

CPAM : Caisse primaire d'assurance maladie
CAF : Caisse d'allocations familiales
CNAV : Caisse nationale d'assurance vieillesse

143

■ URSSAF

Tout salarié et son employeur cotisent à la Sécurité sociale selon le montant du salaire, auprès de l'une des 105 Unions pour le recouvrement de cotisations de Sécurité sociale et d'allocations familiales (URSSAF). Organismes privés, les URSSAF sont chargées d'une mission de service public en collectant les charges sociales et peuvent procéder à des contrôles dans l'entreprise, notamment vérifier la régularité des déclarations et des pièces justificatives.

Les professions indépendantes – commerçants, industriels, artisans et professions libérales – ont bien sûr l'obligation de se faire connaître auprès de l'URSSAF et de payer les charges afférentes à leurs activités.

■ Couverture maladie universelle

Par solidarité, depuis le 1er janvier 2000, une couverture maladie universelle (CMU) procure une assurance notamment aux jeunes sans ressources qui sortent du système scolaire obligatoire à 16 ans. Avant 16 ans, un enfant est ayant droit de ses parents. Il peut le rester jusqu'à 20 ans s'il est étudiant. À partir de 20 ans, il doit s'affilier à titre individuel, sous le régime étudiant ou autre selon sa situation.

■ Convention bilatérale de Sécurité sociale

Le Code de la Sécurité sociale française définit la notion de « détachement ». Les modalités de couverture sont déterminées par l'existence ou non d'une convention bilatérale de sécurité sociale entre la France et votre pays de nationalité, par la nature de l'accord. Le « détaché » reste affilié au régime de protection sociale du pays où ses droits sociaux sont acquis.

• Vous êtes « détaché » d'un pays de l'UE vers la France

Les pays de l'Union européenne ont leurs propres systèmes de protection sociale, et le règlement communautaire (art. 1408/71) vient simplifier la libre circulation des citoyens européens dans les pays de l'EEE (dont l'UE) et la Suisse. Il coordonne les différents régimes nationaux de Sécurité sociale pour l'ensemble des risques et branches (maladie, famille, vieillesse…). Ainsi, les droits acquis dans l'un de ces pays peuvent être exportés et totalisés dans toute l'Union. L'Européen sera assuré dans le pays où il travaillera temporairement, sous réserve d'être muni des formulaires E 101 et E 106, qui attestent le détachement, la durée de couverture et le droit aux prestations de maladie. Les cotisations seront payées par le pays qui a validé l'attestation.

Le salarié détaché doit s'inscrire ainsi que ses ayants droit (conjoint, enfants) à la CPAM de son lieu de résidence. Ils pourront alors bénéficier en France des « prestations en nature » remboursant des médicaments ou des soins médicaux effectués dans des services publics. Les « prestations en espèce », qui sont les indemnités de salaire lors d'un arrêt de travail pour raison de santé, resteront versées par le pays d'origine où sont payées les cotisations.

• **Autres conventions de Sécurité sociale**

En plus des pays de l'EEE et la Suisse, une trentaine de pays ont signé des accords internationaux de sécurité sociale, fondés sur la réciprocité. Toutes les conventions prévoient une coordination en matière de retraite, mais elles n'ont pas toutes les mêmes dispositions, notamment en matière de maladie.

Ainsi, les salariés ayant la nationalité du pays signataire peuvent être maintenus dans leur système de protection sociale habituel si leurs droits ouverts donnent lieu à établissement d'un certificat de couverture sociale.

Sinon, quelle que soit la nature de la mission en France, un salarié originaire d'un pays sans convention bilatérale de Sécurité sociale avec la France devra être affilié auprès de l'URSSAF, qui percevra les cotisations sur son salaire même s'il lui est payé à l'étranger.

Les formulaires ont leur lettre et leur numéro de série :

Union européenne : E 100 secteur santé et maternité (E 101 : cotisations Sécurité sociale pour les détachés et E 102 pour le renouvellement ; E 128 : assurance maladie pour détachés et étudiants) ; États-Unis : SE 404 ; Canada : SE 401, Québec : SE 401-Q-01...

• **Vous êtes salarié en France**

Vous avez un contrat de travail en France : votre employeur est tenu de déclarer votre embauche (DUE) et de demander votre affiliation à la Sécurité sociale dans les 8 jours qui précèdent l'embauche. Un numéro provisoire vous sera attribué et confirmé sur votre **carte vitale**, votre carte d'assuré social. Vous serez inscrit sur le registre unique du personnel avec les références de votre autorisation de travail et de séjour.

• **Carte vitale : votre carte d'assuré social**

Une carte vitale, carte à puce nominative, simplifie la gestion des remboursements de frais médicaux : le médecin et le pharmacien transmettent une information électronique à votre CPAM.

Sinon, le médecin remet au patient une ordonnance et une feuille de soins ; le pharmacien y apposera son cachet après avoir inscrit le montant des médicaments. Il vous reste à coller les « vignettes » figurant sur les boîtes, à compléter et à signer vous-même cette feuille avant de l'envoyer à la CPAM. Il suffit de joindre la première fois un relevé d'identité bancaire (RIB) pour être remboursé par un virement bancaire d'une partie des frais médicaux que vous dépensez pour vous faire soigner, vous ou vos ayants droit (conjoint et enfants).

Les Français ont volontiers un médecin de famille, mais il est dorénavant obligatoire de choisir et de déclarer auprès de la CPAM le nom de son médecin de référence. Il a la responsabilité de coordonner le suivi médical du patient et de l'orienter, si besoin, vers un spécialiste. Le non-respect de cette démarche entraîne un moindre remboursement des frais médicaux.

Si les prestations en nature remboursent à l'assuré et ses ayants droit une partie des frais de santé selon les barèmes de la Sécurité sociale, les prestations en espèces ne sont versées qu'à l'assuré social qui est en arrêt de travail pour cause de maladie, d'accident du travail ou de congé maternité. Ces indemnités journalières compensent la perte de son salaire sous réserve d'avoir travaillé au moins 90 jours consécutifs avant l'arrêt maladie.

• Votre numéro d'immatriculation

Le numéro d'immatriculation à la Sécurité sociale est une combinaison de 13 chiffres + un code clé en 2 chiffres qui vous identifie pour toute démarche vers la CPAM. Il figure notamment sur les bulletins de paie des salariés.

1	76	12	61	006	005
H	1976	Déc.	Orne	Argentan	Ordre de naissance
Sexe	Année	Mois	Départ.		

Par exemple, la carte vitale qui porte le n° 2 48 07 61 006 005 indique qu'il s'agit d'une femme (1 pour les hommes) née en 1948 (48), au mois de juillet (07), dans le département de l'Orne (61) ; 006 est le numéro de la commune de naissance (Argentan est la 6ᵉ commune du département de l'Orne selon l'ordre alphabétique, 005 est l'ordre d'inscription à l'INSEE dans le mois de juillet 1948. Enfin, 2 chiffres « clés » sont attribués automatiquement.

Le numéro d'immatriculation attribué à un étranger aura la même structure mais portera le n° 99 au lieu du département, un numéro correspondant à son pays d'origine au lieu de la commune et un code d'enregistrement au lieu du chiffre INSEE.

Carte européenne d'assurance maladie

Européen, vous êtes de passage en France et avez besoin de soins médicaux. Vous serez remboursé dans les mêmes conditions qu'un assuré français mais devrez faire l'avance des frais sauf en cas d'hospitalisation ou de soins particuliers. Il est indispensable de vous procurer avant votre départ, pour vous et votre famille, la carte européenne d'assurance maladie (CEAM) auprès de votre propre centre de sécurité sociale.

■ Mutuelle complémentaire

La couverture sociale de base peut être améliorée par une adhésion à des assurances complémentaires privées de type « mutuelles » qui viennent en appoint des prestations de la Sécurité sociale. Certains employeurs ont conclu un contrat collectif proposé aux salariés à des taux de cotisation avantageux.

Une mutuelle, selon les options retenues, peut compléter le remboursement des dépenses de santé et les indemnités journalières s'il y a arrêt de travail. Ainsi, les dossiers qui ont donné lieu à un remboursement de la part de la Sécurité sociale ouvrent droit aux prestations complémentaires d'une mutuelle, sous réserve d'y cotiser.

■ Allocations familiales

Vous pouvez bénéficier d'allocations familiales versées par la CAF (Caisse d'allocations familiales) si vous résidez régulièrement en France avec vos enfants. Elles sont attribuées mensuellement à partir de deux enfants de moins de 16 ans à charge et sur justification de leur situation scolaire ou professionnelle jusqu'à 20 ans.

En outre, des allocations sont également versées par la CAF avant et après la naissance d'un enfant, selon un calendrier de consultations médicales obligatoires pour la mère pendant la grossesse et pour l'enfant après sa naissance.

D'autres prestations sont attribuées en fonction des revenus de la famille, c'est pourquoi une déclaration annuelle de ressources est adressée à tous les allocataires ou peut être effectuée par Internet, sur le site www.caf.fr.

■ Assurance chômage

Le dispositif d'allocations de chômage est destiné à indemniser des personnes à la recherche d'un emploi, inscrites à l'ANPE et qui ont cotisé aux ASSEDIC lors d'une activité professionnelle précédente. Des maisons de l'emploi regroupent et coordonnent les services publics chargés des questions d'emploi.

■ Régimes de retraite

La Caisse nationale d'assurance vieillesse assure des ressources aux personnes qui sont en retraite, selon la durée de leur activité professionnelle antérieure. S'il y a convention internationale, les périodes d'assurance à l'étranger seront totalisées et vous aurez droit à une pension proportionnelle à la durée d'activité dans chaque pays où vous avez cotisé. La demande de pension se fait auprès de la caisse de retraite du pays de résidence à laquelle vous avez été affilié en dernier lieu.

Tous les salariés sont obligatoirement affiliés à un ou plusieurs régimes de retraites complémentaires qui apportent des garanties et des ressources supplémentaires au moment du départ en retraite, au prorata des cotisations versées.

Le dispositif de retraite complémentaire obligatoire du personnel est géré par l'ARRCO (Fédération des institutions de retraite complémentaire), et la spécificité « cadres » par l'AGIRC (Association générale des institutions de retraite des cadres).

En 2004, en raison de l'allongement de la durée de vie et de l'âge précoce auquel est prise la retraite, la durée moyenne de retraite est de 18 ans pour les hommes (contre 11 ans en 1970) et de 23 ans pour les femmes (contre 14 ans en 1970).

Fiscalité

L'impôt sur le revenu a été créé le 15 juillet 1914. Son taux était alors de 2 % et progressif ! Les individus et les entreprises doivent, par l'impôt, contribuer au financement des dépenses publiques ainsi qu'au fonctionnement de l'État et des collectivités territoriales. La loi de finances votée chaque année par le Parlement en fixe les montants.

Un nouveau résident fiscal en France ne sera pas imposé sur les primes ou suppléments de rémunération qu'il reçoit pour compenser son expatriation.

La Direction générale des impôts et le Trésor public sont les services du ministère de l'Économie et des Finances chargés des questions fiscales.

Le Trésor public gère les finances de l'État. Il encaisse les recettes fiscales (impôt sur le revenu, impôts locaux, amendes, etc.) et paie les dépenses publiques.

C'est au centre (ou à l'hôtel) des impôts que se fait le calcul du montant de l'impôt dû par le contribuable, selon ses déclarations. L'assiette de l'impôt est la valeur à partir de laquelle est calculé l'impôt. L'impôt sur le revenu se calcule sur le revenu après déductions forfaitaires. D'autres impôts existent comme la taxe d'habitation sur la valeur locative, l'impôt de solidarité sur la fortune (ISF) ou sur le patrimoine, et la TVA (impôt sur la consommation) sur le prix des produits et services.

■ Les impôts sur le revenu

Le Code des impôts définit la notion de résidence fiscale afin de déterminer les liens du contribuable avec un pays. Un domicile permanent en France (ou au moins 183 jours de travail ou de présence au cours d'une année fiscale ou de 12 mois consécutifs) offre le privilège d'être résident fiscal et donc contribuable, c'est-à-dire de payer des impôts. Toutefois, des conventions bilatérales entre la France et une centaine de pays étrangers évitent les doubles impositions et fixent les obligations déclaratives.

Certaines entreprises proposent une aide à la déclaration de revenus, sinon il est toujours possible de prendre conseil auprès des services fiscaux de votre lieu de résidence.

Le calcul de l'impôt s'effectue sur l'ensemble des revenus perçus au cours d'une année civile. Des déductions forfaitaires sont fixées par la loi, par exemple 10 % pour l'estimation des dépenses professionnelles (ou la déduction du montant réel des frais professionnels justifiables).

Un système de **quotient familial** attribue des parts selon le nombre et l'âge des personnes à charge, vivant sous le même toit. Quelques allégements fiscaux sont consentis en cas d'emploi familial ou de dons à des organismes humanitaires agréés.

Le retrait des déductions légales fixe le montant du revenu imposable auquel s'appliquera un barème d'imposition progressif en 5 tranches qui s'étage de 0 à 40,00 %, applicable au revenu net imposable. Ce nouveau barème entrera en application pour l'imposition des revenus de l'année 2006 ; le précédent comportait 7 tranches.

Tout contribuable peut contester le montant de l'impôt réclamé et former un recours contentieux demandant une rectification. De même, un contrôle fiscal peut lui être imposé afin de vérifier la situation déclarée et l'authenticité des pièces comptables justificatives.

■ CSG et CRDS

Depuis 1991, une contribution sociale généralisée (CSG) est reversée aux caisses de la Sécurité sociale. À son tour, une contribution pour le remboursement de la dette sociale (CRDS) est entrée en vigueur en 1996. Ces impôts s'étendent à l'ensemble des revenus et doivent permettre d'atténuer les déficits cumulés de la Sécurité sociale.

■ Déclaration de revenus

La déclaration annuelle de revenus est obligatoire dès lors que l'on a un salaire ou des revenus, quelle qu'en soit l'origine. Elle s'effectue par Internet ou sur un imprimé intitulé « Votre déclaration de revenus », qu'il suffit de compléter et d'adresser au centre des impôts de votre lieu de domicile. Une seule déclaration est demandée par couple marié ou pacsé considéré comme foyer fiscal.

Vous devrez demander le formulaire à la mairie lors de votre première déclaration ; ne l'oubliez pas car vous n'échapperez probablement pas à une contribution majorée de 10 % si vous êtes hors délai de déclaration annoncé par voie de presse.

Si vous travaillez dans deux pays ou plus, il convient d'interroger l'inspecteur des impôts de votre lieu de résidence pour éviter une double imposition et faire appliquer, le cas échéant, la convention fiscale bilatérale selon votre nationalité.

■ Mode de paiement des impôts : mensuel ou par tiers

Vous recevrez un avis d'imposition et vous aurez le choix entre deux formules car il n'y a pas de prélèvement d'impôt à la source. Le paiement par tiers (acompte provisionnel) est le système traditionnel, mais le règlement mensuel est le plus pratiqué. La mensualisation évite en effet d'avoir à payer des sommes importantes trois fois par an. Dans ce cas, l'impôt est réglé en 10 versements mensuels, de janvier à octobre (prélevés automatiquement sur le compte bancaire ou postal, à date fixe).

Le montant des acomptes, mensuels ou par tiers, est estimé en référence à l'impôt effectivement payé l'année précédente. Le solde, ajusté selon le calcul réel, est payé en novembre et décembre. Le trop-perçu est remboursé.

Certains contribuables français préfèrent payer par tiers, soit en versant deux acomptes les 15 février et 15 mai, puis le solde à partir du 15 septembre de chaque année. Un oubli d'échéance entraîne une majoration de 10 %.

■ La taxe d'habitation

Que vous soyez locataire ou propriétaire, la taxe d'habitation est à payer pour le logement que vous occupez au 1er janvier, même si vous déménagez le 10 janvier. Le montant varie selon les communes et la valeur locative du logement. Elle vous sera demandée une fois par an, en automne.

Depuis 2005, la redevance TV est associée à la taxe d'habitation, qui donne lieu à un seul avis d'imposition et un seul paiement. Quel que soit le nombre de postes de télévision dont vous disposez dans votre résidence principale ou secondaire, un seul téléviseur donne lieu à redevance.

■ TVA

Taxe sur la valeur ajoutée, la TVA est un impôt indirect qui s'applique sur les produits et services. Elle va de 5,5 % sur les produits alimentaires ou les livres à 19,6 %, en France. Le principe de la TVA a été adopté par les autres pays de l'UE, et ses taux font l'objet de discussions pour harmoniser des normes européennes. Les prix sont affichés toutes taxes comprises (TTC) chez les commerçants.

- **Principaux impôts**

– Nationaux : TVA, impôt sur le revenu, impôt sur la fortune, impôt sur les sociétés, taxe sur les produits pétroliers.

– Locaux : taxe professionnelle, taxe foncière sur les propriétés bâties et non bâties, taxe d'habitation.

Vous avez dit... CAC 40 ?

Contraction de « cotation assistée en continu », le CAC 40 est l'indice français boursier calculé par la Compagnie des agents de change sur les 40 plus grandes entreprises françaises qui sont les plus capitalisées au Palais Brongniart, à Paris. Le Dow Jones est l'indice boursier de Wall Street, à New York (le NASDAQ est réservé aux technologies), le Footsie celui de Londres, le X-DAX celui de Francfort et le Nikkei celui de Tokyo. L'Eurostoxx est l'indicateur boursier européen.

À votre agenda

Depuis toujours, les hommes ont appris à compter les jours et à mesurer le temps qui passe. Ainsi, pour savoir l'heure, on peut observer l'ombre d'un cadran solaire, regarder sa montre ou encore interroger l'horloge multilingue de l'Observatoire de Paris, au 08.36.66.36.36, qui donne l'heure légale française (une voix féminine annonce les minutes paires et une voix d'homme les minutes impaires : le programme est enregistré jusqu'au 25 septembre 2088... rendez-vous pris !).

Le méridien de Greenwich (en Angleterre) qui traverse la France, fixe l'heure universelle. Ainsi, lorsqu'il est midi à Paris, il est 11 h à Londres, 6 h à New York et Montréal, mais il est 13 h à Moscou et 20 h à Tokyo.

La France applique un décalage horaire d'une heure au printemps, qu'elle rétablit à l'automne. On parle alors de l'« heure d'été » ou de l'« heure d'hiver ». Depuis 1996, le changement d'heure est harmonisé à l'échelle européenne et respecte ses trois fuseaux horaires. L'Irlande, le Portugal et le Royaume-Uni ont une heure de moins, tandis qu'il faut compter une heure de plus notamment en Finlande et en Grèce.

Une sirène, qui est souvent placée sur les bâtiments publics, résonne le premier mercredi de chaque mois. À 12 heures précises, un signal dure une minute par fractions de 7 secondes. À 12 h 10, un dernier signal de la sirène dure 30 secondes. Cet exercice mensuel a pour but de vérifier le fonctionnement des alarmes utilisées en cas d'extrême gravité.

■ 24 heures par jour

On note une certaine uniformisation des rythmes de travail dans les grandes villes : journée continue, déplacements en masse vers les bureaux et centres d'affaires.

Vous pourrez avoir une réunion à 9 h, un déjeuner de travail à 13 h, une conférence à 16 h et un cocktail à 19 h. Si vous n'êtes pas trop fatigué, il vous reste le choix d'aller dîner à 20 heures.

Les dates s'écrivent comme elles se prononcent : lundi 26 avril 2005 ou le 26.04.2005 ou encore 26.4.05.

Si l'on vous donne rendez-vous dans « quinze jours », vous serez surpris de noter qu'il s'agit en fait de deux semaines plus tard, soit quatorze jours. De même, si le médecin vous dit « *je vous revois dans 8 jours* », c'est exactement dans une semaine, soit 7 jours plus tard.

Et surtout, « ne cherchez pas midi à quatorze heures » : cette expression, couramment citée, signifie « ne compliquez pas les choses ».

■ Des chiffres et des signes

Vous entendrez probablement l'expression « entre guillemets », à ne pas confondre avec (entre parenthèses). Ces guillemets (« »), doubles petits signes typographiques, vont par deux. Apparus dès 1527, les guillemets, inventés par l'imprimeur Guillaume, sont indispensables pour encadrer une citation, mettre un mot en relief ou le démarquer de son emploi.

153

S'il vous est demandé de « remettre les pendules à l'heure » ou de « mettre les points sur les i », cela signifie que vous devez recadrer votre travail ou vos collaborateurs. Vous remarquerez certainement que les Français mettent aussi des barres au chiffre 7 lorsqu'ils l'écrivent à la main, ce qui le distingue du chiffre 1, sinon confusion garantie.

Les numéros de téléphone ont dix chiffres et se lisent deux par deux. Ainsi, le n° 01.22.76.66.10 se lit : zéro un, vingt-deux, soixante-seize, soixante-six, dix.

En français, les sommes d'argent se notent d'abord par le chiffre, le symbole de la monnaie venant ensuite ; 500 euros (et non pas € 500). De même, un espace ou une virgule peuvent changer le prix d'un contrat ! En France, vous écrirez 200 000 euros pour deux cent mille euros (et non pas 200,000 euros).

Le chiffre 13 : une réputation double

Qu'il est difficile de suivre 12, chiffre dit « parfait » parce qu'il est le plus divisible, qu'il marque les cycles du temps : 12 mois, 12 signes du zodiaque, 12 heures du cadran et 12 étoiles du drapeau européen.

Si les Français peuvent se montrer ambivalents avec le chiffre 13, ils ne refusent jamais un 13e mois de salaire, et la Provence ne conçoit pas le repas de Noël sans ses 13 desserts traditionnels. Certains attribuent des vertus gagnantes au vendredi 13 et tentent leur chance aux jeux de hasard, sans toujours faire fortune. D'autres associent le chiffre 13 à la malchance et n'imaginent pas être treize à table même si l'un des convives mange pour deux. En revanche, dans les immeubles, qu'ils soient d'habitation ou de bureau, nombre de salariés travaillent quotidiennement au 13e étage des 100 tours de la Défense. La Bibliothèque nationale de France est dans le 13e arrondissement de Paris.

■ Une année de travail

– L'année civile court du 1er janvier au 31 décembre.

– L'année fiscale correspond à un « exercice » de douze mois.

– L'année « congés payés » : du 1er juin au 31 mai.

– L'année scolaire commence début septembre. Elle s'organise en trois trimestres d'enseignement auxquels s'ajoutent les vacances.

– L'année universitaire compte deux semestres.

■ Jours fériés et « ponts de mai »

La France compte onze jours fériés légaux par an. Certains sont à jours fixes, par exemple le lundi de Pâques, d'autres sont à dates fixes tels que le 11 novembre et, s'il tombe un mardi ou un jeudi, les Français apprécient de faire le « pont », c'est-à-dire de passer d'un jour férié à un autre en enjambant un jour de travail pour avoir un week-end prolongé. Le mois de mai comprend au minimum 3 jours fériés (1er mai, 8 mai et le jeudi de l'Ascension). Certaines années, au gré du calendrier, la France vit au ralenti en raison des « ponts de mai ».

Rendez-vous au chapitre « Temps libre et loisirs », p. 297.

Us et coutumes professionnels

■ Le statut de « cadre » : une particularité française

En 1937, le terme « cadre » est apparu dans une organisation professionnelle intitulée « Confédération générale des cadres de l'économie ». Toutefois, être « cadre » n'est pas un métier mais une position dans le système hiérarchique de l'entreprise. Cette notion trouve son origine dans le commandement militaire. Aujourd'hui, elle peut recouvrir des réalités très diverses, mais le principe de responsabilités managériales ou techniques fonde sa légitimité. Les cadres sont le plus souvent titulaires d'un diplôme universitaire ou d'une « grande école », sinon ils disposent d'une solide expérience professionnelle qu'ils ont pu valoriser dans l'entreprise.

Le statut de cadre n'est pas défini par le Code du travail mais par des dispositions conventionnelles qui prévoient un régime social particulier, notamment l'affiliation à une caisse de retraite des cadres. Généralement, les conventions collectives fixent les caractéristiques particulières du contrat de travail des cadres, notamment une période d'essai ou un préavis de départ.

■ Côté style

Dans le secteur industriel, on appelait « cols blancs » les cadres de production, en référence à leur chemise blanche et leur cravate, tandis que les ouvriers étaient des « cols-bleus », terme inspiré par le « bleu de travail » qu'ils portaient à l'usine.

155

Depuis, l'image sociale des cadres s'est modernisée et dotée de quelques outils : ordinateur portable, téléphone mobile, agenda électronique et carte de visite bilingue… Le bureau et ses meubles sont encore un élément du statut. Les codes vestimentaires se repèrent aux premiers contacts : le costume-cravate ou le tailleur prévalent pour les dirigeants, mais il est admis d'adapter ses vêtements à ses activités tout en restant en adéquation avec le style et la culture de l'entreprise.

Les Français restent attachés aux titres et aux fonctions : Madame la Présidente, Monsieur le Directeur général. Toutefois, les relations sont moins formelles mais il est fréquent que des collègues se vouvoient, tandis que le prénom est utilisé même entre niveaux hiérarchiques différents. Le nom précédé de « Monsieur » ou « Madame » reste d'usage lors de moments formels (présentation, réunions, etc.). « Madame » peut se dire à toutes les femmes quelle que soit leur situation (à l'égard du mariage), mais elles se présentent elles-mêmes par leur prénom suivi de leur nom de famille. La France est une société mixte dès l'école maternelle, et les relations hommes/femmes en sont simplifiées. Dans les milieux industriels ou techniques et les univers d'hommes, on s'appelle encore directement par le nom de famille : Dupont, Durand.

Au bureau, les collègues se saluent souvent en se serrant la main, le matin et le soir (quelques intimes s'embrassent). La poignée de main est alors un geste bref, chaleureux ou machinal, qui ne dure que le temps d'un regard. Les premières semaines, vous serez peut-être surpris comme Kristin : « *Tous les matins, on me tend la main pour me dire bonjour comme si j'étais nouvelle chaque jour* ».

Dans les relations professionnelles, l'utilisation du « tu » ou du « vous » est une subtile alchimie entre les règles hiérarchiques en vigueur. À votre arrivée, le choix peut vous être proposé, sinon mieux vaut observer les habitudes des autres ou demander à un collègue quelles sont les pratiques de l'entreprise. C'est la meilleure façon de s'initier aux us et coutumes « maison » et d'éviter trop de malentendus.

Lu et entendu

Traditionnellement, les anciens élèves de certaines grandes écoles (l'École polytechnique, par exemple) se tutoient; toutefois, l'âge et la situation hiérarchique apportent quelques exceptions à la règle.

Deux collègues se vouvoient au bureau tandis que le samedi, ils se tutoient sur le court de tennis. Des personnes travaillent depuis 20 ans dans le même bureau et se vouvoient encore.

■ Les écrits professionnels

Si le courrier électronique permet un style d'écriture abrégé et direct, un rapport, une lettre ou un mémo gardent un format conventionnel. Un document signé est important, il fait référence et sert de preuve si besoin. S'il y a entente de principe, le contrat d'affaires fixe sur papier les détails de l'accord, points sur lesquels les Français sont perçus comme formalistes et... cartésiens, attachés à leur culture de l'écrit. Les mentions manuscrites « lu et approuvé » ou « bon pour accord » seront suivies de la date et des signatures des contractants. Chaque page du contrat doit être paraphée d'une signature abrégée sous forme des initiales.

Les bureaux

L'aménagement des bureaux a suivi les modes architecturales. Vous trouverez, selon les sociétés, de grands espaces paysagers qui réunissent une trentaine de personnes dans une même salle ou, à l'inverse, de petites pièces individuelles à la porte close (il est alors recommandé de frapper et d'attendre une réponse pour entrer). Un ordinateur et son accès Internet, une ligne directe et sa messagerie vocale, un fax, permettent peu à peu à chacun de gérer son information et son courrier. En revanche, le cadre supérieur est secondé par une précieuse collaboratrice : son assistante, parfois aidée d'une secrétaire.

Notion de temps

« Le temps des hommes est de l'éternité pliée. » Jean Cocteau

On vit vingt ans de plus qu'en 1900, on a des outils de travail sophistiqués, on se déplace vite… pourtant, les Français sont souvent débordés, stressés, pressés ou en retard. Ce n'est pas nouveau, déjà Voltaire l'écrivait, au XVIIIe : *« Les Français arrivent tard à tout, mais enfin, il arrivent. »*

« Le temps, c'est de l'argent », dit l'adage. C'est une réalité évidente, mais les Français n'appliquent pas toute la journée le sens du « temps économique ». Certains ne le comptent pas et savent « donner » de ce précieux temps.

Aussi la notion d'horaire est-elle parfois appréhendée avec souplesse ou bien dans l'urgence : des rendez-vous et des délais sont reportés pour des motifs divers, la gestion des plannings est bouleversée. Il ne reste plus qu'à suivre le conseil de Cervantes – *« Il faut donner du temps au temps »* – ou encore adhérer à la sagesse orientale : *« on ne fait pas le printemps en tirant sur les feuilles »*.

La gestion du temps, affaire de culture peut-être, mais surtout affaire de personnes. Il y a aussi des Français ponctuels qui ont un sens horloger de la précision ou de l'étymologie et font à point ce qui convient. Il y a les coureurs contre la montre qui…, cependant, ne ratent jamais leur TGV, et il y a les autres…, ceux qui marchent à l'ombre du cadran solaire et ont une notion très élastique de l'heure. Restent ceux qui peuvent perdre leurs clés, mais jamais leur temps. Il est toutefois évident qu'une personne sera ponctuelle au rendez-vous qu'elle aura sollicité, voire en avance selon le statut de son interlocuteur et l'enjeu de l'entretien.

« Le luxe ultime est le temps : le temps que nous prenons et le temps que nous donnons. » Laurence Benaïm

■ Une journée de travail

Les modes de vie sont différents en Île-de-France ou dans les grandes villes, selon les distances entre domicile et lieu de travail. Les horaires flexibles offrent une certaine souplesse dans l'organisation de la journée de travail. Dans la plupart des entreprises, chaque salarié dispose d'un badge qui lui donne accès aux bureaux et enregistre à la minute près son temps de présence. Certains, d'ailleurs, travaillent tôt et tard et ne comptabilisent pas leurs longues journées au bureau, en voyage, en affaires. Quitter le bureau à 19 ou 20 heures n'est pas exceptionnel chez les cadres.

En revanche, l'autonomie de certains postes permet d'envisager des formules originales, par exemple travailler une journée ou plus par semaine à son domicile pour se concentrer sur des dossiers particulièrement importants (conception, rédaction…). Le télétravail convient à certaines missions professionnelles et se développe.

■ « Pause café » et déjeuner

Le café est un rituel dans la matinée. On se retrouve autour de la machine à café pour commenter le temps, les rumeurs, les événements, les tracasseries quotidiennes. La pause thé a de plus en plus d'adeptes l'après-midi.

Les Français considèrent le plus souvent une journée de travail en deux parties – le matin et l'après-midi – car le repas de midi, même rapide, fait partie d'un rythme de vie et d'équilibre diététique inculqué depuis l'enfance. La tradition française est en effet de manger trois fois par jour. Les entreprises, selon leur taille, proposent à leurs salariés un restaurant d'entreprise ou une pièce pour y prendre le repas, sinon elles cofinancent des chèques-repas (tickets-restaurant) qui sont acceptés dans la plupart des brasseries ou restaurants en paiement de repas ou de plats préparés, chez certains commerçants.

En province, il est fréquent de noter la fermeture des magasins et des services publics de midi à 14 heures, et nombre de personnes rentrent déjeuner à la maison.

Les « pots » d'entreprise, en petit comité ou en groupe plus protocolaire, sont de sympathiques réunions conviviales qui renforcent la vie de l'entreprise. Tout est prétexte pour se retrouver autour d'un verre pour fêter un événement personnel, un succès de l'entreprise, une date du calendrier. Les cocktails sans alcool se sont peu à peu imposés, et c'est la loi.

■ Réunions : décision, concertation, information...

Les réunions peuvent être formelles, avec convocation et ordre du jour. Leur objet, le lieu et le nombre de participants donnent le ton. Ce sont, par exemple, les réunions de conseil d'administration, les réunions légales avec les partenaires sociaux. À grande échelle, ce peut être la réunion annuelle de l'entreprise, parfois appelée « convention » ou familièrement « grand-messe », qui a pour objet de mobiliser les salariés autour des ambitions de l'entreprise et de ses dirigeants.

D'autres réunions ont un rituel interne connu : hebdomadaires, mensuelles..., elles s'inscrivent régulièrement dans l'agenda le même jour, à la même heure et avec les mêmes personnes. Ce sont des réunions de fonctionnement, de service ou d'équipe dont l'objectif est d'actualiser les dossiers et de suivre ou d'élaborer des projets.

Pour certains, les réunions sans décision paraissent inutiles ; pour d'autres, c'est au contraire l'occasion de confronter des idées et des méthodes de travail, de discuter et de réfléchir... jusqu'à la rencontre suivante.

Les réunions, en France, commencent rarement à l'heure afin de laisser aux retardataires le temps d'arriver ; en conséquence, elles se prolongent souvent jusqu'à épuisement de l'ordre du jour et, parfois, des participants.

Dans les entreprises internationales, la messagerie, la visioconférence et le téléphone... ont ouvert la voie des réunions à distance, qui évitent des déplacements longs et coûteux.

■ Conférence, colloque, forum

Tables rondes, débats... sont des manifestations qui réunissent les « spécialistes » d'un secteur professionnel autour d'experts de renom sur un thème d'actualité économique, scientifique, technique...

Ces instances, extérieures à l'entreprise, sont aussi des lieux de rencontre, d'échange d'idées et de cartes de visite à l'heure du café. Vous y ferez probablement quelques connaissances que vous croiserez peut-être à un autre colloque.

■ Déjeuner d'affaires ou petit-déjeuner de travail

Le repas d'affaires reste une institution très française. Il est en effet d'usage de conclure un dossier important dans un contexte plus convivial que le bureau. Inviter son interlocuteur autour d'une bonne table, c'est assurément personnaliser les contacts et créer un climat propice à parler affaires et faire évoluer le dossier à l'approche du dessert, « entre la poire et le fromage ». Comme en Grande-Bretagne, il fut une époque, en France, où les fruits précédaient le plateau de fromages.

Chaque « affaire » a sa stratégie et son rituel, selon l'enjeu du dossier. La sélection du restaurant, suffisamment réputé pour sa carte, son service et sa discrétion, est de première importance pour créer un avantage psychologique et tactique. La table est un peu le lieu où… l'on mange l'autre, en toute convivialité.

Les petits-déjeuners 8 h 30-10 h autour d'un café-croissant et d'un dossier de travail sont courants. Ce sont des réunions de travail efficaces qui bénéficient de l'énergie du petit matin. En revanche, les dîners sont de moins en moins prisés car ils prolongent la journée de travail et, en conséquence, augmentent la fatigue.

■ Recherches d'informations professionnelles

Si vous devez chercher des informations pour votre activité professionnelle, n'hésitez pas à consulter différents types de services qui vous faciliteront la tâche ; voici, par exemple, quelques pistes :

• toutes les professions ont leur salon. Certains ont une double vocation : journées professionnelles avec conférences et débats réservés aux entreprises avant une ouverture au grand public ;

• consultez les sites et les bottins thématiques, alphabétiques… de toutes spécialités (domaine industriel, commercial…). L'Internet donne accès à une multiplicité d'informations professionnelles et de banques de données.

Who's Who : bottin rouge et or

Né vers 1850 en Grande-Bretagne, le *Who's Who* est le dictionnaire biographique des gens qui ont de l'influence. Il consacre chaque année quelques nouveaux noms selon l'importance de leurs fonctions et de leur contribution à la vie française. On ne demande pas et on n'achète pas son admission pour figurer parmi les 20 000 noms. On repère votre notoriété et on vous sollicite !

■ Réseaux

Vous pourrez cultiver l'art de vous créer des relations en adhérant à un club ou une association selon vos affinités et centres d'intérêt. Les formules sont multiples : cercles d'affaires, de sports, de fumeurs de pipe…, associations d'anciens élèves d'écoles internationales ou professionnelles, cercles privés (certains sont confidentiels). Il existe en effet des réseaux influents et actifs qui facilitent l'accès au monde économique, voire politique. L'admission se fait généralement en payant une cotisation annuelle et, pour certaines organisations, il faut de plus être parrainé par un, deux membres ou plus. Les missions et activités de ces groupes sont diverses mais souvent conviviales : conférence, dîner-débat, séminaire, voyage…

Le conjoint

En France, près de la moitié des salariés sont des femmes (12,2 millions), et 78 % d'entre elles ont entre 25 et 49 ans. 80 % des femmes ayant un enfant travaillent, 50 % avec 3 enfants. 30 % de femmes travaillent à temps partiel (5 % d'hommes)

La mobilité professionnelle et un mode de vie international offrent des opportunités mais posent aussi des choix de carrière complexes aux couples dont les deux travaillent. Si quelques messieurs osent suivre leur compagne dans son transfert professionnel, il est plus fréquent d'observer la situation inverse, et nombre de fonctions à l'international ne se conjuguent pas encore au féminin. De plus, les dates de transferts ne respectent pas toujours les cycles de la vie familiale et scolaire.

161

> *« J'ai trouvé ardu de me retrouver seule sans activité professionnelle. J'ai organisé mon temps en 3 parties : installation, tourisme et réseautage pour développer des projets professionnels. »*
> Édith, Canadienne

En effet, l'installation familiale à l'étranger pose de plus en plus la question de la possibilité d'emploi du conjoint. Paradoxalement, plus les marchés sont mondiaux, plus les réglementations du travail sont encadrées car tous les pays de la planète ou presque sont confrontés de façon cyclique au problème du chômage.

Au regard de la loi française, une carte de séjour « visiteur » au titre de famille accompagnante n'autorise pas le conjoint à travailler au titre de « salarié ». Cependant, il peut envisager de pratiquer une profession indépendante, libérale ou artistique à condition, bien sûr, d'identifier un marché et de posséder les compétences nécessaires, les diplômes requis, les ressources indispensables et d'en faire la déclaration.

L'Internet ouvre de nouvelles perspectives en permettant le travail à distance. Toutefois, le travail non déclaré, échappant à l'impôt et aux cotisations sociales, est assimilé au travail clandestin (ou « travail au noir »).

Il est certainement essentiel d'enrichir votre séjour en France en développant à votre façon votre CV et votre plan de carrière. Selon vos projets, vos attentes et vos talents, vous chercherez des activités professionnelles ou personnelles. Les sites Internet dédiés à l'emploi sont nombreux ; parmi les pistes à explorer :

• entreprendre des études ou une formation qui peuvent peut-être se négocier dans le projet d'expatriation du conjoint (coût d'inscription ou d'équipement informatique, par exemple) ;

• apprendre une langue (le français, par exemple !) ou bien encore découvrir une technique informatique ou bureautique que vous réutiliserez professionnellement plus tard ;

• être consultant ou formateur (spécialité technique, scientifique…) ; donner des cours en école de langue, en entreprise ou en privé ;

• concevoir et rédiger des documents pour des sociétés-conseils en communication, publicité… ; réaliser des études de marché ;

• devenir correspondant pour des magazines, journaux ou publications étrangères (actualité, arts…).

Être en veille, identifier des « niches », créer… conduit à jouer la stratégie du carnet d'adresses, des réseaux professionnels multinationaux (filiales), des écoles internationales…

Pour en savoir plus

www.vosdroits.service-public.fr

www.service-public.fr

www.legifrance.gouv.fr

www.cohesion-sociale.gouv.fr

www.egide.asso.fr

Le français
en tête

« Si le français a germé en France, il y a fort
longtemps qu'il fut rempoté ailleurs où il pousse
allégrement. »

Léonora Miano

La langue française

*« Le français est la langue de la frivolité et de la rigueur,
celle du lyrisme de Hugo et du comique de Molière. C'est la
langue de la logique et de la folie, de la clarté et des obscurités
dont je me sers… »* Raymond Devos

Au fil des siècles, la langue française s'est enrichie et compte plus de 85 000 mots. On dit que l'œuvre littéraire de Victor Hugo offre la plus grande diversité de vocabulaire tandis que celle de Racine ne compterait que 800 mots. Le lexique français courant est d'environ 2 000 mots français.

Au Moyen Âge, la moitié nord de la France se réfère à la langue d'oil, d'influence germanique, tandis que la moitié sud du pays revendique la langue d'oc d'inspiration latine. Oil et oc signifient « oui ». La diversité s'exprime dans les langues régionales telles que l'alsacien, le basque, le breton, le corse, le normand.

En 1539, François Ier décrète que le français est la langue du droit et de l'administration du royaume de France, au lieu du latin. Un siècle plus tard, le 8 juin 1637, la première œuvre littéraire et philosophique publiée en langue française est le *Discours de la méthode pour bien conduire sa raison et chercher la vérité dans les sciences* de René Descartes.

Peu à peu, les Français deviennent bilingues. Ainsi, ils conservent leur parler régional pour communiquer entre eux et apprivoisent la langue française devenue officielle. La IIIe République a de bonnes raisons, politiques et économiques, de vouloir unifier le pays et en 1881, Jules Ferry instaure l'instruction obligatoire, gratuite et laïque. Puis, la première guerre mondiale brasse les soldats de toutes régions qui, pour communiquer, devront aussi parler le français. Dans les années cinquante, le développement de la radio et de la télévision d'audience nationale impose aux journalistes une langue standard qui doit être comprise par tous. Enfin, la Constitution fait du français la langue nationale.

Le charme des accents et des subtilités lexicales opèrent toujours d'une région à l'autre. Un Lillois tendra l'oreille pour comprendre un Marseillais et un Strasbourgeois fera souvent répéter un Toulousain qui a l'accent chantant du midi.

Francophonie

*« Au soleil des terrasses de café d'Alger, j'habitais la langue française,
en citoyen de la francophonie, contrée que l'on peut parcourir sans visa. »*
Fellag

Le français est la langue maternelle de 70 millions d'Européens : Français, Belges wallons, Suisses romands, Luxembourgeois, Monégasques et Andorrans. Le Canada représente 6 millions de francophones, dont 5 millions dans la seule province du Québec.

Au XVIIe siècle des explorateurs ont parcouru le globe. Chemin faisant, ils ont exporté, voire imposé, la langue française. Apparu en 1880 sous la plume du géographe français Onésime Reclus, le terme de francophonie réunit tous ceux qui ont en partage la langue française. Le mot et l'esprit de la francophonie prendront leur essor après la décolonisation sous l'égide de Léopold Sédar Senghor (Sénégal), Habib Bourguiba (Tunisie) et Hanani Diori (Niger). Aujourd'hui, l'Organisation internationale de la Francophonie (OIF) réunit 63 États, soit plus 175 millions de francophones. Langue officielle de 31 pays d'Afrique, le français est couramment parlé au Maghreb et au Liban. D'autres pays aussi ont la langue française en commun, notamment Haïti, les Seychelles, Madagascar, l'île Maurice, la Louisiane dont le nom s'inspire de Louis XIV après la découverte du Mississipi en 1682 par le Normand Robert Cavalier de la Salle.

Le français est l'une des langues officielles des organismes internationaux (ONU, UNESCO, OCDE…). Langue diplomatique du Vatican, avec l'italien, elle est aussi la langue officielle des Jeux olympiques en hommage à Pierre de Coubertin, qui créa les Olympiades modernes. Enfin, l'Union postale universelle, la plus ancienne des institutions internationales qui réunit 189 pays membres, a pour seule langue officielle le français.

Styles et accents

*« J'aime tous les accents, c'est le sel de la parole et la seule différence
qui la sépare de l'écriture. Non seulement l'accent révèle un être
humain, mais je me plais à croire qu'il traduit un peu le pays où il vit. »*
Pierre Jakez Helias

La langue écrite et parlée diffère. Il y a le français des livres, du journal, de la publicité, de l'Internet et chaque génération a son propre registre lexical. De tout temps, le parler de la rue a emprunté des mots à l'argot, dite *langue verte*. Cette langue imagée et cryptée des hors-la-loi et des joueurs autour du tapis vert fait parfois rougir ou sourire. Aujourd'hui, fric, flic, mec, truc ont intégré le vocabulaire familier. Dans les années cinquante, le berceau de l'argot parisien est le quartier des Halles. c'est l'époque de « *la môme Piaf, Paris est surnommé Paname et les Parisiens, les parigots* ». La gouaille argotique se distingue des mots vulgaires et intéresse quelques doctes universitaires qui ont créé un centre d'argotologie à la Sorbonne.

Le langage des jeunes aime se démarquer de la langue académique et s'inspire de courants d'idées ou de tendances musicales. Ainsi, le verlan a connu différentes époques et si tous les mots ne peuvent se dire et se lire à l'envers comme *teuf* (fête), *à donf* (à fond), *ouf* (fou) certaines formules donnent un phrasé volontairement indéchiffrable pour les non initiés.

Le IIIe millénaire connaît de nouvelles formes de communication via les technologies qui défient l'espace et le temps. L'informatique et l'Internet sont à notre génération ce que l'imprimerie fut à l'époque de Gutenberg. Une langue codée et libre circule sur la toile et les téléphones portables. Son écriture elliptique associe chiffres et lettres tels que « Ri129 » signifiant « rien de neuf » ou « 100T » santé.

À chacun son jargon. Les métiers ont leur lexique et les entreprises cultivent un genre oratoire selon leur culture. Des dirigeants parlent en leur personne « *je* » et affectionnent une terminologie technique tandis que d'autres préfèrent le « *nous* » collectif assorti de formules sportives valorisant la performance globale.

De leur côté, les hommes politiques travaillent assidûment leur communication publique et l'art de répondre à tout, avec leur franc-parler ou en utilisant la langue de bois.

167

Le geste et la parole

« C'est un jeu de sécateur où chacun taille la voix de son voisin aussitôt qu'elle pousse. » Jules Renard

Les mots ne suffisent pas pour se faire entendre et se faire comprendre, reste à décrypter les gestes et les regards. Les Français, à la manière des Européens du Sud, sont plutôt démonstratifs et il est aisé de reconnaître l'aimable, l'autoritaire ou le fâché à l'expression de son visage, à l'amplitude de ses gestes et au ton de sa voix. Les mains accompagnent souvent la parole pour en renforcer le sens. Des mains très volubiles traduisent de l'excitation ; posées ou croisées, elles expriment la sérénité.

L'art de se taire peut être une façon discrète mais efficace de signifier son approbation : « *qui ne dit mot consent* », de montrer de la prudence en se donnant le temps de la réflexion sinon d'exprimer ironie ou mépris lorsque le silence s'accompagne d'un regard hautain.

D'autres privilégient le sens de l'humour qui fait souvent appel à des références culturelles et linguistiques subtiles à maîtriser tels que les jeux de mots. Comme le dit Guy Bedos « *l'humour est ma deuxième langue. Pour certains c'est une langue étrangère* ».

En toutes circonstances, il faut savoir « *tenir ses distances* », c'est-à-dire respecter l'espace de celui avec qui l'on parle, selon sa culture, la nature personnelle ou professionnelle de l'échange.

Une conversation française

« *Ici, on parle, et parler c'est ce qu'il y a de plus précieux, de plus humain, qui donne ce sentiment que tout est possible. Quelle joie de rester 3 heures dans un bistrot à refaire le monde, c'est génial.* » Sapho

« *J'aime les conversations en français mais dès que c'est une discussion animée, tout va trop vite : l'un parle, l'autre hoche la tête puis coupe la parole pour donner son avis. Au final, les deux parlent ensemble.* » Michaël (Grande-Bretagne)

« *Les Français parlent en pensant. Ils parlent sur tous les tons : doucement et très fort, comme s'ils changeaient d'humeur dans la même phrase.* » Hiroaki (Japon)

« *C'est une langue de gestes et de mots qui a un rythme et une mélodie, mais parfois le ton est trop catégorique.* » Helen (Pays-Bas).

Les Français aiment les bons mots et sont amateurs de rhétorique, cet art de bien dire avec style et éloquence. Métaphores, périphrases, litotes… ces tournures détournent le sens des mots pour mieux convaincre. Reste à décoder ce qui n'est pas dit. Ainsi « *je ne suis pas mécontent* » signifie « *je suis content* » ou « *ce film n'est pas mal* » veut dire « *c'est un bon film* », « *ce n'est pas fameux* », « *c'est mauvais* ». La forme négative sert dans ce cas à exprimer un avis positif : c'est une litote (on fait entendre le plus en disant le moins). Selon les interlocuteurs et l'effet recherché, une conversation peut associer la langue littéraire du salon de thé et le parler familier du bistrot de quartier.

Le dictionnaire

« … le mot, qu'on le sache est un être vivant. » Victor Hugo

Le dictionnaire égrenant les 26 lettres de l'alphabet est toujours l'ouvrage de référence dans la plupart des familles.

Tous les jeudis après-midi, les académiciens, dits *immortels*, travaillent à l'actualisation du dictionnaire de l'Académie française dont la première édition fut publiée en 1718. D'autres dictionnaires, moins académiques et de toutes tailles existent pour petits et grands. La Maison du dictionnaire à Paris est une étonnante librairie qui réunit environ 5 000 titres en toutes langues et toutes spécialités.

La française

« L'Académie française demeure quoiqu'on en dise, une jolie plume au chapeau de la communauté française. » Pierre Mile

Selon les statuts et règlements de 1635 *« la principale fonction de l'Académie sera de travailler avec tout le soin et la diligence possibles à donner des règles certaines à notre langue et à la rendre pure, éloquente et capable de traiter les arts et les sciences ».* La vieille dame du quai de Conti dite aussi par ses membres la française compte 40 membres. Marguerite Yourcenar, Belge, Française et Américaine, est la première femme élue à l'Académie française en 1981. Le premier académicien du continent asiatique est François Cheng élu en 2002. Assia Djebar, écrivaine algérienne élue en 2005, est la plus jeune. C'est aujourd'hui Hélène Carrère d'Encausse qui est secrétaire perpétuel de l'Académie française.

Pierre Cardin, reçu membre de l'Académie des beaux-arts, a réalisé son propre *habit vert* d'académicien. Ce prestigieux uniforme est fait de drap noir et ce sont les broderies en forme de feuilles d'olivier vertes qui lui ont valu le nom d'habit vert.

■ Les mots empruntés aux pays voisins

« La langue a toujours été une terre d'accueil pour les mots immigrés. » Alain Rey

Le français a volontiers emprunté à d'autres langues vivantes des mots puisées dans le monde des sciences, du sport, de la musique ou de la vie quotidienne. Ainsi allegro, concerto, piano, sérénade, solfège ont gardé leurs sonorités italiennes. Les couleurs blanc, bleu, gris, brun viennent des langues germaniques, boulanger et boulevard du néerlandais, algèbre, zéro et chiffre de l'arabe.

Des anglicismes tels que paquebot, wagon, station, rail et tunnel sont assimilés depuis longtemps. D'autres ont gardé leur prononciation d'origine : baby-sitter, cake, club, hold-up… mais de fervents défenseurs du français ont veillé à imposer palmarès au lieu de *hit-parade*, baladeur : *walkman*, voyagiste : *tour operator*, styliste : *designer*, courriel : *email*. Toutefois *fax* reste plus utilisé que télécopie, *brainstorming* semble plus stimulant que remue-méninges tandis que *rollers* roule toujours plus vite que « patins à roulettes alignées ».

Le mot *ordinateur* qui désignait, au XVIIe siècle, la personne réglant les affaires publiques est repris par Jacques Perret en 1955 pour nommer l'incroyable machine qui traite et classe les informations enregistrées. *Informatique* est la contraction des mots information et automatique, néologisme créé par Philippe Dreyfus, alors que *logiciel* est composé à partir de logique et matériel. AZERTY ou QWERTY ? La disposition des lettres du clavier d'ordinateur français diffère du système le plus utilisé en anglais.

Franglais

D'un usage commun reconnu, ils sont entrés dans le dictionnaire au fil du temps : week-end revendique son ancienneté, 1906 ! Check-up, best-seller, break, jogging, loft, clip, cash, lobby, manager, ferry, pickpocket, copyright, stress, interview, joker, label, shopping, design, high-tech, sponsor, gadget, tag, best-of, must, mailing, look, package, scoop, feeling, badge, boycotter, biper, zoomer, turn over, coach, blog…

À l'inverse, nos mousserons champêtres ont donné *mushroms* en anglais, contrée est devenu *country*, rendez-vous, café, menu, carnet, chic ou bizarre ont été adoptés à l'identique, ce sont des gallicismes. Héritage de la présence normande en Angleterre, la devise de la famille royale d'Angleterre est en français *Dieu et mon droit, Honni soit qui mal y pense.*

Noms de famille et prénoms

Les noms de lieux (toponyme) existaient en France avant le nom de famille (patronyme) qui se transmet aux enfants officiellement depuis 1539. Il était devenu nécessaire d'identifier les personnes en ajoutant un nom au prénom. Tel un surnom, il s'inspire par exemple d'une caractéristique physique : M. *Legrand*, d'un métier : M. *Boulanger*, d'un lien de parenté : M. *Cousin*, d'un nom de lieu : M. *Dubois*, Mme *Laforêt*. Selon les régions, les noms prennent bien sûr des accents locaux. En outre, des prénoms sont devenus noms : Mlle *Julien*, M. *Paul*. À l'inverse lorsque M. Frézier rapporte du Chili des plants d'un petit fruit rouge, ils prennent le nom de fraisiers.

Aujourd'hui, la France compte près d'un million de noms de familles différents. Les plus courants sont *Martin, Bernard, Thomas, Petit, Robert, Richard, Durand, Dubois.* Il existe trois patronymes d'une seule lettre X, B, M et vingt-quatre noms sans consonnes comme *Aye, Eo. Garcia*, nom d'origine espagnole, est le plus fréquent parmi les noms étrangers en France et se classe avant *Dupont.*

Le nom légal d'une femme reste celui qu'elle a reçu à sa naissance. Si elle choisit de porter celui de son mari, il sera son nom d'usage. Ainsi, le nom de jeune fille figure en première place sur un acte officiel (acte notarié, jugement par exemple).

Un enfant naît avec le nom de sa mère. L'acte de reconnaissance permet d'établir le lien de filiation à l'égard du père. Depuis le 1er janvier 2005, les parents peuvent choisir par déclaration conjointe de transmettre à leur premier enfant soit le nom de la mère, soit le nom du père ou encore les deux noms accolés. Ce choix s'imposera aux autres enfants du couple.

171

Il est interdit de porter un autre patronyme que le sien mais un changement de nom peut être officiellement demandé lorsqu'il y a justification (nom portant préjudice ou en voie de disparition). La procédure nécessite des démarches juridiques, notamment l'envoi d'une requête motivée, accompagnée de ses actes d'état civil, auprès du tribunal d'instance de son domicile. Le dossier est transmis au garde des Sceaux qui consulte le Conseil d'État avant de rendre une décision.

En outre, un étranger en instance d'acquisition de la nationalité française peut demander la francisation de son nom qui sera, s'il y a accord, publié au *Journal officiel.*

Le pseudonyme est un nom de plume choisi par un écrivain ou un nom de scène pour un artiste. Il est « nom d'usage » mais ne figure pas sur les actes de l'état civil.

Chauvinisme ?

En 1831, une pièce de théâtre de boulevard *la Cocarde tricolore* met en scène un soldat des guerres napoléoniennes, nommé Nicolas Chauvin. Il campera un patriote aveuglément dévoué à son pays. Son nom propre est devenu commun aussi a-t-il perdu sa majuscule.

« Si cela est chauvin d'aimer lire dans les regards étrangers l'admiration et l'envie devant tant de plaisirs confondus, ceux de la géographie, de l'architecture, de la table et de la mise en scène constante des gestes quotidiens, alors que les Français demeurent chauvins. » Denise Bombardier

■ France est un prénom des années cinquante

En 2005, la mode est aux prénoms courts : Léa, Inès, Chloé, Emma, Clara, Eva, Lisa sont les préférés pour les filles ; Matteo, Mathis, Enzo, Lucas et Hugo chez les garçons. À la mode dans les années cinquante, Monique, Nathalie, Catherine, Françoise, Isabelle pour les femmes et Michel (640 000) suivi de Pierre, Jean, Philippe, Alain chez les hommes, sont aujourd'hui les prénoms les plus portés en France. Jusqu'en 1993, seuls les prénoms des calendriers ou des symboles historiques étaient officiellement admis. Dorénavant, tous sont autorisés dès lors qu'ils ne sont pas ridicules ou péjoratifs pour l'enfant. Le diminutif ou surnom donné surtout aux enfants, est peu utilisé en dehors du cercle familial sauf s'il s'agit du célèbre footballeur Zizou (Zinédine Zidane).

Masculin ou féminin

La langue française indique le genre de ses noms : les articles « le, la », « un, une » devant le nom précisent s'il est au masculin ou féminin : *la Bourgogne* (la région) et *le Bourgogne* (le vin). Paris, Lyon ou Marseille seront suivis du féminin car le mot « ville » est sous-entendu. Dans une phrase le masculin s'impose au féminin, par exemple : *les garçons et les filles sont charmants…* (même si les filles sont aussi charmantes que les garçons). C'est une règle de grammaire.

N'en déplaise à l'Académie française, en 1986, une circulaire ministérielle officialise la féminisation des noms de professions qui n'avaient pas de genre féminin (probablement parce que ces métiers étaient auparavant peu accessibles aux femmes) : *chercheuse*, *professeure*, *chauffeure de taxi*, *écrivaine*... Aujourd'hui, la formule *Madame la Ministre* est entrée dans le langage courant.

D'autres métiers peuvent concerner indifféremment les deux genres : un ou une *journaliste*, le ou la *secrétaire*, un ou une *photographe*... Une *personne* ou *un mannequin* convient pour un homme ou pour une femme. Une *star* et une *vedette* sont toujours féminin, un *génie* ou un *tyran* sont masculin. *Couturier* est un prestigieux métier d'homme tandis que son féminin, *couturière*, évoque une ouvrière en couture. Si vous êtes invité à *la couturière* d'une pièce de théâtre, il s'agit de la dernière répétition avant de jouer en public, celle où se font les derniers points de couture !

Que dire des homonymes *la foi, le foie, une fois..., le mémoire et la mémoire, la voile ou le voile* ?

Pourquoi écrit-on *le lycée* et *la faculté* ? Le premier est de racine grecque alors que le second est d'origine latine.

Comment allez-vous ?

Bonjour monsieur, comment allez-vous ? ou *Salut, comment ça va ?* ne se disent pas aux mêmes personnes, ni sur le même ton. Le premier est courtois, voire respectueux, le second est familier.

Il n'est évidemment pas possible de saluer tout le monde : ainsi se croise-t-on anonymement dans le métro alors que l'on salue volontiers le chauffeur du bus ou le randonneur croisé sur le sentier de montagne. Il convient de souhaiter une bonne journée à ses voisins ou à son concierge sans nécessairement leur donner une poignée de main.

En entrant dans un magasin, il est habituel de saluer le vendeur. *Merci* et *au revoir* sont appréciés lorsque l'on part, surtout si l'on n'effectue pas d'achats. *Entrée libre* écrit sur la porte est une invitation à entrer et à regarder les marchandises en toute liberté.

« Il y a toujours du »bon« dans le français : bonjour, bonsoir, bon courage, bonne chance, bonne journée... sont des formules passe-partout que l'on entend toute la journée. » **Pete**

« Avez-vous déjà entendu un Français demander un renseignement ?
Il y met les formes : Bonjour Madame, pourriez-vous m'indiquer
La Poste ? J'ai compris que c'était la meilleure méthode pour avoir une
réponse. Bonjour, excusez-moi, merci sont les mots clés en français ! »
Karen

Vous ou tu ?

Question de génération, d'éducation, de métier, le « vouvoiement » marque une certaine distance entre adultes mais peut aussi témoigner estime et confiance tandis que le « tutoiement » instaure une relation plus directe qui se voudrait sur un pied d'égalité. C'est le ton et le lexique utilisé dans l'échange qui indique le niveau de familiarité ou de distance.

Vous est accompagné de Madame ou Monsieur dans les situations officielles. Le vouvoiement reste la norme dans nombre d'entreprises, entre salariés et patron, ou dans une relation commerciale. Il s'impose au candidat en situation de recrutement.

Le vouvoiement associé au prénom est habituel lorsqu'il y a une différence d'âges entre les personnes. C'est aussi la règle lors d'interviews à la radio ou à la télévision, par déférence pour les auditeurs ou spectateurs.

Tu est naturel avec les proches d'une même génération : famille, amis, collègues, copains et dans les milieux populaires. En outre, le tutoiement est spontané et réciproque dans certains secteurs d'activités telles que les technologies, la communication (publicité, presse…). Néanmoins, s'il semble faciliter l'échange, il convient de veiller à son langage car tutoyer son patron ne gomme pas les rapports hiérarchiques. Dans d'autres métiers plus traditionnels, le tutoiement restera à sens unique : du supérieur vers le subordonné.

Les adultes tutoient les enfants mais certains enseignants préfèrent vouvoyer leurs élèves par souci d'autorité. Au volant, les conducteurs impatients tutoient avec peu d'élégance les autres automobilistes qu'ils invectivent de « noms d'oiseaux ».

Par ailleurs si vous êtes un alpiniste chevronné, vous vous entendrez peut-être dire avec admiration que *vous tutoyez les sommets*, autrement dit, la montagne n'a plus de secret pour vous. C'est une métaphore !

Oui ou non

« *Oui et non sont les mots les plus courts et les plus faciles à prononcer et ceux qui demandent le plus d'examen.* » Talleyrand

« *Ni oui, ni non* » sera qualifiée de « *réponse de Normand* », soit une façon prudente de prendre le temps de la réflexion et de ne pas répondre hâtivement à une question complexe.

Apprendre le français

« *Le français sans larme, c'est à table qu'on l'apprend. Cuisine et langue sont liées.* » Jacques de la Cretelle

Oser parler en français est un signe d'intérêt et d'ouverture que les Français apprécieront. Les enfants seront les premiers à l'aise. Par le jeu, ils se montrent prêts à toutes les expériences et se font comprendre sans se préoccuper ni de la forme, ni de l'accent. Apprendre le français est sans aucun doute plus difficile pour un adulte qui garde parfois de laborieux souvenirs scolaires.

■ Des lieux d'enseignement

« *Écrire dans une langue étrangère, c'est comme dessiner avec la main gauche lorsque tu es droitière… cela donne un autre point de vue au final.* » China Forbes

Apprendre, se perfectionner, se spécialiser… de nombreux centres de formation linguistique enseignent le français langue étrangère (FLE), en France et à l'étranger : stages intensifs individuels ou en petits groupes, cours du soir, cours par téléphone et Internet pour les personnes déjà familières de la langue. Il est souvent possible de tester un premier cours avant tout engagement afin de vérifier que le niveau et la pédagogie vous conviennent. Certaines écoles de langues préparent à des diplômes reconnus sur le marché du travail.

Pour compléter utilement un apprentissage, la télévision, la radio, les DVD sont les moyens les plus accessibles pour exercer son oreille. Bien sûr, la rue offre un bain linguistique permanent et rien de mieux que faire les courses pour s'entraîner à parler sans complexe.

Plus de 1 000 Alliances françaises

L'Alliance française, ambassadrice de la langue et de la culture, a tissé un réseau de plus de 1 000 associations dans 138 pays du monde. Ces lieux de francophonie permettent de découvrir la France à travers sa langue et sa culture avant d'y séjourner.

En France, l'Alliance Française est présente dans 32 grandes villes comme relais culturel et linguistique. Ses écoles de langue proposent aux adultes de toutes nationalités et de tous secteurs d'activité, des cours de français contemporain (économique, professionnel ou culturel) assortis de conférences et d'événements culturels.

■ Interprètes, traducteurs, écrivains publics

« Si vous ne connaissez pas les langues étrangères, vous ne comprenez jamais le silence… des étrangers. » Stanislaw Jerzy Lec

La barrière de la langue peut parfois empêcher ou limiter les échanges utiles, par exemple avec les professeurs de vos enfants. Les premières fois, demandez à un ami ou un interprète de vous accompagner afin d'établir les relations avec l'école, ce qui vous mettra en confiance.

Lorsqu'il est indispensable de rédiger une lettre, inspirez-vous de quelques formules types retenues de courriers reçus sinon faites-vous aider d'un traducteur professionnel, d'un collègue pour vous simplifier la vie.

Depuis quelques années, les grandes villes voient renaître une activité de l'Antiquité : les écrivains publics. Ces scribes contemporains peuvent rédiger, contre honoraires, tout document ou lettre qui vous embarrasse. L'Académie des écrivains publics compte plus de 200 « plumes » qui ont pignon sur rue et leur nom se trouve dans les pages jaunes.

Amoureux des lettres françaises

« Le français, ce sont les grandes orgues, qui se prêtent à tous les timbres, à tous les effets, des douceurs les plus suaves aux fulgurances de l'orage. » Léopold Sédar Senghor

Réputés de par le monde, les cours de civilisation française de la Sorbonne à Paris attirent de nombreux étrangers pour travailler avec rigueur grammaire, expression écrite et élocution. Des universitaires renommés animent des cycles de conférences pour les cours supérieurs.

Bel exemple, des écrivains venus de l'étranger ont adopté la France au point d'écrire leurs livres directement en français comme Julien Green, Andreï Makine, Nancy Houston ou encore Hector Bianciotti et François Cheng, tous deux devenus *immortels* de l'Académie française.

Invitations et correspondance

Entre amis, les invitations se font de plus en plus spontanément par téléphone. Pour les fêtes datées longtemps à l'avance ou les réceptions plus officielles, un carton d'invitation portant la mention *RSVP* reste d'usage.

Dans les jours qui suivent un dîner ou une réception, l'envoi d'un mot ou d'un courriel de remerciement est toujours apprécié.

Merci est un petit mot de gratitude depuis le XIVe siècle mais attention au contexte. Ainsi *être remercié* n'est pas une bonne nouvelle, c'est en effet un comble de politesse et de cynisme qui signifie être renvoyé, limogé ou mis à la porte.

Une correspondance amicale sera plus personnelle si elle est écrite à la main. Les courriers classiques ont leurs formules, selon la fonction ou l'âge du destinataire. L'enveloppe porte le plus souvent l'intitulé Madame et Monsieur, écrit en toutes lettres, suivi des prénom et nom de famille.

Les lettres de motivation accompagnant un curriculum vitae (CV) adressé par pli postal sont souvent manuscrites. D'autres recruteurs préfèrent gérer les candidatures par courriel via internet.

■ Les formules de politesse

• Lettre d'affaire

Madame,

… Veuillez agréer, Madame, l'expression de ma considération distinguée.

Monsieur le Directeur,

… Croyez, Monsieur le Directeur, à l'expression de mes meilleures salutations.

• Lettre à une personne estimée

Cher Monsieur… Croyez en mes respectueuses salutations.

*Chère Madame, Cher Monsieur… Je vous prie de croire,
à mes cordiales salutations.*

• Lettre à un ami

Cher ami… je vous adresse mon meilleur souvenir.

Bien Cordialement.

En toute amitié.

Amicalement.

Des symboles et des signes

Les classiques armoiries des villes, des régions, des institutions… sont devenus des logos. Ces symboles graphiques caractérisent un site ou un produit et figurent sur les documents officiels ou sur le papier à lettre. Publicitaire ou commercial, un logo est un visuel à mémoriser. Il peut se décliner sous toutes formes signalétiques pour orienter le passant (enseigne, panneau d'indication…).

■ Signalétique

Au cœur de la ville, vous remarquerez des panneaux portant des lettres parfois accompagnées d'un pictogramme. Ils signalent la proximité ou l'entrée d'un hôpital (H), d'un parking (P), du métro (M). La route nationale sera signalée par (RN) tandis que (CB) informe de la possibilité d'utiliser sa carte bancaire. WC, du mot anglais *water-closet*, se traduit en Français par *Toilettes* et ce lieu est souvent signalé par des pictogrammes caractérisant une femme ou un homme.

■ RSVP

• Les sigles sont de plus en plus familiers. Certains ne se traduisent plus :

– PDG (Président Directeur Général), DRH (Directeur des Ressources Humaines) ;

– PME/PMI (petite et moyenne entreprise ou industrie) ;

– EDF (Électricité de France) ; BTP (Bâtiment et Travaux Publics) ;

– AG (Assemblée générale) ;

– SDF (stade de France mais aussi sans domicile fixe et samedi, dimanche et fêtes dans les fiches horaires de la SNCF) ;

– VO (version originale au cinéma) ; JT (journal télévisé), BD (bande dessinée) ;

– PJ (pièce jointe), HS (hors service) ;

– NDLR (note de la rédaction), CQFD (ce qu'il fallait démontrer) ;

– PACA (Provence-Alpes-Côte d'Azur) ; UE (Union européenne), EU (États-Unis) ;

– BNF (Bibliothèque nationale de France) ;

– CH (Confédération Helvétique : Suisse) ;

– BHV (Bazar de l'Hôtel de ville face à la Marie de Paris).

• À l'usage, certains sigles ont formé des mots : PACS (pacte civil de solidarité) est devenu nom. De même, RADAR vient de *Radio Detecting And Ranging*. Être flashé par un radar peut être signe d'un excès de vitesse pour lequel vous serez probablement verbalisé par un PV (procès-verbal).

• Des initiales sont devenues de véritables marques de notoriété : PPDA (Patrick Poivre d'Arvor – journaliste-écrivain), YSL (Yves Saint-Laurent – couturier), BHL (Bernard-Henri Lévy – philosophe).

■ Abréviations

179

Les abréviations de mots sont caractéristiques du langage des jeunes avant d'être adoptées par les adultes. Ainsi, le mot cinématographe s'est raccourci au fil du temps en cinéma puis est devenu ciné (et cinoche en argot) ; photo a remplacé photographie ; métro se disait en 1900 métropolitain ; bac est plus court que baccalauréat qui comporte un exam de maths, de géo et une dissert de philo corrigés par des prof de fac. Info, édito, hebdo, météo, bio, perso, labo… ces abréviations sont des apocopes.

Les *bobos*, contraction de bourgeois bohèmes sont le nouveau groupe social identifié par les sociologues comme porteur de valeurs soixante-huitardes (post révolution de 1968) et bourgeoises de type BCBG (bon chic, bon genre). Rien à voir avec le « bobo » du langage enfantin : soigner un bobo, c'est-à-dire soigner une plaie, soulager une douleur.

■ À décoder

• *X* n'est pas seulement la 24ᵉ lettre de l'alphabet. C'est 10 en chiffres romains, le signe de l'inconnue en algèbre mais on le trouve aussi dans les expressions « *porter plainte contre X* » (inconnu), « *accoucher sous X* » (anonymat), *X fois* (nombre incalculable), le *chromosome X*, un *film classé X*, les *rayons X*. Et pourquoi l'École Polytechnique est-elle appelée l'X ? Héritage du XIXᵉ siècle, les mathématiques étaient alors les « X », une spécialité des polytechniciens en plus de la physique. Si l'alphabet français compte 26 lettres, le portugais ne compte que 23 lettres et l'italien 21.

• *@ dit arobase*. L'Internet a rendu ce petit signe malin indispensable à toute adresse électronique. À l'origine, l'arobase serait apparu dans des textes latins. On dit qu'il constituait souvent la première ligne d'adresse des documents diplomatiques. Nommé par les imprimeurs « a rond bas », ce qui signifie minuscule ou « bas de casse », @ aurait été un signe typographique international avant d'être la « clé » de tous les courriels.

• ** l'astérisque* est un minuscule signe à ne jamais négliger. En forme d'étoile, il renvoie à la note de bas de page qui est à lire avant tout engagement.

• *Système D*, D comme… débrouillard qui sait tirer les ficelles d'une situation complexe pour la résoudre.

Le Braille

C'est le nom donné à l'alphabet à points en relief constituant 63 signes que Louis Braille, devenu aveugle, a créé pour représenter les lettres, les notes de musique et les signes mathématiques.

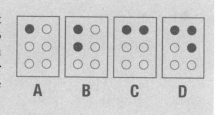

A   B   C   D

Les couleurs de la vie

Le bon usage des couleurs a des codes que nous intégrons culturellement sans toujours en connaître les sources. Internationalement, le rouge est signe de danger, d'interdit, de lutte tandis que le blanc est symbole de paix, d'innocence et de pureté. Le blanc s'est notamment imposé à l'hôpital comme marque d'hygiène et d'aseptie.

Fernand Léger n'imaginait pas combien ses couleurs éclatantes le bleu, le rouge, le jaune et le vert, géométriquement contrastées inspireraient les concepteurs de l'hôpital d'Argentan, sa ville natale dans l'Orne. De Normandie aux États-Unis, cet inclassable artiste, haut en couleurs, s'est inspiré de la vie populaire sous toutes ses formes : le travail, les loisirs, le monde… Hommage lui est rendu, Fernand Léger est présent à chaque étage du centre hospitalier par des reproductions de ses œuvres sur les murs et les couvre-lits. Des déclinaisons de couleurs vives, fidèles à sa palette, orientent le patient ou le visiteur. Un environnement qui se veut avant tout accueillant et apaisant lorsque la santé est en jeu.

■ Quelques fantaisies idiomatiques… en couleur

« Si la vie était vraiment rose, personne n'aurait les idées noires. »
Pierre Dac

Des expressions imagées, jolies « coquetteries » de la langue française, empruntent aussi des mots de couleurs et des nuances francophones. Avoir les idées noires en France, c'est avoir les bleus au Québec (inspirés du *blues* américain). Le marchand de couleurs désignait autrefois le marchand de peinture :
– donner le feu vert : autoriser, donner son accord ;
– se mettre au vert : prendre du repos à la campagne ;
– marquer à l'encre rouge : identifier et ficher un mauvais payeur ;
– se fâcher tout rouge : avoir un accès de colère ;
– avoir une peur bleue : être figé de peur ;
– rire jaune : rire obligé et gêné ;
– écrire noir sur blanc : donner une information écrite clairement ;
– montrer patte blanche : montrer un signe de reconnaissance convenu ;
– en voir des vertes et des pas mûres : être confronté à des choses difficiles ou choquantes ;
– annoncer la couleur : oser dire ce que vous avez à dire ;
– être blanc comme neige : être innocent.

■ Kaléidoscope

– carte bleue, zone bleue, cordon-bleu, les *Bleus* ;
– carte grise, matière grise ;
– carte blanche, chèque en blanc, nuit blanche, examen blanc, mariage blanc, page blanche ;
– carte verte, numéro vert, langue verte, itinéraire vert, classes vertes, les Verts, espaces verts, doigts verts ou main verte ;

181

– liste rouge, liste orange, carte orange ;
– pages jaunes, maillot jaune, carton jaune ;
– humour noir, marée noire, travail au noir, mouton noir ;
– bibliothèque rose, rose bonbon, mais aussi les crevettes, les radis et les pamplemousses ont en commun de pouvoir être roses.

En 1919, le maillot du coureur en tête du Tour de France est devenu jaune comme la couleur du journal l'*Auto* organisateur de la course. Au restaurant, le serveur vous demandera : « *Quelle cuisson voulez-vous pour votre viande rouge : bleu, saignant ou à point ?* » C'est du bœuf, la viande blanche est le porc, le veau ou le poulet. Vous aurez le choix entre des blondes ou des brunes : il s'agit bien sûr de cigarettes ; si l'on ajoute une rousse ce sera alors de la bière. Le métro parisien peut vous conduire de la *Porte dorée* à la station *Château rouge* en passant par celle de *Chemin vert* ou de *Maison blanche*.

Les nouvelles du monde à la une

« *Tout individu a droit à la liberté d'opinion et d'expression, ce qui implique le droit ne pas être inquiété pour ses opinions et celui de chercher, de recevoir et de répandre, sans considération de frontière, les informations et les idées par quelque moyen d'expression que ce soit.* » Art. 19 de la Déclaration des Droits de l'Homme et du Citoyen, 1789

Les médias mettent quotidiennement le monde à la portée de chacun. Les Français consacrent en moyenne une demi-heure par jour à la lecture de la presse, 1 heure à la radio et plus de 3 heures à la télévision.

De nombreuses agences de presse fournissent des informations en continu, l'Agence France Presse (AFP), fondée en 1835, est la plus ancienne. Elle est à la tête d'un important réseau satellite qui diffuse des dépêches 24h/24 et 365 jours par an dans 130 pays en six langues aux journaux, radios et télévisions, ainsi qu'à des organismes internationaux, administrations, entreprises…

▪ La presse française

« *La radio marque les minutes de la vie, le journal, les heures, le livre, les jours.* » Jacques de Lacretelle

Le premier journal de l'histoire serait né à Strasbourg en 1605 sous le nom *Relation* publié par l'imprimeur Johann Carolus qui l'éditait en allemand et sur quatre pages.

La presse quotidienne est fortement concurrencée par les informations audiovisuelles qui fournissent à toute heure l'actualité mais aussi par une explosion de journaux financés par la publicité et distribués gratuitement. Les magazines ont les faveurs des Français et de nouveaux titres apparaissent régulièrement en grand ou demi-format (1 200 magazines sont mensuels, 900 sont hebdomadaires et 700 trimestriels).

Beaucoup de journaux ont entrepris la numérisation de leurs archives pour en faire une réserve d'information et de documentation aisément consultable à distance par Internet.

Quotidien, hebdomadaire, bimensuel, mensuel, bimestriel, trimestriel… ce sont des journaux et des magazines qui s'achètent en kiosque, à la « maison de la presse », chez le marchand de journaux. Si vous ne trouvez pas le titre que vous souhaitez, passez commande ou abonnez-vous.

Les kiosques de gares, d'aéroports ou de certaines stations de métro proposent un large éventail de presse ainsi que quelques livres et friandises à grignoter au cours du voyage.

Les transports en commun sont de hauts lieux de lecture : l'un a son journal, l'autre un roman, le voisin jette un coup d'œil, retient un titre ou un mot au passage.

▬ Des quotidiens

Si l'Internet a complètement modifié l'accès et la diffusion de l'information, il paraît toutefois chaque jour en France plus de 80 journaux : 70 titres en province et une dizaine à Paris. Parmi les grands quotidiens d'information et d'opinion figurent ceux énoncés ci-après.

■ Sur le plan national

• *Le Monde* (1944) fait référence et autorité en matière politique et culturelle. Diffusé à mi-journée et daté du lendemain, il est le premier quotidien national généraliste en considérant ses ventes à l'étranger. Il offre des suppléments thématiques au fil de la semaine : économie et emploi, livres, arts et spectacles (*Aden*) et extrait du *New York Times*. *Le Monde 2* est le magazine du week-end.

• *Le Figaro*, lancé en 1826, est devenu quotidien en 1866. Libéral, il ouvre ses colonnes aux autres tendances pour éclairer la vie politique et économique. Il propose une fois par semaine un supplément *Entreprises et Emplois* très attendu pour ses offres d'emplois et *Figaroscope* qui couvre les événements culturels et loisirs. Côté magazines, ils sont publiés le samedi : *Le Figaro Magazine, Madame Figaro.*

• *Le Parisien* propose plusieurs éditions selon les départements d'Île-de-France. Sa version, *Aujourd'hui en France,* a une diffusion nationale.

• *Libération,* journal de la génération 68, a été créé en 1973 sous l'égide de Jean-Paul Sartre. De gauche, il se donne une certaine liberté de ton et traite de différentes thématiques selon l'actualité.

• *L'Humanité,* fondé par Jean Jaurès en 1904, pour informer les travailleurs français. En 1920, il devient le journal du Parti communiste français.

• Les quotidiens économiques sont surtout lus dans le monde de l'entreprise : *Les Echos, La Tribune.*

• Hebdomadaire satirique d'information, *le Canard Enchaîné* a été fondé en 1915 pour lutter contre la censure et la propagande de guerre. Sans publicité afin de garantir son indépendance, il traque et traite sans concession, avec un humour caustique, l'actualité brûlante. C'est un journal attendu avec appréhension chaque mercredi dans les coulisses politiques et économiques.

• « Canard » signifie « journal » et « fausse nouvelle » en argot journalistique.

• Depuis 2002, deux quotidiens gratuits *Métro* et *20 minutes* sont apparus en particulier dans les grandes villes (Paris, Lyon, Marseille).

■ Sur le plan régional

En province, la presse régionale et locale apporte à ses fidèles lecteurs l'information de proximité. Les plus connus sont :

– *Ouest France* (Rennes), le premier quotidien régional français dont le tirage est de 850 000 exemplaires ;

– *Sud-Ouest* (Bordeaux) ;

– *La Voix du Nord* (Lille) ;

– *Le Progrès de Lyon* (Lyon) ;

– *Le Dauphiné Libéré* (Grenoble) ;

– *La Nouvelle République du Centre Ouest* (Tours) ;

– *La Montagne* (Clermont-Ferrand) ;

– *Les Dernières Nouvelles d'Alsace* (DNA) (Strasbourg) nées en 1877.

La presse quotidienne régionale et départementale

© SPQR - 2006 - mai

185

■ Des magazines d'actualités

● Différents news magazines grand public offrent chaque semaine, chaque quinzaine ou chaque mois, leurs colonnes aux grands débats d'idées et aux faits de société selon leur sensibilité sociale et politique :

− *Le Point* et l'*Express* expriment des partis pris qui oscillent entre centre et droite ;

− *Le Nouvel Observateur* a des opinions de gauche ;

− *La Vie* et *Le Pèlerin* sont d'obédience catholique ;

− *Paris-Match* s'intéresse aux faits divers ;

− *Courrier International* propose sur un thème d'actualité le regard de la presse étrangère… traduit en français ;

− *Marianne* est un hebdomadaire libre de ses engagements puisqu'il est publié sans publicité.

- Affaires et économie

Hebdomadaire : *Challenges, Courrier cadres* (emploi et entreprise).

Mensuel : *Capital, Management, L'Expansion, Enjeux Les Echos, l'Entreprise.*

– *Newzy* : un mensuel gratuit cible les cadres des entreprises. C'est une stratégie marketing pour les annonceurs qui financent la publication.

- Féminins et mode : des magazines aux titres très féminins sont naturellement plutôt destinés aux dames. Ils abordent les différents aspects de la vie quotidienne et suivent l'actualité du calendrier, certains traitent aussi des problèmes de société :
– *Elle* ;
– *Marie Claire* ;
– *Marie France* ;
– *Femme* ;
– *Femme Actuelle* ;
– *Psychologies.*

Marronniers

Dans le jargon journalistique, les marronniers sont les sujets qui reviennent dans la presse à date fixe comme les saisons. Les magazines féminins en particulier ont des thèmes récurrents : les cadeaux à Noël, les collections de mode, la rentrée scolaire, etc.

Voyages, sciences et nature, santé, arts et autres presses de loisirs… Nombre de magazines sont très documentés :
– *Géo* ; *Grands Reportages* ;
– *Maison et Jardin* ; *Atmosphère* ;
– *Ça m'intéresse* ;
– *Terre sauvage* ;
– *Maisons Côté Sud, Côté Ouest.*

- La presse sportive est très dynamique. En plus de quelques journaux généralistes, tels que *l'Équipe* et *l'Équipe Magazine*, chaque sport a ses revues, hebdomadaires ou mensuelles. Vous repérerez certainement la discipline qui vous intéresse.

- L'offre de revues professionnelles ou techniques, notamment informatique, est diversifiée. Le secteur de l'immobilier a sa presse spécialisée, le monde de la gastronomie ou du spectacle aussi.

• Que faire à Paris ? *Pariscope* qui a une section anglophone et l'Officiel des spectacles quadrillent tous les événements culturels parisiens : exposition, spectacles, etc. La presse régionale est la meilleure source d'information en province.

• Les programmes de télévision sont publiés dans les quotidiens, mais ils ont aussi leurs magazines hebdomadaires. Les plus connus sont *Télé 7 jours, Télé Loisirs, Télérama.*

• Publication du dimanche

Le *JDD (Journal du Dimanche)* a une couverture nationale.

Les journaux régionaux ont un supplément féminin ou culturel.

Presse et librairies étrangères

Les kiosques des aéroports, des grandes gares et certaines maisons de la presse proposent des titres étrangers : quotidiens (avec décalage horaire), news magazines.

À Paris, le Centre Pompidou dispose d'un large éventail de journaux étrangers qui peuvent être lus sur place à la BPI (Bibliothèque publique d'information).

L'*International Herald Tribune*, quotidien américain créé à Paris en 1887 par J. Gordon Bennett pour informer les anglophones de France et du monde. Depuis 2003, IHT est édité par le *New York Times.*

Des bibliothèques françaises et étrangères proposent livres et journaux qu'il est possible d'emprunter. Les librairies des grandes villes touristiques ont souvent une offre de presse et de livres dans les langues européennes les plus communes.

187

• Côté jeunesse

Une presse enfantine cible de très jeunes lecteurs qu'elle espère fidéliser en diffusant une ligne de magazines éducatifs qui grandissent avec l'enfant par exemple :
– *Popi, Pomme d'api, Astrapi…*
– *Picoti, Toupie, Tobbogan…*

• Les magazines jeunesse doivent faire face à la redoutable concurrence des jeux vidéos. Certaines publications ont toutefois la cote :
– *Mon Quotidien, Le journal des enfants, Les clés de l'actualité ;*
– *Mikado, Okapi, Phosphore, Talents…*

• Les inconditionnels de l'actualité musicale (rock, chansons…) trouveront différents magazines « branchés ».

■ Radio

La radio tient une place prépondérante dans la vie des Français dès le réveil. Les déplacements en voiture sont aussi un temps d'écoute privilégié.

Au début des années quatre-vingt, la libéralisation de la bande FM (modulation de fréquence) a vu naître de nombreuses stations locales qui, pour la plupart, ont opté pour une spécialisation afin de fidéliser leurs auditeurs face aux grandes stations généralistes telles que RTL et RMC, Europe 1, Radio France et ses chaînes France Info, France Inter, France Musique ou France Culture, et Radio France Internationale. Nombre de stations étrangères peuvent être captées en France.

■ Télévision

C'est la télévision qui figure au palmarès des loisirs des Français, notamment des personnes âgées et des enfants. Elle est plébiscitée comme première source d'information devant la presse écrite, la radio et internet. Privées ou publiques, sept chaînes se font une âpre concurrence :
– trois chaînes publiques France 2 et France 3 sont généralistes, France 5 est la chaîne éducative ;
– trois chaînes privées TF1, M6 (ciblée public jeunes) et Canal Plus qui se capte avec un décodeur et contre paiement d'un abonnement mensuel ;
– le réseau franco-allemand, Arte (Association relative aux télévisions européennes), est une chaîne à vocation culturelle et interculturelle ;
– TV5 et Canal France international sont des opérateurs hors de France qui proposent des programmes français à l'étranger.

Les technologies de l'information et de la communication ont des applications pour la télévision numérique terrestre (TNT) qui permet de recevoir nombre de chaînes gratuites, qui s'ajoutent à l'offre du câble et de l'ADSL *via* internet.

Films, documentaires, sports, musique, variétés, jeux, informations… les programmes sont diversifiés et leur audience auprès du public est mesurée en permanence. La télévision, comme la radio, programme des émissions économiques et politiques (interview, face à face, table ronde… tout ce qui peut animer le débat d'idées).

Une signalétique informe les parents de la violence éventuelle d'un film. Des pictogrammes portant des chiffres blancs sur fond noir, à gauche de l'écran : (-10) c'est-à-dire interdit aux enfants de moins de 10 ans, (-12), (-16) ou (-18). Quatre tranches d'âge ont ainsi été codées.

Euronews à Lyon

Une chaîne d'information européenne diffuse en Europe les mêmes images en sept langues, en liaison avec des chaînes des pays de l'Union européenne. Euronews est basée à Lyon depuis 1993 et met en perspective l'information de la planète avec une spécialisation sur l'information européenne (toutes les facettes de la vie sociale, économique, politique, culturelle, sportive).

Tous les magnétoscopes ne sont pas compatibles avec les téléviseurs français équipés d'un système « SECAM3 », alors que d'autres pays ont le système « PAL ». Le « multi-système » peut contourner le problème, toutefois certaines cassettes ne seront visibles qu'en noir et blanc. Vérifiez ce point auprès d'un magasin spécialisé.

DVD et vidéo à domicile donnent l'occasion de revoir un grand classique ou de voir une émission trop tardive. On peut aussi emprunter des films à la vidéothèque municipale sinon les louer ou les acheter au vidéoclub.

Certaines régions de France, proches de la Belgique, du Luxembourg, de l'Allemagne, de la Suisse, de l'Italie ou de l'Espagne peuvent aisément capter les programmes émis par les chaînes de télévision de ces pays. Sinon, vous pourrez recevoir des programmes étrangers en vous abonnant au câble ou en installant une antenne parabolique et ses accessoires pour capter les bons satellites.

Vous paierez chaque année une « redevance » pour votre téléviseur en même temps que votre taxe d'habitation. Une seule taxe vous sera demandée même si vous avez plusieurs postes de télévision dans un ou plusieurs domiciles.

189

■ Centre d'accueil pour la presse étrangère (CAPE)

Le CAPE est un lieu d'orientation et de rencontre des journalistes étrangers. En premier lieu, il accueille les nouveaux correspondants et journalistes envoyés en France pour couvrir ou mener des investigations sur la vie économique, politique ou culturelle française et européenne depuis Paris. Le CAPE organise des conférences de presse ou des débats avec des personnalités sur des sujets nationaux ou internationaux.

La carte de presse en France est réservée aux journalistes profession-nels. Son attribution s'appuie sur une définition stricte du « *journaliste professionnel qui a pour occupation principale, régulière et rétribuée,* l'exercice de sa profession dans des entreprises d'information et qui en tire le principal des ressources nécessaires à son existence ».

Le correspondant étranger qui satisfait à ces conditions sur le territoire français se verra attribuer une carte de presse annuelle l'accréditant au titre du média qu'il représente. Elle lui tient lieu de carte professionnelle et lui donne les mêmes droits de circulation et d'informations que ses homologues français. On compte environ 1 300 journalistes étrangers accrédités en France.

L'Association de la presse étrangère à Paris

Depuis le XIXe siècle, à côté de leurs collègues français, les journalistes étrangers ont été témoins à la fois de bons moments et de tragédies. L'Association de la presse étrangère (APE) a été créée en 1944 à Paris pour faciliter le travail des journalistes de toutes nationalités qui disposent de leur accréditation en France. En application du principe de la liberté d'information, ils restent totalement indépendants.

« Être un correspondant étranger demande une formidable capacité d'adaptation… la découverte d'une nouvelle culture. Et Paris n'est pas une ville facile ! Oui, elle est belle, lumineuse et captivante. Mais Paris est aussi capricieuse, fantasque et encline aux problèmes administratifs. » Tuulikki Muller (Présidente de l'APE, 1994)

Une Association de la presse anglo-américaine a été créée à Paris sous l'égide de la Chambre de commerce franco-américaine.

190

Créée à Limoges en 1950 à l'initiative du Canadien Dostaler O'Leary, l'Union internationale de la presse francophone (UPF) regroupe plus de 3 000 journalistes de presse écrite et audiovisuelle de 110 pays du monde. Son prix de la libre expression distingue chaque année un journaliste qui « dans un environnement difficile a maintenu son indépendance malgré les atteintes à sa personne ».

Pour en savoir plus

www.diplomatie.fr/label_france

www.afp.com

www.francophonie.hachette-livre.fr

Accueil tout confort

« *Innombrables sont nos vies et nos demeures incertaines.* »

Saint-John Perse

Où habiter?

*« Le genre humain a deux livres, deux registres, deux testaments,
la maçonnerie et l'imprimerie, la bible de pierre et la bible de papier.
Les villes sont des bibles de pierre. »* Victor Hugo

Les villes communiquent volontiers sur leurs atouts et les caractéristiques de la région qui les rendent attractives. Il est judicieux de s'intéresser aussi à son tissu économique, à ses équipements et bien sûr à l'état du marché immobilier avant de décider de son lieu de résidence.

Chaque commune, à sa façon, rend hommage aux personnes ou aux événements qui ont marqué l'histoire locale en nommant les voies de circulation qui peuvent être avenues, boulevards, rues, squares ou places. Victor Hugo, Charles de Gaulle… mais aussi la République, la Liberté, la Paix ont été les plus honorés.

Il est aisé de trouver l'ami domicilié 20, rue de la Paix à Paris, à Lille ou à Brest en consultant le plan alphabétique de la ville. La numérotation chronologique va du centre-ville (ou de la Seine à Paris) vers l'extérieur ; les numéros pairs sont à droite et les numéros impairs à gauche. Il peut y avoir une subdivision 20 *bis*, 20 *ter* avant de passer au n° 22.

De plus en plus d'immeubles collectifs sont équipés d'un digicode qui limite l'entrée aux résidents et aux personnes informées du code confidentiel. De même, des interphones sont connectés aux appartements pour ne donner l'accès qu'aux visiteurs attendus. Quelques immeubles ont un gardien qui veille au bon entretien et à la tranquillité des lieux. Il rend volontiers des services et facilite l'installation des nouveaux résidents.

193

Recherche d'un domicile

Les Français dépensent près d'un tiers de leur revenu pour se loger. Plus de la moitié sont propriétaires de leur domicile principal et un dixième possède une résidence secondaire. Trouver un toit, meublé ou non, bien situé, confortable, à un prix raisonnable est un défi. À Paris, le prix de location du m2 se situe entre 15 et 30 euros selon l'arrondissement et le niveau de standing de l'appartement. En banlieue et en province, il est possible de louer une maison individuelle dont le coût du loyer varie aussi selon la qualité du logement et la notoriété du lieu.

■ Chercher et trouver

« Je n'aimerais guère vivre dans la lune, ça m'embêterait de changer de quartier tous les 9 jours. » Francis Blanche

Les annonces décrivent en abrégé les principales caractéristiques du logement proposé. Un studio est un appartement d'une seule pièce (F1 ou T1) qui comprend un espace cuisine et salle de bain (avec baignoire) ou salle d'eau (avec douche). La mention F1, F2, F 3 ou T1, T2, T3… indique le nombre de pièces sans compter la cuisine, la salle de bain et les toilettes. Un *séjour double* compte pour deux. Par opposition à la location vide, le *meublé* est équipé d'un minimum de meubles et d'appareils ménagers nécessaires à la vie quotidienne. Le locataire peut y vivre avec ses seuls objets personnels.

Le *rez-de-chaussée* (RC) se situe au niveau de la rue, il peut s'intituler *rez-de-jardin* si l'appartement ouvre sur un peu de verdure. Les immeubles, dits récents, ont un ascenseur ce qui n'est pas le cas de certaines constructions anciennes qui ne permettent pas d'en faire l'aménagement. La cave est généralement au sous-sol de même que le parking lorsqu'il existe.

Chaque immeuble a son règlement affiché dans l'entrée. Il fixe les règles de fonctionnement des parties communes, du courrier, des poubelles et rappelle le code de bonne conduite entre résidents.

Des types d'annonces

- 13e – Italie, studio 19 m2, kitch, sdb, meublé 600 € cc
- Grenoble – Gare, 4p, 92 m2, 2e ét. imm 1930, sur jardin, calme, tt conft, chauf. ind., cave +box, 1 150 €
- Nice – centre, rés. standing -3 p. 73 m2 refait nf, séj. double sud, cuis. aménagée, parking ss, 850 €
- Rare et hors de prix : échange 3 pièces à Sète contre 7 pièces à Troyes.

Les rubriques *locations* des quotidiens et des hebdomadaires spécialisés dans l'immobilier permettent de comparer les prix du marché et d'orienter ses choix. Leur site Internet est en permanence actualisé, toutefois la consultation ou la diffusion d'offres dépend d'un droit d'inscription pour une durée donnée.

Les agences immobilières ont pignon sur rue et disposent elles aussi d'un site en ligne. Il est recommandé de choisir une agence affiliée à la FNAIM (Fédération nationale de l'immobilier). Le candidat à la location doit présenter de sérieuses garanties de ressources financières, au moins égales à trois fois le montant du loyer, parfois même, une caution financière d'un tiers est demandée. La commission d'agence est égale au montant d'un loyer ou représente 10 % du loyer annuel. Elle est payable à la conclusion d'un contrat de bail.

Des associations d'étrangers en France, en plus d'offrir des lieux d'accueil et de rencontre, ont un réseau dynamique de diffusion d'annonces : location, échange ou partage d'appartement.

Les sociétés de *relocation* s'adressent, quant à elles, aux entreprises. Elles proposent d'effectuer la recherche de logement pour les cadres mutés d'une ville à l'autre, d'un pays à l'autre et de faciliter l'installation de la famille.

Vous pouvez vous-même publier une annonce dans la presse ou la déposer auprès des commerçants qui l'acceptent. Les gardiens d'immeubles sont, avec les commerçants, les mieux informés de la vie du quartier et d'éventuelles disponibilités de logement.

Lorsqu'une offre retient votre intérêt, il faut visiter le logement dès que possible et, si le lieu vous convient, présenter tous les documents requis pour conclure le bail : preuve de ressources régulières (3 bulletins de salaire et attestation d'activité professionnelle), avis d'imposition, relevé d'identité bancaire, carte d'identité ou passeport.

Des résidences hôtelières ou des hôtels ont des forfaits d'hébergement provisoire, à la semaine ou au mois. Les réseaux logements des universités (CROUS, CIJ) et des municipalités soucieuses de l'accueil des jeunes sont réservés aux étudiants. Récemment créées, des associations d'échanges de services entre générations proposent une formule reposant sur la confiance : une offre de chambre pour un jeune chez un particulier en échange de sa présence au domicile et de petits services. C'est simple comme un bonjour tous les matins.

■ Contrat de location ou bail

La location d'un *logement vide* de meubles obéit à la loi du 6 juillet 1989. Le *contrat de bail* décrit les locaux, le montant du dépôt de garantie et du loyer, les modalités de paiement et de révision et la date d'entrée. Établi en deux exemplaires il doit être signé par le locataire et le bailleur (propriétaire ou son représentant). Une *quittance de loyer* après chaque règlement est généralement remise au locataire.

La durée du bail est de trois ans mais peut être exceptionnellement ramenée à un an pour des raisons personnelles ou professionnelles qui doivent être précisées dans le contrat. À la date d'expiration, le bail est renouvelé tacitement pour la même durée s'il n'y a pas d'avis contraire de part et d'autre.

Partager un appartement à plusieurs se pratique de plus en plus sous forme de *colocation*. Il convient alors d'établir un contrat de location conjoint où figurent tous les colocataires en nom propre. Une clause de *contrat solidaire* garantit le paiement de l'intégralité du loyer. Attention, une sous-location n'est légale qu'avec un accord écrit du propriétaire.

Un *appartement meublé* relève d'un contrat de location libre qui formalise l'accord négocié entre le propriétaire et le locataire (durée, montant du loyer et des charges, etc.)

À la signature d'un bail, un propriétaire peut exiger qu'une tierce personne s'engage, par une caution financière, à payer les sommes qui pourraient être dues par le locataire.

■ Charges locatives et taxes d'habitation

Elles se paient en plus du loyer. Les charges locatives sont estimées selon les dépenses de l'année précédente et sont régularisées chaque année. La taxe d'habitation est un impôt variable selon les communes, la superficie et le confort du logement. Elle est payable une fois par an par l'occupant au 1er janvier.

■ État des lieux

À la remise des clés, il est indispensable d'effectuer une visite détaillée de votre nouveau domicile avec le bailleur, pour constater l'état du logement et le consigner avec précision dans un document établi en deux exemplaires identiques. Cet *état des lieux* doit être daté et signé des deux parties. Le relevé des compteurs d'électricité et de gaz doit être transmis à EDF/GDF pour éviter tout litige de facturation.

Lors du départ, le logement devra être restitué dans le même état qu'à l'entrée, l'état des lieux initial fait foi. Sinon, tout ou partie du dépôt de garantie peut être retenu pour procéder aux réparations ou à l'entretien qui relève de la responsabilité du locataire. À l'inverse, il peut vouloir négocier par une *reprise* des aménagements de type placards ou étagères qu'il aurait réalisés. Le propriétaire est libre de refuser.

▪ Départ et préavis

Vous êtes tenus de prévenir officiellement votre propriétaire de votre départ trois mois à l'avance par lettre recommandée avec accusé de réception. Un préavis raccourci à un mois est prévu lors de situations particulières telles qu'une mutation professionnelle, une perte d'emploi, etc.

De son côté, le propriétaire ne peut donner un préavis de reprise de son logement que 6 mois avant l'échéance du bail. Il doit en justifier le motif (occupation personnelle ou vente).

▪ Assurance

L'assurance *multirisque habitation* est obligatoire pour les locataires. Elle protège le domicile et son contenu contre les accidents possibles : incendie, dégâts des eaux, gel, événement climatique et vol. Elle couvre également la *responsabilité civile* en cas de dommages causés involontairement par l'un des membres de la famille à une tierce personne.

L'assuré doit estimer le montant du capital (mobilier, équipements…) qu'il veut assurer. Il doit disposer du projet de contrat avec prix et garanties avant tout engagement. Le contrat définitif signé comporte bien sûr le nom et l'adresse du lieu assuré, l'étendue de la garantie (nature des risques et exclusions), la date d'effet et la durée du contrat et son coût.

Si votre domicile comporte une cheminée, elle doit être ramonée par un ramoneur professionnel, deux fois par an, dont au moins une fois pendant la période de chauffe. Un certificat de ramonage fera preuve. Par sécurité, le feu de cheminée est interdit à Paris depuis 1978 même si quelques boutiques vendent toujours des petits sacs de bois.

197

À la garantie de base contre le vol, il est sage d'envisager un contrat complémentaire si vous possédez des objets de valeur (collections, bijoux, objets ou meubles anciens…). Conservez les factures d'achat ou d'expertise et des photos afin de prouver si nécessaire l'existence de ces biens et de leur valeur. Attention aux clauses du contrat : portes blindées, volets… Une clause d'inhabitation suspend l'assurance contre le vol au-delà de trois mois d'absence. Il est évident que les vols à domicile ont le plus souvent lieu pendant les week-ends et les vacances…, aussi ne faut-il pas donner d'indices d'absence. Il est simple de faire suivre ou garder le courrier pour ne pas remplir la boîte aux lettres ; de transférer les appels téléphoniques et de demander à un voisin de confiance de vérifier la fermeture de votre porte.

Si vous avez la malchance d'être cambriolé, vous devrez faire une déclaration de vol avec estimation des dommages auprès des services de police ou de gendarmerie de votre domicile et porter plainte contre X. Une copie sera envoyée par lettre recommandée avec accusé de réception à votre assureur en joignant l'inventaire du préjudice.

■ Déménager

« Empaqueter emballer sangler nouer empiler rassembler entasser ficeler... » Georges Pérec

Des entreprises proposent des formules de déménagement sur mesure. Faites établir un devis selon le volume et comparez avant de signer un contrat :
– service total : emballage et déballage complets de tous les biens par le déménageur ;
– standard : le déménageur emballe ce qui casse et s'occupe des meubles, vous vous occupez du reste ;
– économique : vous vous chargez d'empaqueter vos affaires et de remplir les cartons fournis par le prestataire qui lui démontera et remontera les meubles.

Vous avez quelque chose à déclarer ?

À cette question d'un douanier, Oscar Wilde aurait répondu *« Rien que mon génie »*. Si vous avez quelques biens de plus à déménager de l'étranger, il vous faudra présenter aux douaniers un inventaire estimant leur valeur. La voiture, si elle vous accompagne en France, y figurera. Vous attesterez que ces biens sont votre propriété depuis plus de six mois et vous vous engagerez à n'en pas faire commerce à l'arrivée. À ces conditions, votre déménagement sera admis dans l'Hexagone sans taxes douanières. Les animaux, selon le genre et la taille, sont soumis à une réglementation particulière, de même que les végétaux selon l'espèce, les médicaments, les armes et les œuvres d'art.

Votre garantie sera fixée selon les termes du contrat et la valeur déclarée. Il est préférable d'ouvrir tous les cartons avant de signer la lettre de décharge et de payer le solde de la facture.

Les changements d'adresse obligatoires peuvent dorénavant s'effectuer en quelques clics de souris sur le site Internet *changement-adresse.gouv.fr* qui transmet gratuitement l'information, entre autres, à la caisse de Sécurité sociale et d'allocations familiales, au centre des impôts et au service carte grise. Il reste à informer rapidement : la banque, l'assureur, l'école, La Poste et le téléphone, EDF/GDF, le service abonnement de vos magazines ou journaux, etc.

■ Aménager et décorer

L'intérieur d'un domicile, le *chez soi* révèle mieux qu'un miroir le style et la personnalité de ses occupants. Les Français affectionnent les meubles anciens, hérités de la famille ou dénichés à la brocante assortis d'objets contemporains de livres et de plantes vertes.

En ville, la taille des appartements ne permet guère d'avoir une pièce pour chaque activité, ainsi la salle de séjour est-elle tour à tour salle à manger, salon et parfois bureau… ; deux filles ou deux garçons partagent souvent la même chambre.

Des travaux de transformation d'un logement ne peuvent être entrepris sans l'accord écrit du propriétaire. En revanche, la décoration est laissée à votre choix (peinture, tapisserie, rideaux…). N'hésitez à faire établir deux devis, au moins, afin de choisir le meilleur rapport qualité/prix. Le devis, signé de part et d'autre, devient alors un contrat à prix ferme et définitif avec le fournisseur. À l'achèvement des travaux demandez la facture détaillée. Attention, l'aide spontanée d'un ami ou d'un voisin pourrait être considérée comme du *travail au noir*. En cas d'accident notamment, la responsabilité de celui qui bénéficie de l'aide est engagée aussi convient-il de relire les clauses de son contrat *responsabilité civile*.

Le bruit est cité comme nuisance avant la pollution et l'insécurité. Du coucher au lever du soleil, le *tapage nocturne* peut être sanctionné s'il est constaté par la Police. Si vous prévoyez une fête chez vous, il est courtois de prévenir votre entourage en plaçant un message à l'entrée de l'immeuble. Par exemple, si vous perpétuez l'agréable tradition de *pendre la crémaillère* pour fêter votre installation dans votre nouveau domicile, vous pouvez convier vos voisins à venir prendre un verre. Ils ne vous reprocheront pas alors d'être bruyants !

Installations et branchements

Électricité, gaz, téléphone sont individuels et nécessitent des branchements qui peuvent être effectués à distance sinon par un technicien sur rendez-vous. L'abonnement EDF est modulable selon les besoins en consommation d'électricité. Le compteur d'eau et le chauffage peuvent être individuels ou collectifs et le coût inclus ou non dans les charges. Le gaz est de plus en plus souvent interdit dans les immeubles récents, seuls des appareils électriques de cuisine pourront être utilisés.

Les factures d'abonnement et de consommation sont nominatives et envoyées à domicile, tous les six mois ou plus fréquemment selon votre contrat. Elles indiquent les modalités et la date limite de paiement (au-delà, il y a suspension du service). Vous pouvez en demander le règlement par prélèvement automatique sur votre compte ou préférer signer le TIP (titre interbancaire de paiement) à découper de la facture.

Les systèmes électriques en France sont en 220 volts et exigent des précautions d'utilisation. Il est impératif de couper le compteur pour tout bricolage en électricité et de ne pas toucher un appareil électrique lorsque l'on est en contact avec l'eau, certains doivent être branchés sur des prises de terre. Vigilance donc avec les enfants prêts à toutes les expériences.

■ Le téléphone

Moyen de communication par excellence, le téléphone mobile s'est imposé dans la vie de plus de quatre Français sur cinq. La norme technique GSM est le standard en Europe. La concurrence est sévère et il y a surenchère d'offre de services et d'options au point de s'y perdre : forfaits illimités, tarifs spéciaux, cartes prépayées, téléchargement musique ou cinéma ou pages Internet, etc. Selon le fournisseur, le numéro d'abonné peut avoir un préfixe différent. Une facturation détaillée permet de suivre ses dépenses en téléphonie.

Conformément à la réglementation européenne, la concurrence est ouverte à tout opérateur sur le territoire français. France Telecom qui détenait auparavant le monopole de l'abonnement du téléphone loue des lignes à ses concurrents mais heureusement tous les réseaux sont interconnectés.

Chaque département a ses annuaires par ville et par ordre alphabétique ainsi que par professions : *les pages jaunes*. L'inscription sur la *liste rouge* moyennant une modique somme mensuelle, assure que vos coordonnées ne figureront pas dans les bottins téléphoniques.

Il est toujours possible de téléphoner, même à l'international, de toutes les cabines téléphoniques publiques France Telecom. Il suffit d'une carte bancaire ou d'une télécarte qui s'achète à La Poste, au bureau de tabac ou au kiosque à journaux. Vous pouvez également être rappelé dans une cabine en donnant, à votre correspondant, le numéro inscrit sur une affichette signalée par une clochette.

La compétition est vive aussi entre les opérateurs de renseignements. Tous commencent par 118 et rivalisent d'imagination pour capter l'attention et la mémoire des consommateurs.

À chacun son numéro

Le numéro de téléphone dans l'Hexagone compte 10 chiffres. Les indicatifs des pays ont été établis en 1930. Chaque continent a un numéro initial et chaque pays son indicatif personnalisé :

1 Amérique du Nord (1 202 : Washington, 1 212 : New York, 1 514 : Montréal ;

2 Afrique (27 : Afrique du Sud) ;

3 et 4 Europe (33 : France, 44 : Royaume-Uni ;

5 Amérique du Sud (55 : Brésil) ;

6 Océanie (61 : Australie) ;

7 Russie (7 095 : Moscou) ;

8 Asie (81 : Japon, 86 : Chine).

Pour téléphoner de France vers l'étranger, il faut composer le code international 00, suivi de l'indicatif du pays et du numéro de votre correspondant.

Indicatifs téléphoniques régionaux

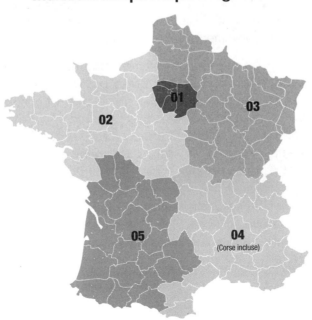

■ L'Internet

Les outils technologiques et l'Internet donnent à chacun le sentiment d'avoir trois talents de plus : l'ubiquité – être ici et ailleurs ; l'omniprésence – disponibilité 24h/24 et l'omniscience – accès à tous les savoirs ou presque. La messagerie électronique est l'incontournable moyen qui permet aux internautes nomades de recevoir leurs courriels quel que soit le lieu de la planète où ils se trouvent.

L'Internet est une inépuisable source d'informations. Surfer sur la toile permet d'accéder à tous types de sites d'actualités sociales, juridiques, politiques, sports et santé. Le développement du commerce électronique multiplie les sites d'achats en tous genres. En outre, de plus en plus de formalités peuvent être effectuées à distance et l'administration, par son programme *Adele*, donne accès à de plus en plus de téléprocédures comme la déclaration de revenus et le calcul de l'impôt après téléchargement des formulaires adéquats.

La Poste et le courrier

La Poste est en jaune et bleu ! Son logo en forme d'oiseau stylisé signale les 17 000 points de contacts ou bureaux de Poste et figure sur les 46 000 boîtes aux lettres jaunes installées dans les rues, les gares et les aéroports. Depuis 1991, La Poste est une entreprise nationale qui développe activement ses trois métiers : le courrier, les colis et ses services financiers nouvellement intitulés Banque Postale.

Les technologies associées à des partenariats publics et privés ont révolutionné la stratégie de La Poste. Il sera par exemple possible, au bureau de poste, de procéder à des démarches administratives et commerciales *via* des bornes interactives (demande de carte grise, de passeport, retrait d'un billet de train ou d'avion, développement des photos numériques). Dans les villages, des *relais poste* proposent déjà, en plus des services postaux habituels, une palette de produits introuvables à proximité et parmi les 100 000 facteurs, certains ont dorénavant une double casquette. Ainsi, en plus de la distribution du courrier, ils peuvent être missionnés pour rendre des services tels que porter des médicaments aux personnes âgées, relever les compteurs gaz et électricité, etc. C'est en milieu rural, une façon concrète et utile de maintenir le lien social et économique. Dans le même esprit novateur, La Poste s'ajuste aux flux touristiques dans des stations balnéaires. La création de bureaux mobiles, gérés par des postiers volontaires répond alors aux besoins saisonniers et aux rythmes des vacanciers.

Actuellement, seule, la Poste principale, rue du Louvre à Paris, est ouverte 24h/24.

À l'intérieur de l'Hexagone, le courrier est distribué à son destinataire le lendemain ou le surlendemain de son envoi. Quelle que soit la destination, il est interdit d'envoyer de l'argent sous forme de billet dans une lettre. Le courrier et les colis ont des tarifs modulables selon le poids, la destination et la rapidité de distribution souhaitée. Une lettre jusqu'à 20 g doit être oblitérée à 0,53 euro et quelques centimes de plus pour les autres pays de l'Union européenne. Les timbres français ne sont valables que postés de France. Pour agrémenter un courrier vous pouvez choisir des timbres de collection au guichet philatélie, ils sont au même prix et toujours appréciés des destinataires. Vous pourrez également acheter des *prêts à poster* et des *aérogrammes* affranchis à un tarif forfaitaire pour toutes les destinations du monde. Les timbres courants peuvent aussi s'acheter au bureau de tabac.

Depuis 1945, c'est au Président de la République que revient la décision d'émettre un nouveau timbre à l'effigie de *Marianne*, l'emblème de la République diffusée à 3 milliards d'exemplaires par an. La *Marianne* 2006 est signée de l'illustrateur Thierry Lamouche.

Le premier timbre français, Le Cérès noir, date du 1er janvier 1849 tandis que le premier timbre anglais « *black penny* » avait été vendu le 6 mai 1840. Depuis le port est payé par l'expéditeur. Or les calculs des coûts d'expédition vers l'étranger, selon le pays de destination et les pays traversés, ont nécessité des coordinations des systèmes postaux au niveau international. C'est la mission qui est dévolue à l'Union postale universelle (UPU) créée en 1878. Aujourd'hui l'UPU, placée sous l'égide de l'ONU, compte 190 États membres. Sa langue officielle de travail est le français, ainsi les étiquettes qui mentionnent un courrier international sont-elles bilingues : *Par avion/Air Mail*.

Épistolairement vôtre

Depuis 1995, la *Fondation La Poste* mène des actions de promotion de l'écriture et de la correspondance. Elle soutient différentes formes d'expression culturelle francophone telles que la littérature, la musique et la chanson française. Ainsi *Florilettres*, la lettre des lettres offre à ses abonnés un florilège d'actualités littéraire et épistolaire. Naturellement et généreusement, la lutte contre l'illettrisme s'inscrit dans la vocation de la Fondation La Poste.

■ Courrier spécial

L'envoi d'un pli *recommandé avec accusé de réception* (RAR) se fait de La Poste, après avoir rempli un formulaire qui enregistre l'expédition. Un feuillet vous est remis pour preuve et vous serez avisé de la réception de votre lettre par le retour du double du feuillet, sinon la lettre vous est retournée par La Poste.

À votre tour, si vous êtes destinataire d'un courrier recommandé, le facteur vous remettra le pli à domicile contre signature, sinon il déposera dans votre boîte aux lettres, un message *avis de passage* qui indiquera l'adresse du Bureau de Poste auquel vous pourrez retirer votre *recommandé*. Au bureau de poste, vous présenterez cet avis de passage en plus d'une pièce d'identité, sinon une facture à votre adresse. Vous pouvez déléguer une personne munie de votre procuration (à compléter au dos de l'avis de passage). Elle devra également présenter sa pièce d'identité en plus de la vôtre.

Une formule de *lettre recommandée simple* permet d'enregistrer l'envoi du pli par un numéro d'identification qui prouve, si besoin, son expédition.

L'envoi d'un courrier par *chronopost* permet de garder trace de la date d'envoi et de réception du pli. Il n'a cependant pas la valeur juridique d'une lettre recommandée avec accusé de réception.

■ Faire suivre

En votre absence, votre voisin ou votre gardien glisse votre correspondance dans une enveloppe de réexpédition (disponible à La Poste) en indiquant votre adresse provisoire, l'envoi est gratuit. Sinon, La Poste peut le faire après signature d'un *ordre de réexpédition* à l'adresse indiquée et pour une durée donnée. Si vous préférez recevoir votre courrier en *poste restante* au bureau de poste de votre choix, il vous sera remis sur présentation d'une pièce d'identité. Enfin, La Poste peut garder votre courrier le temps de votre absence. Ces services rendus par la poste vous coûteront un petit forfait.

Les mots de La Poste

• Libeller une adresse :
Madame et Monsieur Dupont
3, rue de la gare
13004 Marseille

« 13004 » est le code postal : les deux premiers chiffres indiquent le numéro du département (comme pour les voitures) les trois suivants désignent la ville de distribution ou l'arrondissement pour les villes de Lyon, Marseille et Paris. En France, une adresse doit être libellée sur six lignes au maximum pour en faciliter le décryptage au centre de tri. À l'international, une septième ligne est destinée au nom du pays de destination.

• *Cedex* (Courrier d'entreprise à distribution exceptionnelle) est une mention réservée aux *boîtes postales* (BP) et aux distributions spéciales, administrations et entreprises.

• *Le cachet de la poste faisant foi* : le cachet qui oblitère les timbres inscrit le lieu, le jour, et l'heure d'envoi. Le cachet de la poste prouvera par exemple que vous avez posté votre déclaration de revenus avant la date limite d'envoi.

■ À garder

Pour effectuer vos démarches administratives, il vous sera notamment demandé des justificatifs : identité, résidence (quittance de loyer, facture EDF…), relevé d'identité bancaire (RIB), bulletins de paie ou situation de ressources, carte vitale (sécurité sociale).

• **Toujours** les documents personnels :
– papiers de famille : livret de mariage, jugement de divorce, certificat de PACS, de concubinage ;
– titres de propriété : succession, donation ;
– diplômes scolaires et universitaires ;
– bulletin de salaire, contrat et certificat de travail ;
– dossiers médicaux… certificats de vaccinations ou carnet de santé.

205

• **1 et 2 ans** les documents liés au domicile :
– factures de gaz et électricité, téléphone ;
– factures de travaux ou de réparation ;
– attestations d'assurance.

• **5 ans** les documents fiscaux :
– déclaration et avis d'imposition, preuves de paiement.

• **30 ans** les documents bancaires :
– relevés de compte ;
– talons de chèque.

• Le temps de la durée du bail :
– contrat de location et quittances de loyer.

Chiens et chats

Beaucoup de Français ont un chien ou un chat avec lesquels ils entretiennent une grande complicité. Certains comptent sur leur compagnie sécurisante tandis que les enfants les recherchent comme compagnons de jeu. Bien sûr, le maître et l'animal doivent respecter quelques règles élémentaires de civisme. Si vous souhaitez avoir un animal domestique, assurez-vous d'abord de l'espace dont il disposera à la maison et du temps que vous pourrez lui consacrer. Il peut être adopté dans un refuge d'animaux abandonnés sinon acheté chez un éleveur qui vous remettra une attestation de vente spécifiant le prix de l'animal et son identité. Les animaux de race ont un certificat de naissance, *un pedigree*, attestant leur origine, une carte de tatouage et un carnet de vaccination. Certaines races de chiens dits « dangereux » sont interdits.

■ Les quatre pattes en voyage

L'assurance responsabilité civile garantit partiellement les chiens et chats mais il est prudent de prendre une couverture complémentaire. Ils doivent obligatoirement être tatoués ou porter une puce électronique ; c'est la meilleure façon de les identifier s'ils se perdent. Un passeport européen, à la couverture bleue, est dorénavant obligatoire pour tout animal domestique qui voyage afin de lutter contre la propagation de maladies et de trafic d'animaux. Il porte les lettres FR s'il est émis en France, suivies des chiffres correspondant à l'identification de l'animal. Il comporte ses informations sanitaires et l'identité du propriétaire.

Les chiens et chats sont acceptés dans les trains mais doivent voyager dans un panier ou être tenus en laisse et/ou munis d'une muselière s'ils sont impressionnants. Le tarif est forfaitaire pour un voyage en panier ou à demi-tarif s'il est près de vous. Par avion, c'est la compagnie d'aviation qui fixe les modalités de voyage selon la taille de l'animal et la destination.

En revanche, les quatre pattes ne sont pas autorisées à entrer dans les magasins d'alimentation. La plupart des restaurants et hôtels refusent leur présence. Des chenils ou des particuliers ont développé l'activité de garde pour un week-end ou des périodes de vacances.

■ Promenez-le

Le chien doit sortir régulièrement pour se dégourdir les pattes et satisfaire ses besoins naturels mais il doit rester près de son maître ou être tenu en laisse. Si d'aventure il s'égarait, un collier portant vos coordonnées est plus facile à lire que le tatouage. À votre tour, si vous trouvez un chien ou un chat dans la rue, renseignez-vous auprès des services de police, l'animal est probablement recherché par son propriétaire, sinon il est abandonné.

Le maître doit assumer les contraintes de propreté de son chien et *s'il ne pense pas au caniveau, pensez à ramasser* dit un message de la ville de Paris. Lorsque l'eau coule dans les caniveaux, ce n'est pas une fuite, ni un problème de plomberie, mais c'est une mesure de propreté ! Un certain nombre de villes ont fixé des sanctions contre les maîtres indélicats qui confondent trottoirs et « crottoirs ».

■ Des chiens stars célèbres en France

Les Français ont adoré les dessins animés et les films dont les vedettes étaient *Snoopy, Pluto, Dingo, Rantanplan, Milou, Idéfix, Belle...* noms qu'ils ont d'ailleurs souvent donnés à leur propre chien.

Toutefois, un chien de race doit recevoir un nom commençant par la lettre correspondant à son année de naissance. L'alphabet canin ne compte que 20 lettres (sans K QWXY et Z). Si 2004, honorait la lettre V comme Volcan, Verlan, Verso, en 2005, on a vu le retour de la lettre A avec Asa, Abracadabra, Ahlala..., et donc en 2006, c'est le tour de la lettre B comme Baltic, Bonsaï, Blog... En revanche, si l'on vous propose d'*appeler un chat, un chat*, c'est une façon d'appeler les choses par leur nom et les dire avec franchise.

Des fermes à Paris : âne, chèvre, vache...

Dans le Bois de Vincennes, près de Paris, une famille d'agriculteurs s'est installée sur 5 ha avec veaux, vaches, chèvres, moutons, ânes... Le verger compte au moins 50 variétés de fruits et le potager voit pousser toutes sortes de légumes. Les jeunes visiteurs et les écoliers parisiens ont ainsi l'occasion de venir s'initier à la vie des champs et découvrir l'origine des produits qu'ils ont plutôt l'habitude de voir au supermarché. Le Bois de Boulogne a aussi sa mini-ferme pédagogique, quant au parc de Bercy, il a son potager.

Quel temps fait-il ?

« Et qu'aimes-tu extraordinaire étranger ? J'aime les nuages…
les nuages qui passent… là-bas… les merveilleux nuages ! »
Charles Baudelaire

La météo est un sujet de conversation quotidien. C'est d'ailleurs le programme de télévision le plus regardé par les Français. Il se termine toujours par l'éphéméride, ce calendrier dont on détache une feuille chaque jour en soulignant l'heure du lever et du coucher du soleil et le prénom qui sera fêté.

La France, à mi-chemin entre le pôle Nord et l'Équateur, bénéficie d'un climat tempéré et variable. Le plus long de ses fleuves, la Loire, sert souvent de frontière sinon de référence dans les communiqués d'informations météorologiques : par principe le Nord est frais tandis que le Sud est ensoleillé et les rôles s'inversent rarement. Une autre coupe, cette fois verticale, distingue l'Est et l'Ouest de la France : les régions qui regardent la mer sont tempérées et de climat océanique ; les pluies arrivent généralement par l'ouest. En revanche les terres tournées vers les montagnes ont un climat continental et donc plus sec. Le Sud bénéficie d'un climat méditerranéen. La meilleure façon d'apprécier toutes les subtilités climatiques et saisonnières du pays est de voyager dans tout l'Hexagone.

Lors de prévisions de phénomènes météorologiques exceptionnels tels que tempêtes, orages, Météo France, depuis son siège de Toulouse, diffuse des cartes de vigilance graduée jaune, orange, rouge selon le niveau de risque. L'information est alors relayée par la télévision et la radio appelant la population à la prudence.

Si vous entendez l'expression, « *après la pluie, le beau temps* » cela signifie qu'après la tristesse, il y a place au bonheur mais et si l'on vous affirme que telle personne « *fait la pluie et le beau temps* », soyez sûr qu'il ne s'agit pas d'un magicien météorologue mais de quelqu'un d'influent qui a un pouvoir de décision.

Au fil du calendrier

*« Les Français sont capables de manifester à la station
de métro »Glacière« lorsque l'été est glaciel et demander à l'État
d'indemniser leurs vacances gâchées par le froid. »* Mateo

Dès janvier, le jour grignote quotidiennement la nuit de quelques minutes pour arriver le 21 juin au jour le plus long de l'année, le solstice d'été. À l'inverse, de juillet à décembre, chaque jour perd quelques instants de clarté, le 21 décembre, l'équinoxe d'hiver est le jour le plus court.

Le rituel du changement d'heure revient deux fois par an. Le dernier dimanche de mars nous invite à passer à *l'heure d'été* tandis que le dernier dimanche d'octobre sonne le début de *l'heure d'hiver*. Reste donc à *remettre les pendules à l'heure* !

Mars et ses giboulées voient revenir le printemps : c'est un mois généralement humide et frais qui réveille la nature. Avril, mai, juin apportent la douceur mais selon le dicton « *En **avril** ne te découvre pas d'un fil ; en **mai**, fais ce qu'il te plaît et en **juin**, tu te vêtiras d'un rien* ». **Juillet** et **août** riment avec vacances et offrent de longues soirées d'été. **Septembre, octobre** sont les jours colorés d'automne, le temps des vendanges et de l'été indien à la française ! **Novembre** connaît les brumes et brouillards. **Décembre, janvier, février** sont les mois froids avec de belles journées ensoleillées. La neige tombe de façon épisodique en dessous de 1 000 m d'altitude mais elle est impatiemment attendue par les vacanciers d'hiver. Noël est rarement blanc.

209

En mai dame nature fait des caprices

Chaque année, on constate un coup de froid autour des 11, 12 et 13 mai. Les jardiniers le répètent, il ne faut pas planter ses impatiens ou ses tomates avant les *saints de glace*. Ces trois mystérieux *saint Mamert, saint Pancrace et saint Servais,* bien qu'évincés du calendrier en 1960, sévissent toujours. Croyance ou réalité, il paraît que la terre doit, à cette époque, traverser une auréole de particules qui limite le rayonnement solaire et en conséquence nous laisse de… glace.

Un baromètre nature

Le raccourcissement des jours donne le signal du départ aux oiseaux migrateurs. C'est l'annonce de l'hiver. Le passage des oies cendrées ou des cormorans sur la France est un signe auquel sont très attachés les gens de la terre. Quand la météo n'existait pas, ils observaient le ciel, les oiseaux et les animaux pour prédire ainsi le temps. La sagesse populaire en a fait des dictons encore souvent cités : « *hirondelles volant haut, le temps sera beau ; hirondelle volant bas, bientôt il pleuvra.* » Ne manquez pas d'ailleurs d'observer le retour des hirondelles, on dit qu'il indique le retour du printemps.

Pour en savoir plus

www.adele.service-public.fr

www.pagesjaunes.fr

www.meteo.fr

www.fnaim.fr

www.laposte.fr

www.finances.gouv.fr/douanes

Allô Service public (logement, consommation, emploi…) : tél. : 39 39

Consommateur averti

« On donne facilement des conseils ; ça amuse beaucoup celui qui les donne et ça n'engage à rien celui qui les reçoit. »

Alphonse Karr

Salaire, honoraires, commission, cachet, appointements, traitement, rétributions, émoluments… À chaque métier son mode de rémunération, à chacun sa façon de gagner sa vie, sa « ration de sel » d'où vient le mot salaire. De même, il y a nombre de mots pour parler d'argent, tous sont d'inspiration familière ou argotique : blé, cash, espèce, fric, liquide, monnaie, oseille, pèze, pognon, ronds, sous, thune, etc., mais il y a une seule manière de nommer la monnaie unique européenne : l'euro, sa devise.

L'euro

« A priori, l'euro n'aurait pas dû marcher… Mais tant d'efforts ont été faits : il ne peut échouer. » Henry Kissinger

Le troisième millénaire portera la marque de la création de la monnaie unique de l'Union européenne. En effet, pour la première fois des pays partagent, librement, la même monnaie. L'euro est entré dans les comptes publics et les entreprises le 1er janvier 1999 et, trois ans plus tard, le 1er janvier 2002, il remplace les monnaies nationales dans les poches des Européens. Cet événement, sous l'égide de la Banque centrale européenne (BCE), constitue la plus grande opération de change de l'histoire monétaire et une véritable révolution populaire accueillie positivement. Toutefois, la conversion des francs en euros a nécessité une certaine agilité en calcul mental et la référence au franc demeure pour certains gros achats.

En 2006, la *zone euro* réunit 12 pays sur les 25 États membres de l'Union européenne (Allemagne, Autriche, Belgique, Espagne, Finlande, France, Grèce, Irlande, Italie, Luxembourg, Pays-Bas et Portugal).

Un euro bien frappé

€ est le logo de l'euro, il s'inspire de l'epsilon grec et du E d'Europe, son abréviation est EUR. L'euro est subdivisé en centièmes, cents ou centimes.

• Les 8 pièces d'euro présentent au revers une face européenne commune. À l'avers, la face nationale porte des emblèmes choisis par chacun des 12 pays de la *zone euro*. En tout 96 types de pièces d'euro circulent en Europe au grand plaisir des numismates.

En France, selon la valeur des pièces, trois séries de symboles représentent la République :
– Un arbre, signe de vie, entouré d'un *Hexagone* bordé par la devise : *Liberté, Égalité, Fraternité* (1 €, 2 €)
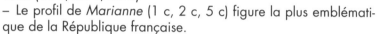
– La *semeuse*, une allégorie champêtre qui sème à contre-vent. (10 c, 20 c, 50 c)
– Le profil de *Marianne* (1 c, 2 c, 5 c) figure la plus emblématique de la République française.

• Les 7 billets (5, 10, 20, 50, 100, 200 et 500 euros) portent les mêmes symboles et diffèrent par la taille et la couleur selon leur valeur. Une carte européenne illustre le verso. Le recto est l'œuvre de Robert Kalina, dessinateur de la Banque nationale d'Autriche : *« J'ai eu l'idée des ponts qui lient les nations et les peuples d'Europe, de fenêtres et de portes qui permettent de jeter un regard vers l'avenir. »*

Si, au premier regard, tous les billets de même valeur sont semblables, rien n'a été laissé au hasard et chacun a sa propre combinaison chiffrée qui donne le code du pays d'origine. Ainsi, lorsque l'un de vos billets, quelle que soit sa valeur, porte le code U25147068458, il est français, mais si vous y lisez X03271124315 : pas de doute, ce billet est allemand !

En effet la lettre U attribuée à la France est suivie d'un ensemble de 11 chiffres qui, additionnés selon la preuve par 9 donnent le chiffre 5. Le code de l'Allemagne se compose de la lettre X suivie de 11 chiffres, qui, preuve par 9, donne 2. À chaque pays sa formule !

De même, l'imprimeur est identifié par une codification différente selon le pays. On peut ainsi savoir que les billets de Finlande ont été fabriqués en Grande-Bretagne.

La Banque de France en bref

Depuis plus de 200 ans, la Banque de France, *« ma banque »* comme disait Napoléon son fondateur en 1800, constitue un rouage essentiel à l'économie française. Elle a été nationalisée après la seconde guerre mondiale.

La Banque de France a la responsabilité de la fabrication et de la mise en circulation de l'euro pour la France. De même, elle doit procéder au tri des billets et des pièces pour en vérifier la qualité et l'authenticité. Son gouverneur participe à l'élaboration de la politique monétaire européenne conduite par la BCE à Francfort-sur-le-Main en Allemagne, avant de la transposer sur le plan national.

Au titre de banque centrale, la Banque de France veille et centralise tout renseignement bancaire concernant les entreprises et les particuliers. Ainsi, avant d'ouvrir un compte pour un particulier, une banque doit consulter le *fichier national des chèques irréguliers* et le fichier des *incidents de crédits*. Les mauvais payeurs [*interdits bancaires*] y sont marqués à l'encre rouge. La gestion des commissions de surendettement relève également de ses missions de service public

Compte bancaire

« L'économie mondiale demeure une notion abstraite aussi longtemps que l'on ne possède pas un compte en banque. » Achille Chavée

Les étrangers établis en France, de façon légale et durable, peuvent ouvrir un *compte bancaire résident*. Ils devront, auprès de la banque de leur choix, justifier de leur identité, d'un titre de séjour selon leur nationalité, de leurs revenus et déposer un premier versement pour valider l'ouverture d'un compte. Leur banquier leur proposera différents services : chéquier, carte bancaire, formules d'épargne, opérations diverses… Certaines banques autorisent un découvert sur demande moyennant le paiement d'intérêts (agios). Le suivi de son compte à distance peut être aisément fait par Internet.

Les résidents étrangers sont autorisés à transférer, vers un autre pays, une partie de leurs revenus (salaires, indemnités…) par l'entremise des établissements financiers ou par La Poste, sous forme de virement international.

Petit lexique

« Si l'argent ne fait pas le bonheur… Rendez-le. » Jules Renard

Acquitter : payer la somme que l'on doit.
Agios : intérêts prélevés par la banque sur un compte à découvert ou frais sur un crédit accordé à un compte courant.
Argent liquide : espèce, cash, argent dont la source est claire, transparente,

Date de valeur : date à laquelle une somme est débitée ou créditée sur un compte.

Découvert : le solde crédit-débit est négatif, on dit aussi qu'il est en rouge.

Devises : ensemble des moyens de paiement libellés en monnaie étrangère.

Opposition : ordre donné à la banque de refuser le paiement d'une carte bancaire ou d'un chèque perdus, volés ou d'utilisation frauduleuse.

Relevé d'identité bancaire (RIB) : numéro d'identification du compte bancaire.

Relevé de compte : état du compte bancaire, mensuel ou hebdomadaire, adressé à domicile qui permet de suivre les mouvements effectués.

Monnaie fiduciaire : billets papier.

Monnaie métallique : pièces.

Monnaie scripturale : monnaie de banque faite de jeux d'écritures. La loi impose le paiement par chèque, virement, ou carte bancaire des sommes supérieures à 3 000 euros afin d'en garder une trace écrite et de limiter le risque de fraude fiscale découlant de règlements en argent liquide non déclaré.

■ Différents types de comptes

« Comment hésiterions-nous à confier notre argent à des banques qui mettent des petites chaînes à leurs stylos à bille. » Louise de Vilmorin

Compte joint ou compte commun : ouvert au nom d'un couple (marié ou non) ou de plusieurs personnes, il permet à chacun d'effectuer les opérations bancaires habituelles et de disposer des sommes figurant sur ce compte. Les titulaires du compte sont solidairement responsables de la bonne gestion du compte.

Compte avec procuration : le titulaire du compte donne mandat, par écrit sur papier libre, à une tierce personne pour intervenir sur son compte (retirer, déposer de l'argent ou encore émettre des chèques) mais il reste seul responsable de son compte. C'est une démarche de confiance.

■ Des formules de chèques

Chaque chèque porte le nom, le prénom et l'adresse du détenteur du chéquier. Un chèque signé est valable un an et huit jours après sa date d'émission. Il est bien sûr risqué de signer un *chèque en blanc*, c'est-à-dire sans indiquer ni la somme ni l'ordre, car le chèque peut se perdre ou être détourné. De plus, il est interdit de postdater un chèque car, dès sa présentation, la banque doit en effectuer le paiement et si le compte ne peut l'honorer, il s'agit d'un *chèque sans provision*. L'indélicat signataire de ce *chèque en bois* doit alors d'urgence régulariser sa dette sous peine d'être inscrit à l'encre rouge sur *le fichier national des chèques irréguliers*. S'il y a récidive, des pénalités seront exigées en plus de la somme due.

Chèque certifié : la banque garantit que votre compte est approvisionné et réserve la somme d'argent pendant 8 jours.

Chèque de banque : la banque émet un chèque pour le compte de son client. Lorsque le montant est important, un chèque de banque est préféré à un chèque certifié. Il est sage de contacter l'agence bancaire émettrice d'un chèque de banque étranger.

■ Carte bancaire

Une *carte bancaire de paiement* n'est pas une carte de crédit. Nationale ou internationale, cette carte à puce offre une gamme de services telle qu'une assistance médicale et juridique.

Vigilance!

Attention à composer discrètement votre code confidentiel et à ne pas laisser traîner la *facturette* que remet le commerçant, elle porte en partie le numéro de votre carte bancaire. De plus, lorsque vous effectuez une réservation ou des achats par correspondance, par téléphone ou par Internet, il vous est demandé ce numéro à 16 chiffres et sa date d'échéance afin d'effectuer le prélèvement du montant dû directement sur votre compte.

Des erreurs sont possibles et le piratage informatique existe. De même, les pickpockets expérimentés agissent vite, faites particulièrement attention à votre portefeuille ou à votre sac. L'utilisation frauduleuse, la perte ou le vol de votre carte bancaire ou de votre chéquier doivent être signalés dès le constat. Appelez le centre interbancaire d'opposition : 0892 705 705 (serveur vocal qui oriente vers le centre d'opposition correspondant à votre carte) ou le 0892 683 208 (chéquier). Il vous sera demandé le numéro de votre compte bancaire et si possible celui de votre carte ou de votre chéquier. Selon les circonstances, une déclaration de vol doit être faite auprès du service de police sur place et une copie adressée par lettre recommandée avec accusé de réception à votre banque.

L'affichette *Carte Bleue* ou le logo *CB* sur la porte d'un commerce indique que ce mode de paiement y est accepté, généralement à partir d'une somme de 15 euros. En outre, il est possible de retirer un certain montant d'argent liquide par semaine dans un distributeur automatique portant le logo de votre *carte bleue* ou de votre *carte de retrait automatique* de banque.

À la carte

■ Carte famille nombreuse

Destinée aux familles de trois enfants et plus de moins de 18 ans, la *carte famille nombreuse*, ornée d'une Marianne, ouvre droit à des tarifs réduits notamment dans les transports, les espaces de loisirs. Démarche de promotion et de fidélisation, des enseignes de la grande distribution (loisirs, tourisme, électroménager…) consentent dorénavant des réductions aux familles sur présentation de cette carte. Distribuée par les gares SNCF, elle l'est aussi par les 123 CAF et certaines mairies.

■ Cartes privatives

Des grands magasins et des sociétés financières rivalisent d'imagination pour offrir à leurs clients des tarifs préférentiels et des facilités de paiement s'ils disposent d'une carte privative. Le plus souvent gratuite, elle permet de payer des achats à crédit mais avec un taux d'intérêt significatif et modulable selon l'importance des sommes dues.

Sachez que l'achat à crédit est très réglementé. L'offre doit mentionner le produit acheté et son prix, ainsi que la durée et le coût du crédit. L'acheteur dispose d'un délai de 7 jours de réflexion pendant lequel il peut annuler sa commande.

■ Cartes d'abonnement

Payer moins cher un spectacle ou un voyage, c'est possible après avoir acquis une carte de réduction ou d'abonnement à un prix forfaitaire qui est rapidement amortie. Il s'agit par exemple d'une carte cinéma qui comprend 10 entrées et évite de faire la queue.

Tous commerces

« Il y a certainement un tas de choses que l'argent ne peut acheter. »
Ogden Nash

Une famille française consacre en moyenne la moitié de son budget pour le logement, l'équipement de la maison, l'alimentation et l'habillement. L'autre moitié est dépensée pour la santé, les loisirs, les communications (déplacements, téléphone...) et les impôts.

Société de consommation oblige, la publicité et le marketing courtisent assidûment l'acheteur, le client, l'utilisateur ou l'usager mais le consommateur français n'hésite pas à comparer les prix, à faire jouer la concurrence et à diversifier ses lieux d'achats.

■ Centre commercial

Implanté à la périphérie des villes, le *centre commercial* réunit sur un même site tous types de commerce : ameublement, alimentation, restauration, station-service auto etc. Cette concentration de magasins et le stationnement gratuit attirent les clients et les visiteurs en promenade familiale.

Grande surface est le terme générique qui désigne un grand espace de vente de produits de grande consommation (alimentation, vêtements, électroménager, hi-fi, jouets...). S'il est toujours nécessaire de disposer d'une voiture pour aller faire les courses à l'*hypermarché* (plus de 2 500 m²), les *supermarchés* (entre 400 et 2 500 m²) se situent bien en vue en ville tandis que de plus en plus de *supérettes*, petits libres-services alimentaires, jouent la proximité au cœur des quartiers citadins.

Les différentes chaînes de distribution lancent régulièrement des campagnes promotionnelles annoncées par une publicité abondante distribuée dans les boîtes aux lettres.

▪ L'étiquette

Les commerçants fixent librement leurs prix mais la loi leur impose de les afficher toutes taxes comprises (TTC). L'étiquetage *code-barres* facilite la gestion des stocks et des comptes des magasins. Le code-barres est un standard international composé de 13 chiffres : les 2 premiers correspondent à l'indicatif du pays (30 à 37 pour la France), les 5 suivants désignent le fabricant et les 6 derniers indiquent le produit. Le prix est inscrit sur le rayon ou donné par lecture optique à la caisse et imprimé sur le ticket détaillé du montant à payer.

Le consommateur doit aussi savoir ce qu'il mange et pouvoir retracer le cheminement des produits. C'est pourquoi l'étiquette précise sa composition, sa qualité, son traitement, son lieu de fabrication (café pur arabica, décaféiné, en poudre ou lyophilisé, lait entier ou demi-écrémé, haricots fins ou extrafins, etc.), les fruits et légumes frais portent le nom de la variété, le pays d'origine, le calibre. Il reste à décrypter les sigles DLC (*date limite de consommation* soit « à consommer avant le… ») notés sur les produits frais et périssables (laitages…) et DLUO (*date limite d'utilisation optimale* soit « à consommer de préférence avant le… ») réservés aux produits d'épicerie (boissons, conserves…)

▪ Commerces de quartiers

Le plus populaire est la boulangerie dont s'échappe une incomparable odeur lorsque le pain sort du four. L'appellation *boulanger* est réservée au professionnel qui fabrique et fait cuire le pain sur place. Les commerçants sont l'âme d'un quartier et font volontiers un brin de conversation avec leurs clients : le *boucher* a toujours une idée de menu à suggérer tout en ficelant le rosbif. Le charcutier dont le nom était à l'origine *chaircuitier* (celui qui cuit la chair) est le spécialiste de la viande de porc sous toutes formes. S'il est *traiteur*, il vend aussi des plats cuisinés, prêts à manger, le *caviste* sait tout des petits et des grands crus.

Une liste de courses qui vaut un cours de géographie :
– moutarde de Dijon ;
– pruneaux d'Agen ;
– Herbes de Provence ;
– Rosette de Lyon ;
– Camembert de Normandie ;
– Eau d'Évian ;
– Quiche lorraine ;
– Champignons de Paris.

■ Ouverture des magasins

Les horaires d'ouverture sont libres. Ils varient selon la nature des commerces et les localités. Quelques repères à titre indicatif :

• Boulangeries et bars sont les commerces les plus matinaux : dès 7 h 30, vous pouvez commander votre café-croissant chaud !

• Le marché s'installe une ou deux fois par semaine, de 8 heures à 13 heures (quelques marchés couverts sont ouverts quotidiennement, matin et après-midi).

• Les centres commerciaux ouvrent du lundi au samedi de 10 h-22 h.

• À Paris, la plupart des magasins sont ouverts sans interruption de 10 h à 19 h, du lundi au samedi, les commerces alimentaires ouvrent vers 9 h jusqu'à 13 h et de 16 h à 20 h. Des coiffeurs font *nocturne*, une ou deux fois par semaine, et prennent des rendez-vous jusqu'à 21 h.

• En province, les commerces et services ferment le plus souvent à l'heure du déjeuner et chacun rentre prendre un repas à son domicile.

• Ici et là, quelques distributeurs accessibles 24h/24 vous dépanneront en pain, journaux, timbres poste, préservatifs, etc.

Selon le Code du travail, le repos hebdomadaire est le dimanche et la plupart des magasins sont fermés, à l'exception d'activités telles que l'hôtellerie, les métiers de bouche, du tourisme et du spectacle qui ont un régime particulier. Quelques ouvertures dominicales exceptionnelles sont autorisées par le préfet selon les événements du calendrier.

• Le jour habituel de fermeture des petits commerces et des coiffeurs est le lundi, sauf dans certaines grandes villes comme à Paris.

Leur fermeture annuelle est le plus souvent fixée au mois d'août, par roulement permettant une continuité de service dans le quartier. Les magasins des régions touristiques ont des modalités d'ouverture adaptées à l'activité saisonnière.

Des enseignes et des logos

Chaque ville a une signalétique qui nous renseigne sur son histoire et ses ressources. Au Moyen Âge, les *enseignes* des boutiques, telles des images, représentaient leurs métiers. Certaines corporations ont fait de leur symbole un logo très graphique :
– croix verte et caducée conduit à la pharmacie ;

– un double losange rouge, dit *la carotte* est l'enseigne légale du bureau de tabac. Seule la boutique classée du Palais-Royal, à Paris, est autorisée à arborer une *civette*, petit animal dont elle porte le nom. L'activité du buraliste est multiple : il vend au nom de l'État des cigarettes et du tabac, mais aussi des carnets de timbres postaux ainsi que des timbres fiscaux (pour les passeports ou les contraventions). Certains proposent également des jeux contrôlés tels que le loto ou les courses hippiques. La vente de tabac est interdite aux jeunes de moins de 16 ans.

Les grands magasins

À Paris, le terme *grands magasins* évoque les célèbres vitrines du *Printemps* et des *Galeries Lafayette*; *le Bon Marché* est le premier. Dès 1852, Aristide Boucicaut, normand et marchand ambulant, a sa méthode pour révolutionner le commerce. Avec la complicité de sa femme, Marguerite, il investit dans la publicité. Ainsi, pour séduire la clientèle parisienne, il monte des expositions selon les saisons et des ventes spéciales deux fois par an, l'idée des soldes est née. Dans le même esprit, il crée le premier catalogue de vente par correspondance destiné aux dames de province qui ne peuvent venir à la capitale faire leurs emplettes. Homme d'affaire philanthrope, il sait qu'il doit sa réussite à l'implication et à la bonne santé de son personnel. Il instaure alors un service médical gratuit et le repos du dimanche qui ne sera légal qu'en 1906. Émile Zola immortalisera le Bon Marché dans son roman *Au bonheur des dames*, une fresque romanesque de la société du XIXe siècle.

222

■ En vitrine

« Les modes ne sont après tout que des épidémies provoquées. »
Bernard Shaw

Au fil de l'année, les grands magasins proposent toujours des rendez-vous promotionnels, en avance sur le calendrier :
– janvier : linge de maison, le *mois du blanc*, soldes ;
– février : décoration et arts de la maison ;
– mars : mode d'été, Pâques, jardinage ;
– avril-mai : sports et bagages, vacances, fête des mères ;
– juin : fête des pères, soldes, bricolage ;
– juillet-août : rentrée des classes ;
– septembre-octobre : mode d'hiver ;
– novembre-décembre : marché de Noël et cadeaux.

▬ Cybermarché et vente à distance

La vente à distance, sur catalogue ou par Internet, facilite la vie de ceux qui ne vont pas dans les magasins. Le Code de la consommation réglemente également le cybermarché et prévoit un délai pour changer d'avis ou se rétracter après la réception de la commande. Le vendeur doit indiquer sur son site ses coordonnées précises postales et téléphoniques et pas seulement une boîte postale. Par ailleurs, l'envoi forcé est une pratique commerciale interdite. La marchandise reçue doit être tenue à disposition de l'expéditeur et la demande de paiement refusée.

Marchés traditionnels

« Le dimanche, c'est les jonquilles, le marché avec le col ouvert, le cabas avec les poireaux. » Robert Doisneau

Véritable phénomène commercial, social et culturel, le marché est le lieu d'échange par excellence. Une ou deux fois par semaine, les gens et les genres s'y mêlent, les habitués et les touristes s'y côtoient. Les produits y sont éclectiques et l'ambiance bon enfant. Les vendeurs ne manquent pas de verve pour attirer le chaland et faire sourire le client. Certains ont une grande renommée pour leurs spécialités, *marché des quatre saisons, marché aux fleurs…* et leurs prix. L'effet psychologique est garanti : un prix affiché à 9,90 € semble meilleur marché que s'il était à 10 € !

Marché parisien : étal de fruits et légumes.

Si d'aventure le fleuriste vous propose treize roses à la douzaine, il vous *fait une fleur*, en ajoutant gracieusement une fleur à votre bouquet. Exception au système métrique décimal, comme les œufs, les roses, se vendent à la douzaine, les huîtres et les escargots aussi.

Bon à savoir

■ Arrhes ou acomptes

Pour confirmer la réservation d'une location ou d'un objet convoité, on vous demandera de verser par avance entre 10 et 20 % environ de la somme totale. Arrhes ou acompte ? Attention à la mention portée sur le bon de commande ou le contrat.

Les *arrhes* servent à retenir un bien ou un service mais l'acheteur et le vendeur peuvent encore changer d'avis. L'acheteur s'il annule sa commande perd la somme versée. En revanche, si l'annulation est le fait du vendeur, celui-ci doit verser le double des arrhes en dédommagement.

En revanche, l'*acompte* est un engagement ferme et définitif. Il correspond au premier versement et l'acheteur devra payer le montant total de son achat. Si le vendeur ne tient pas son engagement, il doit verser, en plus du remboursement de l'acompte initial, un dédommagement. N'acceptez pas de verser une avance d'argent sur un achat ultérieur.

■ Réductions, ristournes ou remises

Lors du paiement comptant d'une facture élevée, osez demander une petite réduction ou la livraison gratuite à domicile qui représente un service appréciable pour les articles lourds et encombrants.

■ Échanges, garanties et service après-vente

Certains magasins acceptent d'échanger un article dans les jours qui suivent l'achat, sur présentation du ticket de caisse ou de la facture, c'est un geste commercial. En revanche, lorsque la mention *ni repris, ni échangé* est indiquée, aucune réclamation ne sera possible sauf s'il y a un défaut caché. Dans ce cas, vous pouvez être remboursé, sinon vous recevrez un *avoir* correspondant à la valeur de la marchandise permettant d'effectuer un achat ultérieurement.

La *garantie commerciale* est gratuite mais varie d'un fabricant à l'autre. Le magasin vendeur appose son cachet et note la date d'achat. Le bon de garantie indique l'étendue de la couverture (pièces et main-d'œuvre, frais de déplacement...) et sa durée. La *garantie légale* est obligatoire et couvre les vices d'origine. Un article défectueux doit être échangé ou remboursé.

■ Les normes

Le *label NF* est un certificat de qualité décerné par l'Agence française de normalisation, (AFNOR). Ce label garantit que l'objet est conforme aux normes de sécurité en vigueur. Dans le domaine du matériel électrique et des jouets, c'est le logo *CE* porté sur l'étiquette de chaque produit qui certifie la conformité aux normes européennes.

Pour les produits alimentaires, le *label rouge* et l'*appellation d'origine contrôlée* (AOC) appliquée aux produits agricoles et alimentaires sont les références de qualité préférées des Français. Le *label AB* figure sur des produits dont les propriétés biologiques sont reconnues par le ministère de l'Agriculture.

■ La contrefaçon

Un article de grande marque, vêtement, bijou, jouets... proposé à bas prix et à la sauvette dans la rue est un faux. Or toute atteinte à la propriété industrielle et intellectuelle est sanctionnée car il est interdit d'acheter ou de détenir un produit contrefait qui prive son créateur et son fabricant du bénéfice de leur travail. À Paris, le musée de la Contrefaçon présente 350 objets originaux et leur incroyable copie.

225

Objets trouvés

Objets trouvés en France, *objets perdus* (*lost property*) en Grande-Bretagne, *perdus et trouvés* (*lost and found*) aux États-Unis, à chacun sa façon de nommer des objets familiers que par négligence, on oublie dans un lieu public. À Paris, 700 à 800 articles des plus éclectiques sont apportés chaque jour, au service des Objets trouvés 36 rue des Morillons. S'il n'est pas réclamé par son propriétaire dans un délai variable selon sa valeur, l'objet sera remis au découvreur. Les plus attendrissantes sont les peluches mordillées, qui répondent toutes au nom de *doudou* et guettent un enfant éploré. La trouvaille la plus insolite reste une urne funéraire, abandonnée à la station de métro du Père Lachaise : distraction ou volonté testamentaire de figurer à l'inventaire d'un incroyable bric à brac à pièce unique ?

■ Dépannages et aide à domicile

Des cartes publicitaires de réparateur à domicile sont sans cesse distribuées dans les boîtes aux lettres, mais la compétence n'est pas garantie. Il vaut mieux prendre conseil auprès d'un commerçant du quartier qui vous orientera plus sûrement vers un professionnel patenté.

Dans tous les cas, il convient de demander un devis comprenant les frais de déplacement, le coût horaire de la main-d'œuvre, le prix des pièces détachées s'il y a lieu et le délai de réparation. Si les travaux sont importants (au-delà de 150 €) et peuvent attendre quelques jours, il est intéressant de comparer les prestations et le montant de deux devis. Le devis accepté doit être signé avant l'exécution des travaux, il devient contrat. Il est conseillé de ne payer la totalité de la facture qu'à la fin des travaux, de préférence par chèque pour garder une trace de ce règlement.

Si vous cherchez une femme de ménage, parlez-en aux commerçants ou à vos voisins. Vous pouvez également leur remettre une petite annonce qu'ils afficheront ou distribueront s'ils le souhaitent. En revanche, il est interdit d'apposer des affichettes ou des annonces sur le mobilier urbain.

■ Ville propre

Les services de voirie municipale ramassent quotidiennement les poubelles dans les grandes villes. Certains déchets sont recyclés (verre, papiers…) et doivent être déposés dans des containers spéciaux. La mairie peut assurer sur demande l'enlèvement d'objets encombrants

■ Pourboires et étrennes

En plus du règlement dû, il est d'usage, de donner un pourboire au livreur, au serveur ou au chauffeur de taxi. C'est une pratique sans être une obligation et on l'évalue entre 5 à 10 % de la note selon la qualité du service rendu. Au théâtre, les ouvreuses sont souvent rémunérées par la seule générosité des spectateurs.

Au mois de décembre, facteurs et pompiers font tour à tour du *porte à porte* pour présenter leurs vœux et offrir un calendrier en échange de quelques billets, *les étrennes*. Ce geste les remercie de services quotidiens tels que la distribution du courrier ou de leur disponibilité constante en cas d'urgence. En janvier, le gardien ou le concierge d'immeuble apprécie aussi de recevoir de la part des résidents une enveloppe contenant une gratification. Vous serez d'autant plus généreux que vous lui demandez régulièrement des services (clés confiées, courrier gardé…).

Conseils juridiques et aides particulières

■ Juristes, avocats, notaires…

Les textes législatifs et réglementaires sont difficiles à comprendre pour tout profane et le recours à un expert peut être nécessaire. Les mairies de grandes villes, en accord avec l'Ordre des avocats, proposent des consultations juridiques gratuites par téléphone (droit du logement, du travail, de la famille, droit de la consommation…). Diverses associations de conseil, de défense ou de protection des intérêts des particuliers ont leur propre service juridique auquel vous pouvez adhérer (associations de consommateurs par exemple).

Des *avocats* sont spécialisés dans la défense des intérêts du particulier. Avant l'ouverture du dossier, il convient toutefois de fixer les modes de calcul des honoraires : au forfait, au temps passé ou proportionnel au résultat.

Le *notaire*, officier public, il est seul habilité à conclure un contrat de mariage, un acte de vente immobilière, à gérer une succession. Les *actes* qu'il établit ont un caractère authentique et leur coût est légalement fixé. La Chambre départementale des notaires donne toute adresse utile.

Les *médiateurs* ont pour but d'aider à la résolution de conflits simples (troubles du voisinage, problèmes locatifs…) en dehors de toute procédure judiciaire. Leur consultation, à la mairie, est gratuite.

Chaque département est doté d'une direction des affaires sanitaires et sociales qui coordonnent *les services sociaux* chargés d'accompagner des personnes qui ont à gérer une situation familiale, professionnelle ou personnelle complexe. Ils dispensent aussi bien des conseils pratiques qu'une aide psychologique et vous pouvez notamment leur demander conseil pour les questions de garde d'enfants. Ils tiennent souvent une permanence à la mairie.

227

Code de la route et permis de conduire

Le code de la route fixe les règles que les automobilistes, les deux roues et les piétons doivent connaître et respecter pour circuler en toute sécurité. Le certificat de *capacité à conduire* institué en France en 1893 est devenu *permis de conduire*. En 1992, un *permis à points* est instauré et l'automobiliste titulaire d'un permis de conduire est doté du maximum de 12 points. Les infractions au code de la route sont sanctionnées par le retrait modulé de points qui peut aboutir, selon la gravité, à la suppression du permis de conduire

Sous l'égide des Nations Unies, la convention de Vienne sur la circulation routière en 1868, permet aux ressortissants des pays signataires, de passer les frontières et de voyager temporairement à l'étranger avec leur voiture et leur permis de conduire d'origine.

Permis de conduire

Permis AL -16 ans -2 roues à moteur (50 à 125 cm^3).
Permis A -18-21 ans -2 roues à moteur – le permis A est progressif selon la puissance de l'engin.
Permis B -18 ans – véhicule de moins de 10 places, permis le plus courant.
Permis C -18 ans – véhicule à marchandise (plus de 3 500 kg).
Permis D -18 ans – véhicule de transport en commun (plus de 9 places).
Dans l'attente d'un permis de conduire commun pour tous les citoyens des pays membres de l'UE et de l'EEE, les permis nationaux européens, en cours de validité, sont admis pour conduire sur le territoire européen.
Lors d'un court séjour de moins de 90 jours, votre permis de conduire non européen avec traduction en français sera accepté, éventuellement accompagné d'un permis international selon votre nationalité.
En revanche, si vous résidez de façon continue en France, vous ne pourrez conduire avec votre permis étranger que pendant la période de validité de votre première carte de séjour temporaire. Dès le 365e jour, vous devrez disposer d'un permis de conduire français sollicité auprès de la préfecture de votre lieu de résidence. Il s'agit d'un simple échange si vous êtes citoyen d'un pays avec lequel la France dispose d'un accord de réciprocité, sinon, vous serez tenu de préparer et de passer les tests de permis de conduire adaptés aux étrangers.

L'apprentissage anticipé de la conduite (AAC) est accessible dès l'âge de 16 ans. Selon la procédure, l'apprentissage du code de la route suivi d'une initiation à la conduite avec un moniteur d'auto-école agréé puis d'une phase de conduite accompagnée par un tuteur pendant une période de 1 à 3 ans, permet de comptabiliser trois mille kilomètres. Le candidat alors âgé de 18 ans pourra se présenter à l'examen du permis de conduire.

Le jeune conducteur reçoit un capital de 6 points qui passera à 12 points après une période probatoire de 2 ans sans infraction (3 ans lors d'un permis de conduire classique). Le cercle portant la lettre A, apposé à l'arrière de leur voiture indique qu'il s'agit d'un jeune conducteur.

Véhicule motorisé

■ Voiture neuve ou d'occasion

L'achat d'un modèle de grande diffusion assure de plus grandes facilités d'entretien et de revente. Avant d'acheter une voiture, des connaisseurs vous recommanderont volontiers un garagiste ou un concessionnaire selon la marque souhaitée. Il est normal d'essayer un ou plusieurs véhicules et de faire jouer la concurrence. Le vendeur a une obligation de conseil et de renseignement et doit informer son client des subtilités techniques et mécaniques du véhicule, et s'il est d'occasion de son état exact (réparation, accident).

Sur les véhicules de son *parc occasion*, le garagiste peut proposer une *garantie constructeur* ou sa propre garantie. L'engagement de service après-vente est écrit et daté. Une voiture de plus de 4 ans doit avoir subi un contrôle technique réalisé par un centre agréé et renouvelé tous les 2 ans. Cette revue de détail donne lieu à un compte rendu détaillé remis au propriétaire.

Des particuliers vendent leur voiture par petites annonces, notamment les collaborateurs de firmes automobiles qui remplacent leur voiture neuve tous les 6 mois. Ces occasions de *première main*, qui n'ont eu qu'un propriétaire, ont peu de kilomètres et bénéficient encore de la garantie du constructeur.

Le prix d'une voiture se réfère généralement aux cotes publiées par le *journal l'Argus de l'automobile*. Il prend en compte l'âge de la voiture et un nombre moyen de 15 000 kilomètres par an. Vous pouvez discuter le prix à votre avantage. Dès l'achat, il faut souscrire un contrat d'assurance.

■ Location de voiture

Des enseignes de location de voitures ont des antennes dans les grandes villes, dans les gares et les aéroports, il est possible de louer un véhicule dans une ville et de la restituer ailleurs. Des forfaits de week-end, à la semaine, au mois existent avec kilométrage illimité. Il convient de lire attentivement les termes du contrat d'assurance et peut-être de souscrire une assurance complémentaire. L'autorisation du loueur est nécessaire pour aller à l'étranger ou effectuer une traversée maritime.

De plus en plus de Parisiens utilisent les transports en commun la semaine et prennent le taxi pour leurs sorties du soir en se réservant la possibilité de louer une voiture le week-end. La formule s'avère plus économique que l'achat d'une voiture, son assurance, son entretien… sans compter les contraventions.

■ Importation d'un véhicule

Vous serez exonéré de taxes si vous transférez en France une voiture qui vous appartient depuis au moins six mois. Elle doit figurer à l'inventaire du déménagement. À l'arrivée, elle devra être contrôlée par le Service des mines et si nécessaire mise en conformité avec les normes françaises et les spécificités européennes.

■ Entretien et réparations

Les révisions d'un véhicule sous garantie s'effectuent obligatoirement chez un représentant de la marque selon un protocole fixé par le constructeur. Si vous devez effectuer une réparation, il est normal de demander au garagiste un devis afin d'établir un *ordre de réparation*. La facture doit détailler le montant des prestations fournies et le coût des pièces et de la main-d'œuvre. Les prix des dépannages sont fixés par décret.

Les *stations services* vendent les différents types de carburants (essence, super, sans plomb, diesel…) et peuvent effectuer l'entretien courant (contrôle d'huile, vidange, batteries, pneus…). Elles sont généralement équipées pour le lavage des voitures.

■ Carte grise nouveau modèle

La *carte grise* est désormais commune aux pays membres de l'UE. Ce certificat d'immatriculation européen permet, en outre, de mieux lutter contre la fraude et le commerce illicite de véhicules à moteur qui doivent être immatriculés dans le mois suivant l'achat. Certains garagistes se chargent d'effectuer cette démarche. Ils vous remettront vos *papiers* et peut-être même vous offriront la plaque d'immatriculation gravée aux numéros du véhicule.

Vous pouvez obtenir votre carte grise sur le champ en vous présentant à la préfecture, muni du formulaire de demande d'immatriculation, d'une pièce d'identité et d'un justificatif de domicile. Sinon, effectuez cette démarche par correspondance. Tout changement d'adresse, y compris dans le même département, doit être aussitôt notifié à la Préfecture.

• Pour un véhicule neuf, il vous faudra présenter le certificat de vente et de conformité remis par le concessionnaire.

• Pour un véhicule d'occasion vous devrez fournir :
– l'ancienne carte grise mentionnant la date de cession ;
– le certificat de cession établi par le vendeur ;
– un certificat de situation délivré par la préfecture du département où le véhicule était précédemment immatriculé, s'il y a changement de lieu ;
– si le véhicule a plus de 4 ans, un certificat de contrôle technique de moins de 6 mois

---

Numéros d'immatriculation

Les plaques d'immatriculation doivent respecter la norme européenne. Il est facile de savoir d'où vient une voiture puisque les deux derniers chiffres des plaques minéralogiques correspondent au département de résidence de son propriétaire. Les lettres sont une combinaison alphabétique qui change chaque année.

Certains sigles sont réservés : TT (voiture en transit temporaire ou en franchise de droits de douanes), WW (immatriculation en cours), CD ou CC (corps diplomatique ou consulaire).

231

■ Règles de sécurité

Le port de la *ceinture de sécurité* est obligatoire pour tous, à l'avant et à l'arrière des véhicules, en ville comme à la campagne. Dès lors que le siège d'un autocar en est équipé, il faut boucler aussi la ceinture. En outre, des règles très strictes sont applicables pour les jeunes enfants : les bébés, jusqu'à 9 mois ou 10 kg, doivent voyager dans un lit-nacelle. Les petits, au-dessous de 4 ans, doivent être attachés dans un siège baquet équipé d'un harnais conforme aux normes européennes. Enfin, les enfants, jusqu'à 10 ans et 18 kg environ, voyagent toujours assis à l'arrière sur un siège avec rehausseur et ceinture attachée, c'est obligatoire.

En toutes circonstances, le conducteur doit s'assurer avant de démarrer, que tous ses passagers portent bien leur ceinture de sécurité. Il sera tenu pour responsable et contraint à une amende si des passagers de moins de 18 ans y dérogent. En outre, il lui est interdit de téléphoner ou de manger en conduisant et en aucun cas, un animal à bord ne doit le gêner. Selon sa taille, le quatre pattes doit être tenu derrière un filet, une grille ou dans une cage.

En France, le taux d'*alcoolémie* toléré pour conduire est limité à 0,50 g/l et de nombreuses campagnes d'information le rappellent. Lors d'un dépistage positif, la Police est autorisée à immobiliser le véhicule immédiatement. En cas d'accident, l'assurance peut refuser d'indemniser le conducteur en infraction pour les préjudices dont il a l'entière responsabilité.

Limitations de vitesse

Les automobilistes doivent respecter les limitations de vitesse suivantes :
– 130 km/h sur autoroute ;
– 110 km/h sur voies rapides séparées ;
– 90 km/h sur le réseau routier secondaire ;
– 50 km/h en agglomération ou moins selon le panneau de signalisation à l'entrée de la localité.
Lors de mauvaises conditions météorologiques : pluie, neige ou brouillard, il y a obligation de *lever le pied* et de réduire la vitesse sur route et autoroute. Lorsque la visibilité est inférieure à 50 mètres, il est impératif de garder ses distances et se signaler (feux de croisement ou *phares code*, antibrouillards). Selon les besoins, d'autres limitations temporaires de vitesses sont annoncées par des panneaux : *ralentir école, chantier, travaux, bouchon, déviation, accident, pics de pollution...*
Les formes et couleurs des panneaux ont leur signification. Le triangle rouge alerte sur le danger, le bleu signale une obligation. Le panneau rond donne un ordre tandis que le carré fournit une information. Seul le « stop » est de forme hexagonale ce qui le rend toujours identifiable même sale ou enneigé.

Stationnement

En ville, le stationnement est strictement réglementé. Il peut être *unilatéral* (d'un seul côté de la rue), en *zone bleue* (il est limité dans le temps) et, de plus en plus souvent payant (*parcmètres ou horodateurs*). Il est indispensable de regarder les indications portées sur le sol et sur les panneaux, par exemple les places destinées aux personnes handicapées et aux livraisons sont marquées sur la chaussée. Des parkings souterrains ont des coûts variables selon les lieux et la durée du stationnement. Certaines grandes villes ont établi des formules d'abonnement « résidentiel » réservé aux seuls habitants du quartier et il faut en faire la demande à la mairie. Une voiture ne peut rester plus de 7 jours consécutifs garée au même endroit sur la voie publique.

Le non-respect de la réglementation donne lieu à un petit « papillon » (contravention) sur le pare-brise de la voiture ou à une amende adressée à domicile, l'immatriculation permettant d'identifier immédiatement le propriétaire du véhicule. L'enlèvement d'un véhicule et sa mise à la *fourrière* peuvent être ordonnés lorsqu'il gêne la circulation et la sécurité (stationnement sur un passage piétons, arrêt de bus…). Une voiture gardée à la fourrière se voit facturer un prix de journée en plus de l'amende forfaitaire d'enlèvement. Au-delà de 45 jours, elle peut être mise en vente.

Circulation en ville : piéton et voiture

« Les gens superstitieux vous recommandent instamment de ne jamais passer sous une échelle, mais ils ne vous empêchent pas de passer sous un taxi. » Pierre Dac

Un effort de signalisation et des campagnes d'informations essaient de sensibiliser petits et grands à la prévention routière et au bon sens civique de tous. Les automobilistes manquent parfois de courtoisie envers les piétons qui doivent traverser les rues sur les passages protégés, matérialisés sur la chaussée par des bandes blanches. Les feux tricolores sont rythmés par l'apparition d'un petit personnage vert qui invite le piéton à traverser la rue ; s'il est rouge : patience et prudence.

Des rues, notamment à proximité des écoles, sont équipées de ralentisseurs : ces déformations volontaires de la chaussée, dites aussi *dos d'âne* contraignent les automobilistes à réduire leur vitesse. Des couloirs de circulation, dans les grandes agglomérations, sont réservés pour les bus, les taxis et les services d'urgence.

■ À vélo, en rollers, en cyclo

Les jeunes de 14 à 16 ans sont les plus exposés aux accidents de la route. Aussi tous les collégiens sont-ils initiés à la sécurité routière dès la classe de 5e, formation validée par une attestation scolaire de sécurité routière (ASSR). Un nouveau test vérifie le niveau des connaissances des élèves de 3e. À partir de 14 ans, les adolescents sont autorisés à conduire un cyclomoteur et le port du casque attaché est obligatoire pour tout conducteur et passager d'un deux-roues motorisé.

Les cyclistes sont interdits sur les trottoirs, ils doivent circuler sur les pistes cyclables sinon sur la rue. En revanche, les jeunes en rollers sont considérés comme des piétons à roulettes et peuvent zigzaguer en toute légalité sur le trottoir.

■ Contrat d'assurance

L'*assurance* garantit contre des risques et répare un préjudice. Elle dédommage et rembourse l'assuré suite à une maladie, un accident, un vol. Tous les véhicules à moteur doivent être couverts par une assurance minimale dite *responsabilité civile* qui couvre les dommages causés à autrui (piétons et passagers), le conducteur doit contracter une assurance complémentaire. Avant de souscrire une police d'assurance, comparez les contrats et le montant des primes en fonction des risques couverts et de la puissance du véhicule. Une personne possédant son permis de conduire depuis moins de un an paiera un tarif majoré. Au contraire, les femmes, responsables de moins d'accidents graves selon les statistiques, se verront consentir des réductions par certaines sociétés.

234

À la signature du contrat, il vous sera remis une attestation d'assurance qui comporte un certificat sous forme d'un petit carré détachable qui doit être apposé sur le pare-brise du véhicule.

Pour bénéficier d'un *bonus* et de la cotisation réduite correspondante, il est nécessaire de présenter une attestation de votre précédent assureur, certifiant que vous n'avez pas été responsable d'accident au cours des deux dernières années. À l'inverse, un *malus* majore le tarif d'assurance des personnes ayant été responsables d'accidents.

La *carte verte*, attestation internationale d'assurance, étend les garanties de votre contrat à la quarantaine de pays qui ont souscrit au dispositif carte verte. Demandez-la à votre assureur, elle est gratuite. Sinon, vous serez tenu de souscrire une *assurance frontière* qui couvre *a minima* les garanties obligatoires.

■ Contrat d'assistance

Le grand principe de l'*assistance* est l'aide en urgence à la personne lorsque survient un problème ou un accident : rapatriement sanitaire si l'état de santé l'exige, envoi de médicaments, dépannage d'un véhicule tandis que l'assurance intervient après avoir déterminé les circonstances et les responsabilités qui définiront les modalités d'indemnisation.

De plus en plus de compagnies d'assurance intègrent une formule d'assistance dans leur contrat multirisque habitation ou voiture, de même que certaines cartes bancaires.

■ Accident de circulation : le constat

Les dégâts matériels doivent être constatés sur place et notés sur un formulaire, le *constat à l'amiable,* remis par l'assureur et à conserver dans la voiture. Ce constat comporte les noms et adresses des deux conducteurs qui le signent après avoir relaté les circonstances de l'accrochage ou de l'accident, avec croquis à l'appui. Les noms des éventuels témoins sont à noter. L'original sera adressé, dans les 5 jours, par lettre recommandée à la compagnie d'assurance. L'indemnisation sera fixée selon les clauses du contrat et le résultat de l'expertise. L'intervention de la gendarmerie ou de la police est obligatoire lorsqu'il y a des blessés.

■ Vol de voiture

L'alarme est une option. Certaines compagnies d'assurances exigent dorénavant que les voitures portent le marquage du numéro de série sur les vitres. Selon les contrats, une option *objets transportés* définit les conditions d'une éventuelle indemnisation, mais il va de soi qu'il ne faut rien laisser en évidence dans le véhicule.

235

Dès le constat d'un vol, il faut déposer plainte auprès des services de police et de gendarmerie le plus proche et aviser l'assureur par lettre recommandée avec accusé de réception.

■ Vos papiers s'il vous plaît

Lors d'un contrôle de police, le conducteur est tenu de présenter son permis de conduire et les papiers de la voiture, c'est-à-dire la carte grise et le certificat d'assurance. Le certificat de contrôle technique sera exigé si le véhicule a plus de 4 ans. Les photocopies n'ont bien sûr pas de valeur. Le défaut de présentation de ces documents entraîne une contravention et une obligation de les apporter au commissariat de police dans un délai maximum de 5 jours.

Contraventions et... procédures

Les contraventions routières, amendes, contredanses ou procès-verbal (PV) ont des coûts variables selon la gravité de l'infraction. Les plus lourdes entraînent une convocation au tribunal et sont passibles de retrait du permis de conduire, voire de peines d'emprisonnement.

Des radars, mobiles ou fixes sur différents axes routiers du pays, flashent sans relâche les voitures en excès de vitesse. La répression porte ses fruits puisque les limitations sont enfin mieux respectées et que le nombre d'accidents graves diminue.

En outre, un dépassement de vitesse est sanctionné par la suppression proportionnelle de points. De même, un défaut de port de la ceinture de sécurité entraîne la suppression systématique de 3 points et de 2 points pour l'usage d'un téléphone au volant. Il faudra patienter 3 ans sans infraction pour être re-crédité des points perdus, sauf si un stage de 2 jours dispensé par la Sécurité routière est effectué.

Les auteurs d'une contravention au code de la route qui sont dans l'impossibilité de justifier d'un domicile ou d'un emploi sur le territoire français, ou de payer immédiatement l'amende peuvent faire l'objet d'une consignation et d'une mise en fourrière du véhicule décidée par le procureur de la République.

Sécurité et services de police

236

■ La Police nationale (ministère de l'Intérieur)

La Police nationale comprend plusieurs directions centrales : la Direction de la Police judiciaire (PJ), le Service des Renseignements généraux (RG) et de la Police urbaine chargée d'assurer la protection de l'ordre public et la sécurité dans les villes. Les CRS (Compagnies républicaines de sécurité) participent au maintien de l'ordre lors de manifestations publiques et assurent des missions de surveillance et de sauvetage, notamment sur les plages et en montagne. La Direction de la Surveillance du territoire (DST) est le service chargé du contre-espionnage en France. La Direction générale de la Sécurité extérieure (DGSE) est en charge du renseignement à l'étranger et des réseaux internationaux. À Paris, la Brigade criminelle, *la crim'*, dispose d'une section antiterroriste qui intervient en l'Île-de-France. La Direction centrale du contrôle de l'immigration et de la lutte contre l'emploi des clandestins (DICCILEC) contrôle les aéroports, les ports et les frontières.

À Paris, c'est la Préfecture de police qui coordonne et exerce toutes les missions de police. Nombre de villes se sont dotées d'une police municipale chargée de veiller à l'application des arrêtés municipaux, sous l'autorité du maire qui est aussi officier de police judiciaire dans les petites communes. Quel que soit l'uniforme, il est fréquent de demander son chemin ou un conseil à un agent de police qui vous orientera volontiers.

Interpol

L'organisation internationale de police criminelle créée en 1923 regroupe plus de 180 pays et est la plus importante organisation intergouvernementale après l'ONU. Interpol, dont le siège est à Lyon depuis 1989, a pour mission de coordonner l'information, entre les services de police du monde entier, sur des trafics de stupéfiants, des réseaux terroristes, pédophiles ou encore de criminalité économique. Les interventions directes relèvent de la compétence des polices nationales.

■ La Gendarmerie nationale (ministère de la Défense)

Les *gendarmes* sont des militaires. Intervenant essentiellement dans les communes de moins de 10 000 habitants, ils sont chargés de prévenir, de constater et de réprimer les infractions et les délits. Ils sanctionnent notamment les manquements au code de la route (excès de vitesse, alcool au volant…). Les motards assurent le plus souvent le service d'ordre et les escortes officielles. La *Garde républicaine* remplit, quant à elle, des fonctions de représentation et de sécurité.

■ Allo ! le 17 : police

Toute situation d'insécurité, d'accident sur la voie publique ou à domicile, toute forme de nuisance sérieuse (tapage nocturne…) peut justifier un appel à la police en composant le 17.

■ Vigipirate

Au plan national, la lutte contre le terrorisme réunit toutes les énergies sous l'autorité du ministère de l'Intérieur, place Beauvau et la surveillance des lieux publics et des frontières par les militaires et les policiers sont coordonnées par *le plan Vigipirate*. Selon les turbulences de l'actualité internationale et l'évaluation des risques terroristes

237

en France, *Vigipirate* peut-être activé suivant une palette de couleurs : jaune, orange, rouge, écarlate (risque majeur) dont les Français sont informés par voie de presse.

Voyager en France

« Les cartes t'emmènent où tu veux ; elles t'épargnent les dépenses et les fatigues du voyage. » Cervantès

■ En voiture

Les cartes nous renseignent sur les contours du monde, nous situent sur la planète et nous guident sur les routes. En 1912, André Michelin, le père du Bibendum, imagine de numéroter les routes de l'Hexagone sur des bornes kilométriques disposées au bord des voies de circulation et de porter les numéros à l'identique sur les cartes. De même, il calcule les distances entre Paris et les autres villes françaises à partir du parvis de la Cathédrale Notre Dame de Paris où se trouve une plaque octogonale de bronze indiquant le kilomètre 0 de toutes les routes de France.

L'Institut de la géographie nationale (IGN) et Michelin sont les cartographes de référence. La plupart des cartes routières ont une déclinaison touristique à thèmes : carte des châteaux, des vins, de la faune et de la flore, etc.

De plus, des sites Internet calculent avec précision les distances séparant les 36 785 communes françaises et tracent l'itinéraire de votre choix jusqu'à destination. Chaque ville dispose de plans imprimés, vous les trouverez dans les offices de tourisme, les mairies, chez les marchands de journaux.

238

■ Routes et autoroutes

« On roule confortablement sur l'autoroute de la vie, protégé par la ceinture de sécurité de nos certitudes et l'airbag de la routine. » Dave Barry

Le réseau routier est dense. La plupart des autoroutes à péage sont gérées par des sociétés privées. L'État, *via* le ministère de l'Équipement, gère 10 000 km de routes dites « nationales » après avoir transféré et déclassé en départementale, comme prévu par les mesures de décentralisation, près de 20 000 km s'ajoutant aux 365 000 km de routes départementales qu'entretiennent les régions et les départements.

Des routes des vacances

Ainsi, la légendaire *nationale* 7, qui était la plus longue route nationale, près de 1 000 km allant de Paris à Menton (à la frontière italienne) a perdu ses attributs nationaux. De cette mythique route des vacances, dite *route du soleil*, il reste ses fameuses haltes gourmandes, le Musée « *mémoire de la nationale 7* » à Piolenc dans le Vaucluse et bien sûr la célèbre mélodie de Charles Trenet « *On est heureux, nationale 7* ».

Une autre route des vacances traverse la France du nord au sud. De la Belgique à l'Espagne, de Dunkerque à Bayonne, *la route des estuaires* est une liaison quasi autoroutière de 1 250 km, qui longe la façade maritime de la Manche et de l'Atlantique passant par l'estuaire de quatre fleuves : la Somme, la Seine, la Loire et la Garonne. En chemin, elle dessert les grands ports de Dunkerque, Le Havre et Nantes.

Le réseau des autoroutes compte près de 10 000 km. Quelques rares tronçons d'autoroute sont gratuits sinon le coût du péage (contrôlé par l'État) est variable selon les sociétés d'exploitation. Le paiement peut s'effectuer par carte bancaire, par abonnement ou en billets. Des ouvrages d'art, tels que les ponts ou viaducs (Pont de Normandie, Viaduc de Millau) peuvent être soumis à un péage particulier.

Des chiffres et des lettres les désignent mais elles portent aussi des noms plus parlants :

Autoroute du Nord (A1), de l'Est (A4), du Sud, dit *autoroute du soleil* (A6-A7), de Normandie (A13), la Provençale (A8), la Languedocienne (A9), l'Aquitaine (A10), l'Océane (A11), la Catalane (B9), l'Autoroute blanche (A40), l'Autoroute des deux mers (A61).

239

■ Les aires de repos

Des aires de repos jalonnent l'autoroute afin de permettre aux automobilistes de faire des pauses régulières et d'y trouver une station-service si besoin. Vous y trouverez aussi des espaces de pique-nique et de restauration ou encore des boutiques proposant des articles utiles au voyage : cartes routières, lunettes de soleil, boissons et nourritures.

Pendant l'été, des étapes sportives invitent à se détendre en faisant un peu d'exercice, par exemple initiation à l'escalade ou au tir à l'arc avant de reprendre le volant.

■ En cas de panne...

La société d'autoroute a prévu tous les cas de panne et l'autoroute est équipée, tous les 2 km, de bornes d'appel gratuit, reliées à la gendarmerie qui enverra un dépanneur agréé. Signalez-vous par les feux de détresse et attention à votre sécurité en sortant de la voiture sur la bande d'urgence. Les tarifs de réparation ou de remorquage sont forfaitaires selon le jour (férié ou non) et l'heure d'intervention (nuit ou jour).

■ Bison futé

La Direction de la Sécurité et de la Circulation routière surveille en permanence le réseau routier. Lors des grandes migrations telles que les vacances ou les week-ends prolongés, *bison futé* est l'informateur de référence. *Via* la radio, la presse et Internet, il donne les conditions et les prévisions de circulation et incite les automobilistes à planifier leurs voyages hors des jours de grand trafic, sinon à prendre les *itinéraires bis* signalés par des pancartes vertes et jaunes.

Selon le trafic du jour, *Bison futé* voit noir, rouge, orange ou vert. Les *jours noirs* cumulent des kilomètres de bouchons comme par exemple les 31 juillet et 1er août, lors du chassé-croisé entre juillettistes sur le chemin du retour et aoûtiens qui partent à leur tour en vacances. Les *jours rouges* indiquent une circulation très chargée avec une estimation de longs bouchons. Les *jours orange* ont un trafic dense, fait de ralentissements ou bouchons habituels. Enfin, les *jours verts : RAS*, idéal pour circuler.

240

■ Par le train

« Qu'est-ce qu'un TGV ? C'est un avion qui roule. »
Jean-Cyril Spinetta (PDG d'Air France-KLM)

La SNCF (Société nationale des chemins de fer français) a été créée en 1938, placée sous la tutelle de l'État pour fusionner en un réseau unique les différentes lignes construites avant d'être nationalisée en 1945. Depuis 1982, la SNCF est un établissement public industriel et commercial (EPIC).

Le réseau de chemin de fer permet de voyager partout en France, en première ou en seconde classe, et rapidement entre les villes desservies par le *TGV* (train à grande vitesse). Le premier TGV a circulé entre Paris et Lyon le 22 septembre 1981. 25 ans, plus tard, la SNCF est fière d'annoncer qu'elle a transporté plus d'un milliard de voyageurs en TGV, soit un sixième de l'humanité, et effectué 15 000 millions de km, soit un parcours équivalent à 38 000 allers-retours entre la terre et la lune. Aujourd'hui, 650 TGV circulent par jour sur un réseau de 40 000 km et desservent 250 gares. 65 000 salariés font la navette quotidiennement entre maison et bureau en TGV.

À l'international : *Eurostar* et *Thalys*

TGV est une marque déposée de la SNCF et sa technologie a son développement européen par *Eurostar* et *Thalys*. Inauguré par la Reine Elizabeth et François Mitterrand le 6 mai 1994, Eurostar, *via* le tunnel sous la Manche, met Londres à 2 h 35 de Paris. Londres rejoint Bruxelles *via* Calais et Lille. Eurostar peut transporter 770 voyageurs répartis en 18 voitures. *Thalys* relie d'abord Paris à Bruxelles et se prolonge jusqu'à Amsterdam et Cologne. Le défi des rames *Thalys* est de s'adapter successivement aux caractéristiques techniques et électriques des pays traversés : France, Belgique, Pays-Bas et Allemagne.

Au quotidien, nombre de travailleurs prennent le train matin et soir entre leur domicile et leur entreprise. Qu'il s'agisse d'un train de banlieue, d'un TER (train express régional) ou d'un TGV, certains wagons ressemblent alors à un deuxième bureau avec dossiers et ordinateur portable pour rédiger un dernier mémo à moins qu'il ne s'agisse de regarder le dernier film pour passer le temps. Quelques rangs plus loin, on préfère se détendre dans une partie de tarot ou de belote.

Les trains sont le plus souvent ponctuels, ils partent et arrivent à l'heure prévue… à l'exception de quelques lignes, anciennes ou en cours de modernisation qui désespèrent les habitués.

241

Lors de voyages en famille, certains trains disposent de wagons offrant un coin nurserie pour la toilette et le biberon de bébé, une aire de jeux pour les plus grands. Les enfants de 4 à 14 ans peuvent, sur certaines lignes, voyager sous la responsabilité d'une hôtesse à qui ils sont confiés.

■ Billet et réservation

Selon les destinations, des fiches d'horaires gratuites sont toujours disponibles dans les gares et changent deux fois par an (horaires d'été et horaires d'hiver). Dans le train, vos bagages sont sous votre responsabilité.

Les bureaux d'information des gares, les agences de voyages portant l'affichette SNCF ou l'Internet vous donneront toutes les indications souhaitées et effectueront volontiers votre réservation. Les tarifs varient selon la date du voyage et l'horaire choisi, les meilleurs prix sont en période creuse, *période bleue*. Les billets TGV peuvent être échangés au guichet ou à *la borne d'échange minute'TGV* sinon remboursés avant le départ. De même, si vous ratez le train, vous pouvez faire reporter votre billet par un contrôleur qui constatera votre mésaventure.

Sur les trajets très fréquentés, notamment en fin de semaine ou les veilles de vacances scolaires, il est prudent d'acheter votre billet à l'avance et de réserver votre place. La SNCF diversifie ses services et propose des prestations complémentaires tels que la location de voiture à la gare d'arrivée, la réservation d'une chambre d'hôtel, l'enlèvement et la livraison des bagages.

■ Les réductions

Différentes formules permettent de bénéficier de prix réduits selon l'âge, la fréquence des voyages et la date d'achat du billet.
– tarifs découverte : jeunes (12-25 ans), senior, enfants, 2 personnes,
– billet de congé annuel pour les salariés ;
– carte fréquence (abonnement travail ou scolaire) ;
– carte famille nombreuse : la réduction est proportionnelle au nombre d'enfants de moins de 18 ans : 30 % pour trois enfants, 40 % pour quatre et peut aller jusqu'à 75 %, et s'applique sur le tarif seconde classe ;
– accompagnateur d'une personne handicapée disposant d'une carte d'invalidité.

■ À la gare

Des tableaux d'affichage *grandes lignes* – départ et arrivée – indiquent la destination des trains, les horaires et la voie de circulation. Muni d'une réservation, il ne vous reste plus qu'à repérer le numéro de la voiture et celui de votre place inscrit au-dessus des sièges. Les grandes gares ont des *points rencontre* pour y donner rendez-vous et des *points accueil* où des agents et des interprètes renseignent les voyageurs.

Des *contrôleurs* sont toujours présents sur le quai avant le départ du train pour répondre aux questions de dernière minute et orienter les voyageurs si besoin. Au cours du voyage, ils contrôlent la validité des titres de transport et sont à la disposition des passagers pour tout renseignement. Le *compostage* du billet est obligatoire avant l'accès au train et s'effectue en glissant le billet dans un appareil de couleur jaune installé dans la gare et sur les quais. Le défaut de validation du billet sera sanctionné par le contrôleur.

■ Par avion

« Avec l'avion, nous avons appris la ligne droite. »
Antoine de Saint Exupéry

Air France fondée en 1933 a été nationalisée en 1945 avant d'être privatisée en 2004 et de fusionner avec le groupe néerlandais KLM. Aujourd'hui, Air France-KLM, entreprise de droit commun, est devenu le premier groupe européen de transport de passagers en combinant leurs réseaux autour des plateformes d'Amsterdam et de Roissy pour assurer les vols quotidiens long-courriers couvrant les grandes villes du monde et les vols moyen-courriers aux destinations européennes.

Griffés Christian Lacroix, les élégants uniformes du personnel navigant de la compagnie portent un hippocampe ailé, l'emblème historique d'Air France, Les pilotes arborent avec grande fierté leur couvre-chef souligné d'or et une cravate toujours noire, souvenir du deuil de l'aviateur Jean Mermoz mort en 1936 au bord de son hydravion *Croix-du-Sud*.

Une surréservation qui empêche de partir peut être indemnisée et donner lieu à des prestations (hébergement, repas) avant d'être réacheminé sur un autre vol.

Par ailleurs les enfants entre 4 et 12 ans peuvent voyager seuls au départ de la France, sur les vols intérieurs et internationaux, à condition d'en avoir fait la demande au moment de la réservation du billet. L'enfant devra porter sur lui les documents nécessaires à son voyage : sortie de territoire si nécessaire, autorisation parentale, passeport ainsi que l'identité de la personne qui l'accueillera à l'arrivée.

Orly et Roissy-en-France sont les deux grands aéroports parisiens. Au départ d'Orly (14 km au sud) ou de Roissy (25 km au nord), différents services de bus desservent Paris : bus de compagnies d'aviation, d'hôtels ou de la RATP tel qu'*Orlybus* qui est à une demi-heure de Denfert-Rochereau et *Roissybus* qui est à une heure environ de l'Opéra sa destination. En outre, des trains rapides vous permettent de rejoindre aisément Paris : *Orlyval* et le RER ligne C desservent l'aéroport d'Orly. Le RER B dessert l'aéroport de Roissy à Paris. Des taxis stationnent toujours aux sorties des aéroports et des services spéciaux de bus relient également les aéroports entre eux.

■ Transports maritimes

De nombreux ferries transportent passagers et voitures vers la Corse, la Grande-Bretagne, l'Irlande… Les périodes de vacances scolaires sont particulièrement prisées à destination de la Corse. Il est alors indispensable de réserver à l'avance votre traversée.

■ Taxis

En ville, les taxis disposent de bornes d'attente ou de stations dans les rues très fréquentées. Ils sont toujours présents et en nombre devant les aéroports et les gares. Il ne faut donc pas se décourager lorsque la file d'attente semble longue. La voiture est libre lorsque son voyant *taxi* placé sur le toit est éclairé. Il est seulement possible de le héler s'il n'est pas à proximité d'une borne d'attente. Certaines sociétés de taxis proposent un système d'abonnement qui donne priorité aux clients qui réservent. Les taxis acceptent 3 passagers et un quatrième avec supplément.

Dès l'entrée dans le taxi, le compteur affiche un tarif forfaitaire, *la prise en charge*, auquel s'ajoutera le montant de la course. Le chiffre indiqué au compteur augmente environ tous les 200 mètres. Le prix résulte d'une combinaison entre tarif kilométrique (variable selon l'heure), le jour et la zone. Un minimum forfaitaire est pour une petite course. Une majoration est appliquée pour une prise en charge au départ des gares et des aéroports. Un chauffeur peut refuser une course qui le conduirait hors de sa zone d'activité sauf pour vous conduire à l'aéroport. En cas de litige, relevez le numéro d'immatriculation qui figure sur la fiche de paiement et contactez la préfecture.

Le chauffeur vous demandera de payer la somme figurant au compteur et vous remettra un reçu si vous le demandez ; il s'attend à recevoir un pourboire d'environ 5 à 10 % ou à garder la monnaie. De plus en plus de voitures sont équipées pour accepter le règlement par carte bleue.

■ Transports urbains

■ En région

Les villes importantes sont desservies par un réseau privé ou public de bus urbain et quelques grandes agglomérations ont leur métro (Marseille, Lyon, Lille…) ou leur tramway (Bordeaux, Metz…). Chaque ville a ses propres tarifs mais il est toujours plus économique d'acheter les tickets par carnet ou de choisir parmi les différentes formules d'abonnement celle qui convient le mieux à vos besoins.

Les villes qui ne sont pas reliées entre elles par le train disposent généralelement d'un service de cars qui partent et arrivent à la gare routière.

■ En Île-de-France

Métro, bus, RER (réseau express régional) et trains de banlieue desservent Paris et la région Île-de-France qui est divisée en 8 zones de transport. Le réseau des transports en commun de l'Île-de-France est géré par la RATP (Régie autonome des transports parisiens) et la SNCF.

Il existe plusieurs titres de déplacement :
– la *carte orange* (annuelle, mensuelle ou hebdomadaire) supplantée par la carte à puce électronique rechargeable *Navigo* permet d'utiliser tous les moyens de transports collectifs autant de fois qu'on le veut. Son coût est variable et dépend du nombre de zones de déplacement choisi ;
– la carte hebdomadaire permet un aller et un retour par jour du lundi au dimanche suivant ;
– les tickets de métro et de bus sont identiques et s'achètent par carnet de 10 ou à l'unité, mais c'est plus cher ;
– des formules forfaitaires combinant un ou plusieurs jours de transport sont également possibles. Elles intéressent particulièrement les touristes.

La carte *Imagine-R* est la formule la plus avantageuse pour les étudiants et les élèves franciliens de moins de 26 ans qui bougent beaucoup. Dans la semaine le nombre de voyage est illimité dans la zone de la carte tandis que le week-end et les vacances, *Imagine-R* devient un passepartout qui permet d'utiliser tous les transports d'Île-de-France.

Le réseau express régional (RER) traverse Paris d'est en ouest et du nord au sud en quelques stations. Plus rapide que le métro, il dessert un grand nombre de villes de banlieues. Il a 4 lignes principales : ligne A et B (RATP), C et D (SNCF). Les utilisateurs du RER ou des trains de banlieue doivent être attentifs aux signalisations et aux annonces. Vérifiez que vous êtes sur le bon quai et que vous montez dans le bon train avec le bon billet.

La tarification du bus, du RER et du train varie selon la longueur du trajet, en revanche vous pouvez acheter vos tickets dans toutes les stations ou gares (métro, RER ou SNCF). Certains bars-tabacs en Île-de-France et certaines gares de province vendent aussi des carnets de tickets de métro. Quel que soit le moyen de transport utilisé, compostez votre ticket et conservez-le jusqu'à la sortie : des contrôleurs peuvent vous le demander et vous infliger une amende s'il n'est pas validé.

■ Les coulisses du métro parisien

L'ingénieur Fulgence Bienvenüe a créé le chemin de fer métropolitain et la station Montparnasse Bienvenue lui rend hommage en portant son nom. La première ligne de métro, entre le Bois de Vincennes et la Porte Maillot a été inaugurée le 19 juillet 1900, à l'occasion des Jeux olympiques d'été qui se déroulaient au Bois de Vincennes.

Les noms de ses stations évoquent des événements ou des hommes qui ont marqué l'histoire de France et de Paris. Seule, la station *Louise Michel* (institutrice, militante de la commune et écrivain) honore le nom d'une femme. Demi-privilège, *Marie Curie* partage une station avec Pierre, son mari. La station *Argentine* est le seul nom de pays présent dans le métro.

Les bouches de métro les plus anciennes ont préservé leurs élégantes *ailes de libellules* dessinées par Hector Guimard, pape de l'Art nouveau au début du XXe siècle. Les stations Abbesses et Porte Dauphine, surmontées d'une marquise de verre, sont les plus distinguées. Le décor de nombreuses stations témoigne de l'histoire du quartier desservi. La station Louvre-Rivoli, par exemple, est à sa façon une introduction à la visite du musée du Louvre lui-même. Certaines lignes sont aériennes et permettent de voir *Paris, le ciel et les saisons.*

En tout, seize lignes de métro dont une ligne automatique *METEOR* (Métro Est Ouest Rapide), se partagent 297 stations sur 211 km dont 168 dans Paris. La RATP a compté 3 milliards de voyageurs en 2005.

À Paris, le métro est le moyen de transport le moins cher et le plus fiable pour arriver à l'heure à ses rendez-vous. Il fonctionne tous les jours de 5 h 30 à 1 h du matin, le passage des rames a lieu toutes les deux minutes aux heures de pointe. Aux heures d'affluence, la courtoisie se fait rare car chacun se hâte vers sa destination et la fatigue peut créer quelques tensions, mais rassurez-vous les voyageurs aimables existent mais restent discrets. Ils vous renseigneront si vous cherchez votre direction.

« Si vous voulez faire de la mise en scène, n'achetez pas d'auto. Prenez le métro, l'autobus, ou allez à pied. Observez de près les gens qui vous entourent. » Fritz Lang

Le métro brasse un public très disparate : des *actifs* aux heures de pointe, des groupes d'élèves en sortie scolaire, des provinciaux venus pour un salon, des touristes en goguette, des musiciens fauchés, des vendeurs de pacotilles et de fruits bon marché, des sans domicile fixe (SDF) qui s'y endorment ou y font la manche et attention, parfois quelques pickpockets.

Les services de la RATP et de la police assurent une surveillance régulière. Les Français et les Françaises prennent le métro tôt le matin ou tard le soir, notamment à la sortie des spectacles. Cependant, il faut toujours veiller à ses affaires, sacs ou bagages.

Depuis 1993, les murs du métro parlent et offrent une poétique balade sur les quais et dans les rames. Parmi les lauréats du 5e concours de poésie du printemps 2005 :

> « C'est comment le Sri Lanka ? C'est vert Et le Cameroun ?
> C'est comme l'Auvergne avec des girafes. » Robert Jainin

Petit guide du métro

« Si Madame de Sévigné avait pris le métro, elle aurait peut-être raté sa correspondance. » André Gaillard et Teddy Vrignault

Demandez un plan dans une station de métro ou achetez-le avec le guide de Paris pour vous orienter dans l'ensemble du réseau. Les différentes lignes représentées en couleur sur votre carte sont désignées par un numéro et le nom de la station de départ et d'arrivée (par exemple la ligne 1 : Château de Vincennes – La Défense vous conduit à la station Palais Royal-Musée du Louvre). Un plan de la ligne est affiché dans chaque wagon du métro. Sur le quai vous verrez que *sortie* est indiqué sur une pancarte bleue tandis que *correspondance* signalée sur une pancarte en blanc.

■ Le bus

Le bus est un mode de transport agréable et idéal si vous souhaitez faire une petite visite de Paris entre 7 h 30 et 21 h. Il est moins fréquent que le métro et soumis aux aléas de la circulation. Pour y accéder, il suffit de montrer sa *carte orange* valide au chauffeur ou de composter un ticket. Quelques bus de nuit assurent des trajets bien connus des noctambules.

■ Les gares parisiennes

Paris compte six gares. Reliées entre elles par le bus, le métro, chacune d'elles dessert une région particulière :
– Gare Montparnasse : région Ouest et Sud-Ouest, TGV Ouest et Atlantique, Brest, Granville ;
– Gare de l'Est : région Est, Metz, Nancy, Strasbourg... Munich... ;
– Gare du Nord : région Nord, Lille, *Eurostar*, *Thalys*... ;

– Gare Saint-Lazare : région Normandie Ouest, Rouen, Caen, Cherbourg… ;
– Gare de Lyon : Région Sud-Est, TGV Méditerranée et Sud-Est, Toulouse, Grenoble… Italie, Suisse… ;
– Gare d'Austerlitz : Centre, Limoges, Orléans, Tours, Pau, Perpignan…, Madrid, Lisbonne…

Toutes, à l'exception de la gare Montparnasse, sont classées à l'inventaire des monuments historiques pour différentes parties de leur architecture : hall et façade de la gare de l'Est, buffet de la gare de Lyon…

Pour en savoir plus

www.infotrafic.com

www.securiteroutiere.gouv.fr

www.bison-fute.equipement.gouv.fr

www.viamichelin.com

www.afub.org (Association française des usagers des banques)

E comme Enfant, Élève, Étudiant

« Il y a toujours dans notre enfance un moment
où la porte s'ouvre et laisse entrer l'avenir. »

Graham Greene

Photo de famille à la française

*« La famille, c'est l'école de la vie. C'est là que l'on peut apprendre
la tolérance, la solidarité, le respect des droits de l'autre. »*
Barbara Hendricks

La famille française reste une institution qui, au fil des générations,
a considérablement changé. L'évolution des mentalités a quelque peu
brisé les tabous sociaux et les interdits religieux. Depuis les années
quatre-vingt, la vie de couple hors mariage s'est banalisée et les liens de
parenté se sont diversifiés au gré de « familles mosaïques » composées
d'enfants issus de différentes unions.

La famille élargie reste une valeur refuge pour les enfants, et la maison
est le nid que les plus grands ne sont pas pressés de quitter sauf s'ils y
sont obligés pour faire des études. L'esprit de famille se traduit aussi par
des solidarités de tous ordres (aides financières, coup de main…).

Signe des temps, le mariage suit ce nouvel ordre familial, mais reste la
norme avant ou après la naissance des enfants. Le mariage est d'abord
civil depuis 1792, et suivi ou non, selon les convictions, d'un mariage
religieux. Il doit être librement consenti et l'âge minimum légal pour se
marier est pour les filles, comme pour les garçons, de 18 ans, âge de
la majorité. Un livret de famille est remis au couple. Les mariages sont
plus nombreux en juin et se déroulent le plus souvent le samedi.

En plus des péripéties habituelles des couples, la mobilité professionnelle
et géographique crée des turbulences familiales et multiplie les sépa-
rations. La loi du 26 mai 2004 simplifie le divorce par consentement
mutuel et par rupture de la vie commune.

Un couple, homme et femme, peut officialiser sa vie commune par un
certificat de vie maritale ou de concubinage demandé à la mairie de
son lieu de résidence. Il est reconnu par certains organismes (transports,
mutuelles…). Depuis 1999, deux personnes majeures non mariées,
sans lien de parenté, peuvent rendre publique leur vie commune, quels
que soient leurs sexes, en déclarant un *Pacte Civil de Solidarité (Pacs)*
auprès du tribunal de grande Instance dont relève le domicile. Le *Pacs*
est un contrat qui n'a de valeur juridique que sur le territoire français
même si dorénavant chaque personne pacsée est inscrite d'office en
marge de l'acte de naissance de son partenaire.

La notion de « ménage » est une référence statistique qui nomme sous
ce terme deux personnes ou plus vivant sous le même toit.

Autorité parentale

Les hommes et les femmes ont les mêmes droits et les mêmes devoirs sur le territoire français. Dans une famille, le père et la mère partagent équitablement l'autorité parentale, qu'ils soient mariés ou non ; ils sont solidaires des décisions qu'ils prennent ensemble. En 2004, le nom patronymique (celui du père) a cédé la place au nom de famille qui peut être celui de l'un ou l'autre des parents sinon les deux noms accolés. Les parents ont le choix du prénom de leur enfant sous réserve qu'il ne lui porte pas préjudice.

Les jeunes enfants connaissent presque toujours leurs grands-parents et, de plus en plus, leurs arrière-grands-parents. En 2000, une enquête avait recensé près de 2 000 familles comptant cinq générations. Les *seniors*, mot d'origine latine qui signifie « plus âgé », gardent leur indépendance tant que leur santé le permet. Ils jouent un rôle social, voire économique, de plus en plus influent au sein d'associations caritatives ou culturelles.

Le bonheur ? C'est, pour les Français interrogés, un état d'esprit qui se définit par les mots : santé, amour, famille, travail, liberté, enfants, richesse (selon l'ordre d'importance).

ABC des enfants

La naissance d'un enfant doit être inscrite dans les trois jours qui suivent sur les registres d'état civil du lieu de naissance. La déclaration se fait sur présentation d'un certificat médical de naissance, directement à la mairie ou auprès de son représentant qui passe à la maternité.

À partir de 3 enfants, la famille est dite « *nombreuse* ». Ce statut donne quelques avantages financiers : majoration des allocations familiales, réductions dans les transports ou les musées.

Depuis le 1er septembre 1998, tout enfant né en France de parents étrangers acquiert automatiquement la nationalité française à 18 ans s'il réside en France à cette date et s'il y a été domicilié pendant une période d'au moins 5 ans depuis l'âge de 11 ans. Il peut demander l'octroi de la nationalité française par anticipation dès l'âge de 16 ans ou refuser de devenir Français.

■ Comment faire garder votre enfant?

L'économie d'après-guerre avait un grand besoin de main-d'œuvre et l'entreprise paternaliste a encouragé le travail des femmes en créant les premières crèches collectives. À l'évidence, exercer une activité professionnelle assure une certaine autonomie personnelle et matérielle. Nombre de Françaises y tiennent et, ainsi, des mères ayant un ou deux enfants travaillent à temps plein ou à temps partiel.

Les villes ont multiplié et diversifié les modes de garde collectifs ou individuels (crèche, assistante maternelle, garde à domicile…), même s'ils sont toujours insuffisants pour répondre aux besoins des jeunes parents. De leur côté, des entreprises ont créé leur crèche, seules ou en partenariat, pour faciliter la vie professionnelle et personnelle de leurs collaborateurs. D'autres participent au financement de la garde d'enfant pour limiter l'absentéisme, notamment lorsque les enfants sont malades.

253

Une crèche parisienne.

• La **crèche collective** est le plus souvent municipale. Elle accueille des enfants âgés de 3 mois à 3 ans placés sous la responsabilité d'une puéricultrice et d'une équipe éducative. Les parents paient un forfait mensuel calculé en fonction de leurs revenus. Une crèche privée doit être agréée avant toute ouverture.

• Les **assistantes maternelles** agréées par la Direction départementale des Affaires sociales (DDASS) accueillent à leur domicile pendant la journée de un à trois enfants. Les parents sont l'employeur et paient un salaire, sur la base minimum du SMIC. Des assistantes maternelles peuvent être constituées en **crèche familiale** sous l'autorité d'une municipalité qui les salarie.

• La **garde partagée** entre deux familles voisines est un nouveau dispositif. Dans cette formule, la *nounou* a deux employeurs et donc deux contrats de travail. Elle garde 2 ou 3 enfants ensemble en alternant les domiciles selon l'organisation des parents.

• La **halte-garderie** est un lieu de socialisation pour les petits. C'est aussi un espace de rencontre pour les mères qui apprécient de confier en toute sécurité leurs enfants, quelques heures par semaine. Dans ce même esprit, le **jardin d'enfants** reçoit des enfants de 2 à 3 ans, avant l'entrée à l'école maternelle.

• **Jeune au pair** : Des programmes d'échanges entre pays permettent à de jeunes étrangers de 18 à 30 ans (la demande est plutôt féminine), inscrits à un cours de français, d'être accueillis « au pair » dans une famille en France pour une durée de 3 à 12 mois. Le « stagiaire-aide familial » étranger reçoit une somme forfaitaire d'argent de poche contre 5 heures de travail par jour ou 30 heures par semaine, baby-sitting inclus. Bien sûr, il est nourri, logé, blanchi, et la famille paie des cotisations sociales qui lui ouvre droit à la Sécurité sociale. L'« accord de placement » doit être préalablement donné par la Direction départementale du Travail et de la Formation professionnelle (DDTEFP).

• **Baby-sitter** : veiller sur un ou plusieurs enfants en l'absence des parents (le soir après l'école, le mercredi, pendant les vacances, lors des sorties du soir, etc.) est une mission de confiance et de responsabilité. Le baby-sitter est chargé de préparer le repas, de donner le bain, d'assurer la surveillance des enfants selon les consignes transmises par la famille. Il doit toujours avoir les numéros de téléphone indispensables en cas d'urgence : secours, numéro des parents… Les agences de baby-sitting et les associations d'étudiants ou de parents effectuent une sélection des candidats qui se veut rigoureuse.

■ Comment payer un service à domicile ?

Les parents qui travaillent peuvent payer les frais de garde d'enfants, ou toute autre prestation de service à domicile, par des chèques emploi service universels (CESU). Composé de 20 chèques et de 20 volets sociaux, le chéquier emploi services universels est distribué par les banques. Il suffit de remettre son chèque au salarié et d'adresser chaque mois à l'URSSAF le volet social par courrier ou par Internet pour que toutes les formalités administratives soient effectuées et le paiement des sommes dues sera effectué par prélèvement sur votre compte bancaire. Une nouvelle formule permet à l'employeur de cofinancer le CESU. Attribué par les entreprises, il fonctionne comme un ticket restaurant et est assorti d'avantages fiscaux.

Un repas à la française

Les modes de vie diffèrent d'une famille à l'autre, d'une génération à l'autre mais les repas restent une constante, trois fois par jour et à horaires fixes. À chacun sa place et son rond de serviette. La plupart des parents bannissent le grignotage et préparent un repas même rapide. Manger ensemble permet d'équilibrer le repas, de discuter de la journée passée et à venir tout en instaurant quelques règles, identiques à celles de la cantine :
– rester à table jusqu'à la fin du repas ;
– poser les mains plutôt que les coudes de chaque côté de l'assiette ;
– se servir raisonnablement et équitablement selon le nombre de convives ;
– utiliser le couteau et la fourchette avec dextérité (quelle épreuve pour les gauchers !) ; le morceau de pain est posé sur la table, près de l'assiette en attendant d'être grignoté par bouchées ou de pousser les petits pois récalcitrants. Ouf, c'est fini et les couverts se posent dans l'assiette en attendant le dessert.

À l'école

« L'école ne peut avoir que deux fins. L'une est de donner à l'enfant les connaissances générales dont il aura certainement à se servir, ce qui est l'instruction. L'autre est de préparer dans l'enfant l'homme futur, ce qui est l'éducation. » Gaston Berger

L'instruction des enfants est obligatoire de 6 à 16 ans. Les principes qui régissent l'enseignement public en France sont la laïcité et la gratuité. La loi du 15 mars 2004 rappelle que les écoles, les collèges et les lycées publics sont des espaces laïcs où est interdit le port de signes ou de tenues caractérisant une appartenance religieuse. La mixité facilite les rapports fille-garçon dès le plus jeune âge mais les codes sociaux influencent peu à peu des comportements de filles et de garçons. Des études montrent qu'en moyenne les filles réussissent mieux leur scolarité que les garçons. Elles représentent 55 % de la population étudiante du 1er et 2e cycle.

Les établissements d'enseignement, publics ou privés s'ils sont sous contrat avec l'État, ont à respecter la réglementation fixée par le ministère de l'Éducation nationale qui définit et contrôle les programmes scolaires. Les écoles privées sont pour la plupart d'obédience religieuse, le plus souvent catholique.

Le ministère de l'Éducation nationale est représenté par un recteur dans chacune des académies de la métropole. Le rectorat gère les établissements d'enseignement supérieur de son académie. Chaque département a une inspection académique qui coordonne l'enseignement primaire et secondaire en relation avec les chefs d'établissements.

Quelques écoles privées, notamment en province, disposent d'un internat pour accueillir des enfants dont les familles sont éloignées. Encore faut-il être prêt à supporter la séparation, en plus du coût – parfois élevé – de ces établissements.

Les enfants non francophones seront admis, entre l'âge de 7 ans et l'âge de 15 ans, en « classe de français spécial » afin de suivre pendant une année un enseignement intensif de la langue française leur permettant d'intégrer ensuite le cursus scolaire normal.

■ Le calendrier scolaire

L'année scolaire se répartit sur 3 trimestres. Elle comporte 36 semaines d'école (soit 162 jours de classe) et 16 semaines de vacances. Le rythme scolaire est de 7 semaines d'école environ suivies de 2 semaines de vacances :
– 1er trimestre (de septembre à décembre) – vacances de Toussaint et de Noël ;
– 2e trimestre (de janvier à mars) – vacances d'hiver et de printemps ;
– 3e trimestre (d'avril à début juillet) – vacances d'été.

La rentrée des classes a lieu fin août ou début septembre. La date est laissée à l'appréciation du directeur d'établissement en accord avec le recteur d'académie.

De plus en plus de parents sont favorables à une semaine scolaire de 4 jours : lundi, mardi, jeudi et vendredi. Certaines écoles ont pour l'instant encore classe le samedi matin. Le mercredi est souvent un jour de repos consacré aux activités de loisirs, sportives ou culturelles.

A, B, C : les vacances scolaires

La France est partagée en trois zones géographiques qui permettent l'étalement des vacances d'hiver et de printemps.

Académies et zones géographiques des vacances scolaires

Zone A
Caen, Clermont-Ferrand, Grenoble, Lyon, Montpellier, Nancy-Metz, Nantes, Rennes, Toulouse
Zone B
Aix-Marseille, Amiens, Besançon, Dijon, Lille, Limoges, Nice, Orléans-Tours, Poitiers, Reims, Rouen, Strasbourg
Zone C
Bordeaux, Créteil, Paris, Versailles

■ Inscription à l'école publique

Un dossier d'inscription à l'école primaire doit être remis au bureau des écoles de la mairie de votre domicile qui vous remet un certificat d'inscription vous permettant, en outre, de rencontrer le directeur avant la rentrée. Pour les établissements d'enseignement secondaire, c'est le service de la scolarité du rectorat qui enregistre les inscriptions des élèves. La commune a la charge des bâtiments de l'école primaire, le département (conseil général) a la responsabilité de l'entretien des collèges et la région (conseil régional) celle des lycées.

À l'école publique, la scolarité est gratuite, les livres sont prêtés aux enfants tandis que les fournitures et matériels particuliers sont à la charge des familles, de même que certaines activités pédagogiques (sorties scolaires...). Une visite médicale annuelle, faite à l'école dès l'âge de 6 ans, contrôle les vaccins, l'audition, la vue.

Cursus scolaire

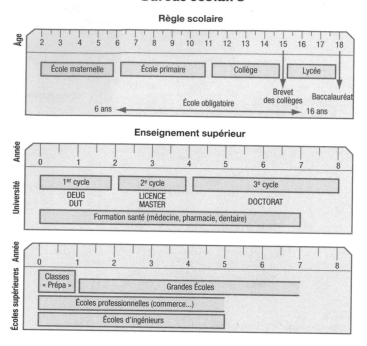

258 Il convient d'excuser toute absence d'un enfant à l'école. Dès l'obligation scolaire à 6 ans, les familles doivent se conformer au règlement de l'école et justifier, par un certificat médical, une absence qui se prolonge au-delà de deux jours.

Carte scolaire et sectorisation

Chaque année le ministère de l'Éducation nationale doit répartir le plus équitablement possible les enseignants et les élèves sur l'ensemble du territoire, selon les prévisions démographiques. Lorsque la « carte scolaire » est définie au plan national, les académies à leur tour ont la lourde tâche d'équilibrer les classes prévues selon le nombre d'élèves et leur domicile familial, c'est la « sectorisation ». Les mécontents du système cherchent à y déroger.

Assurances scolaires

Une assurance scolaire et extrascolaire est recommandée en complément de la garantie responsabilité civile. Elle couvre tous les risques 24h/24, pendant toute l'année, quel que soit l'endroit où se trouve l'enfant (école, sorties scolaires, voyages, vacances).

Le directeur de l'école demande aux parents, ou au représentant de l'autorité parentale, de signer une autorisation de soins permettant de faire face à une éventuelle urgence médicale. De même, un accord écrit est exigé lors de sorties scolaires.

Associations de parents d'élèves

Des parents d'élèves, généralement constitués en association, sont élus chaque année au conseil d'école (pour les écoles primaires) ou au conseil d'administration (pour les collèges et lycées). Ces associations, de références politiques différentes, interviennent sur toutes les questions d'organisation de la vie scolaire : projet et fonctionnement de l'établissement, qualité d'accueil des enfants, cantine et ramassage scolaire s'il y a lieu. Elles se chargent aussi d'informer les autres parents et proposent elles-mêmes des services, telles que les assurances scolaires.

La première rentrée des classes

Le premier jour d'école est toujours un événement, et plus on est petit moins on a de mots pour exprimer ses émotions. L'enfant sera moins inquiet s'il a pu situer son école et visiter sa classe à l'avance.

En maternelle, les enfants peuvent être accueillis à temps partiel afin de s'adapter progressivement à un nouveau rythme de vie. Les parents qui l'accompagnent sont autorisés à entrer dans la classe. Le *doudou*, compagnon préféré des petits, est le bienvenu à l'école aussi.

En fin de journée, les enseignants sont présents pour échanger quelques mots. Si vous souhaitez un entretien plus long, demandez un rendez-vous. Une réunion parents et enseignants a lieu dans les semaines qui suivent la rentrée scolaire afin de présenter les projets de la classe aux familles.

Une journée d'école

L'horaire scolaire se situe généralement entre 8h30 et 16h30 avec des récréations de 15 minutes et une coupure de 1h30 environ pour le déjeuner. Matin et soir, les petits doivent être accompagnés par l'un des parents ou une personne autorisée. Ils peuvent être inscrits à la cantine pour le repas de midi et aller à la *garderie*, avant et après l'horaire de classe, en attendant le retour de leurs parents qui travaillent. Les repas de la cantine sont préparés à la cuisine de l'école ou livrés par un service de restauration collective. Les menus de la semaine sont affichés pour l'information des parents.

Il n'y a pas d'uniforme pour aller à l'école publique, et pourtant, les élèves portent souvent les mêmes vêtements, de même marque. C'est l'effet de mode le temps d'une saison.

École maternelle (Paris).

260 L'école primaire

L'école maternelle et l'école élémentaire forment ensemble l'école primaire qui est organisée en trois cycles pédagogiques. Quelle que soit la discipline : mathématiques, sciences, histoire, géographie, art... :
– les « apprentissages premiers » se font à **l'école maternelle** (de 3 à 5 ans), petite et moyenne section ;
– les « apprentissages fondamentaux » se font la dernière année de maternelle et les deux premières années de **l'école élémentaire** (de 5 à 8 ans), grande section, CP, CE1 ;
– le cycle « approfondissements » se déroule pendant les trois années avant le collège (de 8 à 11 ans), CE2, CM1, CM2.

Une sensibilisation aux langues étrangères se généralise peu à peu auprès des élèves de CM1 et en CM2.

L'école maternelle

La plupart des enfants de 3 à 5 ans vont avec plaisir à l'école maternelle qui s'adresse plus à l'enfant qu'à l'élève. Les jeunes écoliers ont ainsi le temps de se familiariser avec le paysage scolaire : une classe, un enseignant…

L'école maternelle est un riche terrain d'aventures et de découvertes hors de la maison. Lieu de garde il y a un siècle, elle s'est appuyée sur l'expérience et les apports de la psychologie pour mettre en œuvre des méthodes originales d'apprentissage qui privilégient l'éveil par le jeu. Certaines écoles accueillent les enfants dès l'âge de 2 ans à condition qu'ils soient propres.

■ Les personnes clés de l'école

– Le directeur ou la directrice d'école coordonne le travail de l'équipe pédagogique.

– Le professeur des écoles est l'enseignant (e) de la classe (le maître ou la maîtresse).

– Les assistants d'éducation (soutien scolaire, initiation à l'informatique…)

– Le personnel de service et de cantine.

– Les services de santé scolaire et d'aide psychopédagogique veillent à détecter d'éventuelles difficultés personnelles ou familiales : médecin, assistante sociale, infirmière…

■ Dossier scolaire

L'histoire scolaire d'un enfant est consignée dans un livret où sont reportés chaque année ses résultats et les appréciations des enseignants, durant toute sa scolarité.

Un contrôle des connaissances dans chaque discipline permet d'évaluer les acquisitions de l'élève (notes de 0 à 10 ou 0 à 20 ou de A à E : A étant le meilleur résultat) et de donner une appréciation générale des aptitudes de l'enfant.

■ Devoirs du soir

Les *devoirs* à la maison ne sont pas prévus dans les classes élémentaires. Toutefois les enseignants donnent volontiers une leçon ou un exercice à faire ou à revoir à la maison en complément du travail effectué en classe. Au collège et au lycée, le travail personnel est exigé par les professeurs et fait l'objet de contrôles : exposés, dossiers thématiques, etc.

Les élèves disposent d'un agenda ou d'un *cahier de texte*, ce carnet de bord permet d'inscrire à la bonne date l'emploi du temps et les devoirs à préparer.

À la demande des parents, un étudiant ou un professeur peut donner des *cours particuliers* pour aider un élève ou pour rattraper le niveau requis. Les coûts varient selon l'expérience du maître.

▪ Devoirs de vacances

Certains parents, soucieux de la réussite scolaire de leurs enfants, planifient des devoirs pendant les vacances. L'offre de cahiers de vacances est attractive, ludique et de plus en plus étoffée. Toutefois, les situations de la vie quotidienne peuvent aussi servir d'exercices : faire les courses et rendre la monnaie, lire et réaliser une recette de cuisine, ou bien encore écrire des cartes postales valent bien une dictée.

▪ Classes de découverte

Dans le cadre des projets de l'école, il peut être proposé aux familles des *classes de découverte* : classe de neige ou de mer, classe verte ou de nature, classe culturelle ou de patrimoine selon la saison. Il s'agit d'un temps scolaire encadré par des enseignants et des animateurs.

L'enseignement et les activités de découverte s'organisent selon la durée du séjour (de 1 à 3 semaines) et l'environnement. Cette occasion d'apprendre, en dehors de la classe, séduit le plus souvent les enfants qui vivent, pour certains, leur première expérience de vie collective.

L'école du bon goût

En octobre, la *semaine du goût* est une excellente initiative qui veut familiariser les enfants aux différentes saveurs. Des chefs cuisiniers n'hésitent pas à venir cuisiner à l'école pour transmettre l'envie de bien manger et peut-être aussi de mieux cuisiner. De la terre à la table... découvrir les produits, les choisir, les goûter, opter pour un fruit plutôt qu'un soda, l'idée de nutrition fait son chemin. Les distributeurs automatiques de sucreries viennent ainsi d'être exclus des écoles.

■ Temps des loisirs

À l'école élémentaire, il n'y a pas de classe le mercredi, ce qui laisse aux enfants le temps de pratiquer des activités de détente. Les clubs de loisirs proposent de multiples animations : musique, théâtre, informatique, langues étrangères, cuisine, danse, sport…

Anniversaires et fêtes, les prétextes ne manquent pas pour inviter les copains et copines à goûter, à jouer et même à dormir à la maison. Il reste aux parents à se rencontrer par l'intermédiaire de leurs enfants.

L'enseignement secondaire

■ Au collège

L'entrée au collège, en classe de 6e, entraîne un changement d'univers et de rythme pour l'élève. Il perd le statut de « grand » acquis au CM2 et redevient un petit, un peu anxieux. Le nouveau collégien doit apprendre à gérer un emploi du temps, découpé en cours dispensés par différents professeurs. Après une initiation aux langues à l'école primaire, le temps est venu de préciser son choix d'une première langue étrangère. Une seconde langue sera proposée en classe de 4e.

En fin de trimestre, les équipes pédagogiques se réunissent en conseil de classe pour évaluer la situation de chaque élève. Le passage dans la classe supérieure est évidemment fonction des résultats et de l'appréciation des professeurs. Les quatre années de scolarité au collège sont sanctionnées par un examen national : *le brevet des collèges*.

■ Des sections européennes

263

La création de sections européennes dans un certain nombre de collèges a pour but d'étayer l'idée de l'Europe par un enseignement renforcé d'une langue d'un pays voisin. Ainsi son apprentissage intensif permettra qu'une autre discipline, telle que l'histoire ou la géographie, soit enseignée dans la langue étrangère choisie.

■ Au lycée

À l'issue de la classe de 3e, le futur lycéen doit décider avec ses parents et ses professeurs de l'orientation de ses études. Seconde, première, terminale sont les étapes qui conduisent au baccalauréat d'enseignement général, le *bac*, dont les options sont multiples : littéraires, linguistiques ou scientifiques. D'autres sections préparent à une formation technologique, artistique ou professionnelle. Ce diplôme ouvre le chemin des études supérieures.

L'épreuve du *bac de français* a lieu en fin de classe de première, tandis que les examens des autres disciplines du bac se déroulent en classe de terminale, à la fin du troisième trimestre. Les diplômes sont un constant sujet de discussion et, dès le printemps, les magazines dispensent des conseils, proposent des menus stimulants et les pharmaciens vendent des vitamines !

Sortie du lycée Ampère de Lyon (Rhône, région Rhône-Alpes).

Un même manuel d'histoire

Premier du genre dans le monde de l'éducation, *l'Europe et le monde depuis 1945* est destiné aux lycéens en classe terminale de France et d'Allemagne.

Une équipe franco-allemande d'historiens croise, dans cet ouvrage publié en français et en allemand, leurs visions et leurs différences sur l'Histoire de deux pays longtemps ennemis.

Cette belle idée est née en 2003, au Parlement européen des jeunes.

■ Bulletin trimestriel

Un relevé de notes est adressé par courrier aux parents à la fin des trois trimestres scolaires. Il indique, pour chaque discipline, une note moyenne et les appréciations des professeurs ou du chef d'établissement. Parallèlement, un « carnet de correspondance » consigne régulièrement les notes des travaux et exercices de l'année et doit être régulièrement visé par les parents.

■ Les personnes clés
des collèges et lycées

– Le professeur principal est responsable de classe, il encadre les élèves et coordonne les relations avec les autres professeurs qui se partagent une dizaine de disciplines.

– Le conseiller principal d'éducation est chargé de l'application du règlement de l'école, notamment en matière de discipline ; il coordonne les surveillants que les élèves appellent familièrement les « pions ».

– Le documentaliste anime le CDI (centre de documentation et d'information) du collège ou du lycée ; il conseille et oriente les élèves dans leurs lectures (livres, journaux…) et leurs travaux.

– Le directeur d'un collège se nomme « principal » tandis que son titre est « proviseur » dans le cadre d'un lycée.

L'ABC du BAC

Comme la Tour Eiffel, le bac est un monument national. Chaque mois de juin, le stress va crescendo chez les candidats qui bachotent et leurs parents qui se tourmentent. Plus qu'un diplôme, le baccalauréat est une épreuve commune qui a un cérémonial et une reconnaissance sociale. De fait, il marque la fin de l'adolescence et la transition vers le monde adulte. Il est commun de dire que le bac ne donne rien mais que, sans lui, rien n'est possible. Passage obligé donc, c'est l'indispensable sésame pour poursuivre des études.

Le baccalauréat a été créé en 1808 par Napoléon en même temps que les lycées. Un an plus tard, la première édition couronnera 31 lauréats mais il faudra attendre 1861 pour qu'il y ait une bachelière. Née à Bains-les-Bains dans les Vosges et benjamine d'une famille de 8 enfants, Julie-Victoire Daubié sera la première femme à décrocher le baccalauréat en France. Tout en étant ouvrière – et très jeune – dans une manufacture, elle veut devenir institutrice. Après plusieurs refus de principe parce qu'elle est une femme, elle remporte une victoire sur la gent masculine au seul motif que la loi ne l'interdit pas. Elle aura son baccalauréat à 37 ans et meurt à 50 ans. Julie-Victoire Daubié est la fierté de Fontenoy-le-Château, sa ville d'adoption. En outre, il faudra attendre 1924 pour que les programmes d'enseignement soient identiques pour les garçons et les filles, et donc que le baccalauréat soit équitablement accessible à tous. En 2004, près de 80 % des candidats présentés ont été bacheliers avec 81,8 % de réussite chez les filles et 77,4 chez les garçons.

265

– Le service médico-social (assistante sociale et infirmière) est à la disposition des élèves pour dialoguer et intervenir lors de difficultés personnelles ou familiales signalées par les enseignants.

– Le gestionnaire est responsable des questions financières et techniques de l'établissement

■ Le CNED

Le Centre national d'enseignement à distance est un établissement public du ministère de l'Éducation nationale installé sur le site du Futuroscope, à Poitiers. De l'école élémentaire aux études supérieures, les cours sont dispensés en ligne, grâce aux technologies de l'information et de la communication ou selon les modes plus classiques de la copie papier, du CD ou de la cassette. Le CNED compte près de 350 000 inscrits issus de tous univers : expatriés, salariés, handicapés, sportifs de haut niveau.

L'enseignement international

■ Des établissements publics à sections internationales

Certains établissements scolaires publics comportent des sections internationales (école élémentaire, collège et lycée) pour accueillir des élèves bilingues, étrangers ou français ayant vécu à l'étranger. La scolarité en sections internationales est, la plupart du temps, payante sauf accord particulier entre la France et quelques pays. Le programme scolaire national est dispensé en français et certains cours : histoire, géographie... sont donnés dans les différentes langues maternelles des élèves, par des professeurs étrangers.

Lors de l'inscription d'un enfant étranger, il est demandé aux familles, en plus du dossier habituel, de joindre tout document permettant d'apprécier son niveau en langue française (bulletins scolaires, rédactions...), un test viendra compléter ces informations. Des cours de mise à niveau peuvent être proposés aux élèves étrangers qui ne maîtrisent pas suffisamment la langue française.

Les sections internationales préparent aux différents examens français, notamment au baccalauréat à option internationale, qui comporte des épreuves en français et en langue étrangère, mais aussi à différents diplômes étrangers selon les pays.

« I » comme international

« Au Lycée international, cela fait une grande salade de nationalités, parfois trop assaisonnée. On se sent "enfermé" dans un univers sans frontières et on a du mal à s'identifier à ses propres origines. »
Clément

C'est pourquoi le centre de documentation pédagogique du lycée international de Saint-Germain-en-Laye est un espace de rencontre interculturel peuplé d'enseignants, de documentalistes et de parents… chacun dans sa langue et sa compétence écoute, conseille, oriente l'un ou l'autre des 2 000 élèves. La géographie de la planète (voyages, sport, arts ou science) a son kiosque international et son lieu d'exposition. Livres, ordinateurs… sont toujours prêts à l'emploi ; on lit, on zappe, on tape… le plus sérieusement du monde.

■ Un baccalauréat international

Ce diplôme, également appelé *bac de Genève*, a été créé par une fondation privée suisse. Il figure au programme d'un certain nombre d'écoles dans le monde. En France, le *bac international* a valeur de diplôme étranger. Les établissements d'enseignement supérieur fixent leurs propres critères d'admission et sont seuls compétents pour valider un diplôme étranger.

Pour obtenir une reconnaissance académique, il est indispensable que l'étudiant ait constitué un dossier complet et détaillé de sa scolarité (résultats et tous documents officiels concernant les écoles fréquentées et leurs programmes d'enseignement) et des diplômes obtenus.

267

■ Les écoles étrangères

Ces établissements privés dispensent les programmes scolaires officiels de leurs pays et préparent aux diplômes correspondants. Ils ne relèvent donc pas du ministère de l'Éducation nationale français. On y enseigne bien sûr la langue et la culture françaises. Certaines sont nommées « écoles bilingues ».

L'enseignement supérieur

Études courtes ou cursus long ? Filière générale ou professionnelle ? À chacun son orientation. L'enseignement supérieur offre un large éventail de formations et une grande diversité d'établissements publics et privés : universités, grandes écoles… Les études médicales, juridiques, littéraires, linguistiques sont universitaires. Certaines filières d'études ont des procédures d'admission spécifique. Le coût d'inscription à l'université est forfaitaire et les études sont gratuites tandis que dans les écoles privées, elles, sont payantes.

De 20 à 28 ans, l'affiliation à la Sécurité sociale étudiante est obligatoire dès l'entrée en enseignement supérieur, sauf cas particulier (ayant droit d'un conjoint non étudiant, assuré comme salarié…). L'établissement, agréé par la Sécurité sociale, perçoit la cotisation au régime étudiant et la reverse à l'URSSAF. Une *carte vitale* est alors délivrée à l'étudiant par la CPAM dont relève son domicile. Il peut souscrire librement une mutuelle pour bénéficier de remboursements complémentaires.

■ Les universités

La France compte 89 universités dont 13 en Île-de-France. La plus ancienne est l'Université de Paris fondée en 1150, sous le nom de Sorbonne (du nom de Roger de Sorbon) à partir de 1253. L'École de médecine de Montpellier a été créée en 1220.

Les universités admettent les étudiants détenteurs du baccalauréat français ou d'un diplôme validé par la commission d'admission de l'université. Les études universitaires s'organisent autour de trois diplômes : licence, master, doctorat (LMD) selon une harmonisation européenne des cursus d'études supérieures reconnue par la plupart des pays européens.

Une année universitaire compte deux semestres et chaque niveau a un nombre de semestres à valider qui donne un *crédit* de points capitalisables et transférables d'un pays à un autre (*ECTS : European credit transfer system*). Par exemple, une licence nécessite 6 semestres réussis et 6 ECTS par semestre, soit en tout 180 ECTS. Un master (option recherche ou option professionnel) nécessite 120 ECTS supplémentaires pour obtenir le diplôme ; le doctorat recherche doit cumuler 480 ECTS et la soutenance d'une thèse. Le transfert de crédits dans une même filière résout la question d'équivalence des diplômes ou la délivrance conjointe de diplômes de plusieurs pays, tout en encourageant la mobilité des étudiants en Europe.

■ Les grandes écoles

Depuis le XVIIIᵉ siècle, les *grandes écoles* préparent les cadres scientifiques, administratifs et commerciaux à exercer des fonctions dans le monde économique soit pour le compte de l'État, soit dans le cadre d'entreprises privées. Elles se défendent de former des profils standardisés et élitistes.

Ces écoles publiques ou privées dispensent un enseignement hautement qualifié. La plupart se sont internationalisées en multipliant les partenariats avec des écoles homologues étrangères. Chacune, selon sa spécialité, a ses modalités de sélection qui s'apparente à une réelle compétition : présentation d'un bon dossier scolaire, baccalauréat avec mention et concours d'entrée. Réputés difficiles, ces concours se préparent en un an ou deux en *classe préparatoire aux grandes écoles*. L'entrée en *prépa* se fait aussi sur sélection.

Les plus célèbres grandes écoles

Ingénieurs :
– Polytechnique (L'« X » n'est pas seulement une lettre de l'alphabet, c'est le nom familier de l'École polytechnique) ;
– Les Mines ;
– Les Ponts (l'École des Ponts et Chaussées) ;
– Centrale (l'École centrale).

Administration :
– L'ENA (École nationale d'administration).

Gestion et commerce :
– HEC (École des hautes études commerciales) ;
– ESSEC (École supérieure des sciences économiques et commerciales) ;
– Sup de Co (École supérieure de commerce).

Autres expertises :
– Sciences Po et les IEP : Institut d'études politiques ;
– Normale Sup (École normale supérieure : lettres et sciences) ;
– École nationale d'agronomie ;
– École nationale supérieure des Beaux-Arts.

Les formules de formation en alternance, autrement dit l'apprentissage, se développent dans les grandes écoles et ne se limitent plus aux filières techniques et manuelles. C'est, en outre, une façon de financer ses études.

Certaines écoles privées, notamment de commerce, sont agréées par l'Éducation nationale et leur diplôme est visé par le ministère (les diplômes d'État sont réservés aux établissements publics). Attention, d'autres ont un simple agrément ministériel et ne remettent qu'un diplôme d'école. Il convient de comparer le rapport qualité de l'enseignement, notoriété de l'école et le coût de la scolarité.

■ Initiative de l'ESSEC

En 2002, l'ESSEC a imaginé un programme de tutorat destiné à des lycéens de quartiers défavorisés du Val-d'Oise. Dès la classe de seconde, à raison de 3 heures par semaine, lycéens et tuteurs se rencontrent pour discuter de sujets d'actualité, pour aller au théâtre et faire la critique de la pièce, visiter une exposition et en parler… autant d'initiatives personnelles et culturelles qui peu à peu donnent les clés et les codes auxquels n'a pas accès le lycéen dans son environnement familial et scolaire habituel. Confiance et connivence feront l'autre partie du chemin : réussir le baccalauréat et choisir une orientation à la hauteur de ses nouvelles ambitions avec l'appui de sa famille. La bonne idée s'est répandue et Polytechnique, Supélec et d'autres grandes écoles vont s'y mettre. C'est aussi le signe d'une prise de conscience de leur nécessaire diversité sociale.

Venir étudier en France

La multiplication des échanges internationaux permet à la France d'accueillir plus de 250 000 étudiants étrangers. Campus France a pour vocation de promouvoir l'enseignement supérieur français et de coordonner l'accueil dans l'Hexagone.

Certains étudiants étrangers peuvent s'inscrire directement en premier cycle d'université notamment ceux qui ont suivi un cursus français à l'étranger ou admis en équivalence, ceux qui bénéficient d'une bourse de l'État français ou d'une convention interuniversitaire.

En revanche, les étudiants titulaires d'un diplôme étranger doivent solliciter une admission préalable. L'attaché de coopération universitaire du service culturel de l'ambassade de France dispose des informations nécessaires à la constitution d'un dossier (sélection et conditions requises, niveau de langue, choix d'un établissement d'enseignement supérieur, bourses éventuelles…). Les demandes sont à déposer au mois de janvier précédant l'année universitaire.

Une décision favorable permet de confirmer l'inscription et de solliciter un visa long séjour « étudiant ».

Dans une douzaine de pays, des centres pour les études en France (CEF) ont la mission d'orienter et de simplifier les formalités administratives des candidats aux études supérieures en France.

Dans les semaines qui suivent l'arrivée en France, les étudiants hors Union européenne doivent solliciter une carte temporaire de séjour (CTS) auprès de la préfecture de leur lieu de résidence. La carte de séjour peut être renouvelée chaque année, pendant la durée des études.

Des programmes européens

La dimension européenne est incontournable dans la formation des jeunes, preuve en est le succès des dispositifs de coopération scolaire et universitaire du programme Socrates qui comprend un ensemble d'actions en direction de différents publics : Comenius, Erasmus, Lingua…

Erasmus

Depuis 1987, *Erasmus (European action scheme for mobility university student)* a acquis ses lettres de noblesse. Dès la seconde année d'études supérieures des jeunes européens peuvent postuler pour suivre un enseignement de trois à douze mois dans une université ou une école d'un autre État membre. L'Espagne est la destination favorite suivie de la France, de l'Allemagne et du Royaume-Uni. Une bourse européenne couvre une partie des coûts de vie et de voyage.

Un label *Erasmus Mundus* vient renforcer l'attractivité internationale et multilatérale des universités européennes. Une bourse est ouverte aux étudiants en master et aux enseignants, non européens qui souhaitent venir étudier ou enseigner dans les universités européennes partenaires.

271

Le programme *Comenius* s'adresse aux élèves et vient conforter l'idée européenne dans leur enseignement. Les actions *Lingua* privilégient les langues comme mode de communication et de compréhension de la culture de l'autre. Il est donc indispensable d'aider l'enseignement des vingt langues parlées dans les vingt-cinq pays de l'Union européenne. Des projets de coopération et d'échange entre écoles d'au moins trois pays entrent dans les objectifs de *Lingua*.

Coulisses

■ Démarche civique

Depuis la fin du service militaire national en 1999, les jeunes Français, filles et garçons doivent, dans les trois mois qui suivent leur 16 ans, se faire recenser à la mairie de leur domicile (ou au consulat s'ils vivent à l'étranger). Une attestation de recensement doit être remise pour toute inscription à un examen ou à un concours d'État, de même que pour passer son permis de conduire.

Une journée d'Appel à la préparation à la défense est proposée et devra être effectuée par tous les jeunes avant l'âge de 25 ans. C'est l'occasion d'une information civique et de quelques tests de langue française par exemple.

Un service civil volontaire peut être choisi par des jeunes soucieux de contribuer au bien commun en donnant quelques mois de leur temps dans une structure sociale, médicale, culturelle. L'expérience humaine et la maturité acquise sont, en fait, un réel tremplin vers la vie professionnelle.

■ Des rites annuels

Les bizutages, ces pratiques dites initiatiques, ont donné lieu à des comportements condamnés par l'opinion publique et interdits par la loi. Des initiatives estudiantines sont heureusement plus utiles ou festives, telles que l'organisation de forums et salons, de jeux et concours sportifs, de conférences ou débats, de voyages…

272

■ Jobs d'étudiants

En droit, on est majeur ou mineur (jusqu'à 18 ans), mais la loi confère des droits et des devoirs dès l'âge de 16 ans. Ainsi, l'âge légal pour travailler est de 16 ans avec quelques aménagements d'horaires et le salaire, calculé sur la base du SMIC, est minoré de 10-20 % entre 16 et 18 ans.

Les secteurs de la restauration, de l'animation, de l'accueil et du tourisme sont les plus ouverts au travail temporaire des lycéens et des étudiants. De nombreux sites diffusent les offres d'emploi. Un contrat de travail à durée déterminée (CDD) en raison d'un accroissement momentané de l'activité ou un contrat de travail saisonnier doit préciser la nature des tâches à effectuer, le montant du salaire et la durée du contrat.

Pour en savoir plus

Le **CIO** (Centre d'information et d'orientation), le conseiller d'orientation du collège ou du lycée aide les élèves et leurs parents à connaître les différentes filières scolaires ou professionnelles.

L'**ONISEP** (Office national d'information sur les enseignements et les professions) fournit tous renseignements utiles sur le système scolaire français et publie des dossiers à thème. Un conseiller d'orientation peut être consulté pour guider vos réflexions et interrogations.

Le **CIDJ** (Centre information documentation jeunesse) et ses 31 antennes en province sont des lieux d'orientation et de documentation sur les études et les professions. Informations logement et offres d'emploi temporaires pour jeunes et étudiants sont aussi proposées.

Le **CROUS** (Centre régional des œuvres universitaires scolaires) est présent dans toutes les universités de France. Il aide en particulier les étudiants à résoudre leurs problèmes pratiques et quotidiens.

www.planeterasmus.net

www.socrates-leonardo.fr

www.europa.eu.int/com/education

273

Parlons santé

« *La santé* est comme la *fortune*, il faut la *ménager* quand elle est *bonne* et *prendre* *patience* quand elle est *mauvaise.* »

La Rochefoucauld

Comment allez-vous?

Telle est l'invariable question que les Français se posent après s'être salués. La santé est un sujet de préoccupation et de conversation quotidien. C'est un thème vendeur pour la presse qui s'en est emparé. Les petits pépins de santé font, de fait, partie des aléas de la vie et des saisons mais lorsque le *chat dans la gorge* persiste ou que la *chair de poule* est signe de fièvre, mieux vaut consulter son médecin.

Selon l'Organisation mondiale de la santé (OMS), *« la santé, c'est un état de complet bien-être physique, mental et social, et ne consiste pas seulement en une absence de maladie… »*. En France, on vit longtemps et plutôt en bonne santé. Ainsi l'espérance de vie est-elle aujourd'hui de près de 84 ans pour les femmes et de 75 ans pour les hommes.

On compte, en France, plus de 211 500 médecins dont 45 % sont des femmes et autant de spécialistes que de généralistes. L'offre de soins est importante mais la répartition sur le territoire est de plus en plus inégale. Ainsi compte-t-on proportionnellement deux fois plus de médecins en Provence-Alpes-Côte d'Azur et en Île-de-France que dans les régions rurales.

Homme ou femme? Ce sont les compétences du médecin qui prévalent sur le genre pour établir une relation de confiance qui va de pair avec un respect mutuel. De même, à l'hôpital, les équipes médicales sont constituées de professionnels, hommes et femmes, sans que le patient choisisse ses soignants.

Les professions de santé sont réglementées. Depuis 1979, médecins et pharmaciens sont soumis au principe du *« numerus clausus »* qui limite de nombre d'étudiants et de professionnels diplômés en fonction de l'évolution des besoins de santé de la population.

277

Le caducée : un symbole médical

Attribut de la mythologie grecque, le caducée a ses dieux. Le caducée d'Hermès (le Mercure latin) est porteur de deux serpents enroulés, surmontés de deux ailes qui symbolisent le voyage, le commerce et l'éloquence. Il figure sur la tribune de l'Assemblée nationale. De son côté, Apollon offre à son fils Asklepios, dieu de la médecine, son caducée fait d'un bâton (sorte d'arbre de vie) autour duquel s'est enroulé un seul serpent représenté en rouge. Le caducée de la pharmacie est surmonté de la coupe d'Hygie (fille d'Asklepios et déesse de la santé).

Depuis 1945 : la Sécurité sociale

Précieux patrimoine collectif des Français, la Sécurité sociale désigne l'ensemble du système de protection sociale fondé sur la solidarité et la prévoyance. Elle s'organise en quatre branches : assurance-maladie, allocations familiales, accident du travail, vieillesse, et différents régimes selon les secteurs professionnels : régime général (salarié), régime agricole, régimes spéciaux (fonctionnaires ou assimilés) ou autonomes (professions indépendantes et libérales). Toute personne qui perçoit un salaire, des honoraires ou toute autre rétribution a l'obligation de cotiser. En contrepartie, des prestations peuvent lui être versées au titre d'assuré ainsi qu'à ses ayants droit : conjoints, enfants.

Les *prestations en nature* remboursent des dépenses de soins tandis que les *prestations en espèces* indemnisent un travailleur, les jours non travaillés du fait d'un arrêt de travail médical. C'est la Caisse primaire d'assurance-maladie (CPAM) d'affiliation, selon son domicile, qui effectue le suivi de la situation de l'assuré.

Une couverture maladie universelle (CMU) est attribuée aux personnes dépourvues de couverture médicale dès 16 ans, à la seule condition de résider en France de façon régulière et stable.

Étranger en France

• Vous êtes citoyen de l'un des 25 États membres de l'Union européenne en déplacement temporaire tel que des vacances : demandez votre *carte européenne d'assurance-maladie*. De couleur bleue, elle atteste de l'ouverture de vos droits à la couverture médicale de votre pays. Elle vous permet d'être soigné dans un service public ou remboursé des frais médicaux (consultation, examens ou soins urgents, médicaments…) sur la base des tarifs conventionnés français. Chaque personne, adulte et enfant, doit avoir une carte nominative, elle est valable un an. Lors d'un séjour long, il est indispensable d'obtenir le formulaire E 101 comme preuve de couverture sociale.
• Votre pays, parmi une trentaine d'autres États, a conclu un accord bilatéral de sécurité sociale avec la France qui coordonne les régimes de sécurité sociale. Chaque convention a des clauses spécifiques et donc des formalités préalables pour être applicables en France. Il convient donc de s'informer avant de partir.
• Sans convention de sécurité sociale, les soins imprévus ou urgents devront être réglés directement par le patient. Une preuve d'assurance santé est d'ailleurs requise pour toute émission d'un visa de séjour en France.

Choisir son médecin

« N'allez jamais chez un docteur dont les plantes de la salle d'attente sont mortes. » Erma Bombeck

Une médecine plus sophistiquée entraîne une augmentation des coûts de soins ; de même l'espérance de vie contribue à l'allongement des versements de pensions de retraite. Autant dire que le déficit chronique de la Sécurité sociale relève de la responsabilité collective, et les Français ont dorénavant obligation de maîtriser leurs dépenses de santé. Pour ce faire, tout assuré social de plus de 16 ans a un médecin de référence (le plus souvent le médecin de famille qui le connaît le mieux). Déclaré à sa CPAM, ce médecin traitant doit être consulté avant tout examen médical complémentaire ou consultation de spécialiste sauf urgence, vacances, absences et exceptions telles que maladies de longue durée, visites chez le gynécologue, l'ophtalmologue, le pédiatre ou le psychiatre et le dentiste.

Le médecin libéral est installé seul ou avec plusieurs confrères sous forme de « cabinet de groupe ». Une plaque apposée à l'entrée de l'immeuble indique nom, statut et spécialité, éventuellement les horaires de consultation. Ceux qui ont une expérience hospitalière de référence l'indiquent : *ancien interne*, ou *ancien chef de clinique*. Certains médecins ont une double activité : hospitalière (le matin) et privée (l'après-midi).

Le médecin a aussi des clients en bonne santé, notamment les enfants dont il suit la croissance et le calendrier des vaccinations, ainsi que les sportifs qui ont à fournir un certificat médical d'aptitude à la pratique d'une activité physique.

279

Dossier médical personnalisé (DMP)

Chaque patient âgé de plus de 16 ans aura son dossier médical informatisé et sécurisé. Ce dossier personnel, constitué sous la responsabilité du médecin référent, sera la propriété du patient qui en détiendra le code d'accès. Créer son DMP sera d'abord une démarche volontaire avant de s'imposer peu à peu à tous les patients.

Rien n'empêche chacun de garder des documents complémentaires : carnet de vaccinations, radios, résultats d'examens, etc. Lors d'un traitement de longue durée, il est sage d'avoir, en cas de déplacement à l'étranger, une prescription des médicaments sous leur nom générique.

Tout médecin est inscrit, au titre de généraliste ou de spécialiste, à l'Ordre des médecins qui veille à la validité des diplômes et à l'éthique de la profession. Par le serment d'Hippocrate, chacun est tenu au secret professionnel quel que soit son lieu d'exercice (médecin hospitalier ou libéral, médecin du travail ou scolaire, médecin du sport…).

Les consulats disposent de listes de praticiens de langues étrangères que vous pourrez contacter plus spontanément si tel est votre souhait.

■ Médecin conventionné

Une convention médicale résulte d'une négociation et les médecins qui y adhèrent s'engagent à respecter les tarifs de la Sécurité sociale (secteur 1). Une consultation médicale respectant le parcours de santé, chez un médecin conventionné, sera remboursée à 70 % de la dépense. Une mutuelle complémentaire peut couvrir la différence. Certaines maladies graves ou de longue durée sont prises en charge à 100 % après accord écrit de la CPAM.

Les médecins qui ont des honoraires libres (secteur 2) ont bien sûr une base de remboursement limitée au tarif conventionné.

Le médecin non conventionné fixe librement ses honoraires selon sa notoriété. L'Assurance-maladie rembourse le patient selon un tarif symbolique, le coût principal reste à sa charge.

Les médecines telles que l'homéopathie, l'acupuncture… sont peu remboursées. Pour certains soins particuliers comme la kinésithérapie, l'orthophonie… le patient doit adresser au médecin-conseil de sa CPAM, une *demande d'entente préalable* avant le début du traitement. Au-delà de 10 jours, une non-réponse équivaut à un accord ! Attention, des soins coûteux soumis à accord préalable peuvent avoir un délai d'instruction plus long.

Mutuelle

Organisme à but non lucratif, une mutuelle est une assurance volontaire complémentaire. Les cotisations des adhérents permettent de rembourser, en complément de la Sécurité sociale, les sommes restées à la charge du patient, en totalité ou en partie, selon la nature du contrat.

■ Consultations

Dans les petites villes, le médecin généraliste partage souvent son activité entre les consultations à son cabinet et des visites à domicile lorsque le patient ne peut se déplacer. Les médecins assurent également, sur la base du volontariat, des gardes de nuit et de week-end, ces permanences sont affichées dans les pharmacies et annoncées dans la presse locale, sinon elles sont communiquées par la police ou la gendarmerie. En cas de problème grave, il faut se rendre sans attendre au service d'urgence de l'hôpital le plus proche, sinon appeler le SAMU au 15 (ou le 112 à partir d'un téléphone mobile).

Hôpital ou clinique, public ou privé

Il existe différents types d'hôpitaux publics : les centres hospitaliers universitaires (CHU) associés à une faculté de médecine, les centres hospitaliers régionaux (CHR) et, enfin, les hôpitaux généraux dans les villes moyennes. Ces hôpitaux organisés en services sous la responsabilité d'un médecin-chef sont conventionnés.

Quelques hôpitaux, d'obédience religieuse, sont restés privés et reçoivent les malades dans les mêmes conditions que le service public. Les cliniques privées ont un caractère lucratif, certaines ont une équipe médicale ou chirurgicale de grande notoriété. D'autres offrent et facturent des prestations hôtelières plus confortables qu'à l'hôpital (chambre seule) mais peuvent être moins performantes sur le plan technique. La plupart ont passé des accords avec la Sécurité sociale et des mutuelles permettant le remboursement de certaines prestations, mais il est recommandé de s'informer du mode de conventionnement avant le début des soins.

Lorsque l'établissement est conventionné, la Sécurité sociale avance les frais principaux, reste à votre charge ou à celle de votre mutuelle les coûts complémentaires, notamment le forfait journalier hospitalier (participation aux frais d'hébergement) ou les dépassements d'honoraires.

Des protocoles thérapeutiques réduisent considérablement la durée d'hospitalisation et font que les traitements au long cours ou les petites interventions chirurgicales se pratiquent en *hôpital de jour* (entrée le matin et sortie le soir). Le patient est ensuite suivi chez lui, par une équipe de soins en liaison avec son médecin traitant : il s'agit d'une *hospitalisation à domicile* (HAD).

281

Autorisation de soins

Un patient doit être consentant avant tout acte médical. Lors d'un traitement spécifique ou d'une intervention chirurgicale, sauf en cas de grande urgence, le médecin a obligation d'informer son patient de la nature et des risques afférents à ces soins. Il doit recueillir son autorisation écrite ou celle du responsable légal pour les enfants de moins de 18 ans.

Un malade hospitalisé a toujours un dossier médical consignant l'évolution de son état de santé : observation clinique, résultats d'examens, radios… Il peut demander que ces informations soient communiquées à son médecin traitant.

■ Consultations à l'hôpital et examens complémentaires

Les médecins hospitaliers assurent des consultations réservées en priorité au suivi de patients ayant été hospitalisés. Les chefs de service peuvent avoir, à l'intérieur même de l'hôpital, un secteur privé pour lequel ils perçoivent directement des honoraires.

Les hôpitaux disposent d'équipements qui permettent d'effectuer sur rendez-vous des investigations spécialisées. Les résultats sont communiqués au médecin qui les a prescrites.

En outre, on y trouve une banque du sang qui recueille les dons de sang pour répondre aux besoins de transfusion sanguine. Les donneurs sont toujours volontaires et le don gratuit.

Des spécialités médicales et paramédicales

■ Gynécologue et obstétricien

Spécialiste des questions féminines, le gynécologue est consulté par des femmes en bonne santé pour une contraception, un suivi régulier et des examens systématiques. Certains sont aussi obstétriciens et spécialisés en médecine de la femme enceinte : grossesse et accouchement.

Interruption volontaire de grossesse (IVG)

Le 17 janvier 1975, la loi Veil légalisait l'interruption volontaire de grossesse. Hôpital ou clinique sont autorisés à pratiquer des avortements jusqu'à 12 semaines de grossesse. Les entretiens préalables à l'IVG sont devenus facultatifs, mais peuvent aider les femmes ou les jeunes filles (accompagnées d'un adulte de confiance si elles sont mineures) dans une décision souvent difficile.

■ Les psy

Les problèmes familiaux ou professionnels, l'anxiété ou le stress sont les motifs les plus fréquents de consultation psychologique ou psychiatrique. Un entretien avec son médecin traitant permet d'apprécier la nature des difficultés et d'orienter vers l'aide adaptée ou de rassurer.

– Le psychologue a fait des études universitaires et des stages pratiques en secteur hospitalier avant d'être diplômé. Une batterie de tests lui permet d'évaluer la situation d'un patient avant d'engager un soutien thérapeutique par l'écoute et le dialogue.

– Le psychiatre est docteur en médecine, spécialisé en pathologies mentales. À ce titre, il peut prescrire des médicaments selon son diagnostic.

Ces deux métiers s'exercent à titre privé (cabinet) ou public (consultation médico-psychologique à l'hôpital ou au dispensaire). Dans le secteur public, les consultations et soins sont pris en charge par la Sécurité sociale. En secteur libéral, seules les consultations de psychiatrie sont remboursées.

283

– Les psychanalystes, après avoir fait eux-mêmes une analyse personnelle, se proposent d'accompagner les personnes qui veulent, à leur tour, faire une introspection dans leur histoire. Il convient de vérifier ses références telles que son adhésion à une société de psychanalyse.

■ Kinésithérapeute

En France, le *kiné* traite les pathologies ostéo-articulaires, respiratoires, neurologiques. La plupart exercent en secteur libéral ; il faut une prescription de rééducation et un accord de la Sécurité sociale, sauf urgence, pour être remboursé s'il est conventionné.

Certains kinésithérapeutes se sont spécialisés en *thérapie manuelle*. L'ostéopathie, notamment, tente d'atténuer les tensions du corps en équilibrant les flux énergétiques, soit une autre façon de traiter la douleur et le symptôme.

■ Orthophoniste

Des enfants ont parfois des difficultés d'acquisition de vocabulaire ou des problèmes d'élocution, en particulier s'ils sont confrontés à plusieurs langues. Quelques séances d'orthophonie prescrites par un médecin peuvent les aider à progresser dans leur maîtrise de la langue orale.

Les handicapés

L'année 2003 avait été déclarée *année européenne des handicapés*. Plus de 6 millions de personnes en France (soit près de 10 % de la population) vivent avec un handicap d'origine génétique, congénitale ou accidentelle qui se traduit par des déficiences ou des incapacités motrices, sensorielles ou mentales. Outre, les besoins en équipements spécialisés et en auxiliaires de vie, le handicapé est confronté à la difficulté d'accès à l'école, à la formation et à l'emploi, en plus de l'inaccessibilité de nombreux lieux publics. Plus d'attention, d'accompagnement et d'autonomie sont de légitimes revendications pour que chacun prenne une juste place dans la société. Des associations s'y emploient avec détermination. Ainsi, l'Association nationale pour l'éducation de chiens d'assistance pour handicapés (ANECAH) dresse spécialement des chiens pour assister les personnes atteintes d'un handicap moteur et dépendantes d'un fauteuil roulant. Pour ANECAH, la clé de la réussite est de développer une intelligente et fidèle complicité entre le maître et son chien qui effectuera pour lui des gestes impossibles à faire seul. Une carte d'invalidité peut être délivrée après examen d'un dossier médical par la Commission technique d'orientation et de reclassement professionnel (COTOREP) lorsque le taux d'incapacité est d'au moins 10 %. Cette carte donne droit à des priorités dans les transports ou à des allègements fiscaux. Parallèlement, différents types d'allocations financières sont prévus pour aider les handicapés démunis.

■ Dentiste

On dit chirurgien-dentiste, car l'extraction de dents relève de la petite chirurgie. Il reçoit toujours sur rendez-vous. Comme pour le médecin, demandez l'adresse d'un bon dentiste à votre entourage.

La Sécurité sociale peut prendre en charge, après accord, des soins d'orthodontie pour rectifier une malposition des dents, chez l'enfant et l'adolescent.

Chez l'enfant, perdre sa première dent de lait crée une vive inquiétude qui, de tout temps, a été atténuée par un tour de magie. Ainsi une petite souris est-elle chargée de venir chercher la précieuse quenotte cachée sous l'oreiller ou dans une boîte. En échange, elle laisse une pièce. Cette tradition est vivace dans de nombreux pays. En Grande-Bretagne ou aux États-Unis, c'est une fée, *tooth fairy*, qui joue à la souris.

■ Soins infirmiers

Lors de soins ou de traitements particuliers tels que piqûres ou pansements, l'infirmière libérale (il y a aussi des infirmiers) est habilitée à exécuter les actes prescrits par le médecin à son cabinet ou au domicile du patient.

Pharmacie :
l'officine de la santé

« Sourire trois fois tous les jours rend inutile tout médicament. »

Lorsque ce sage proverbe chinois n'est pas efficace, mieux vaut aller dans l'une 28 110 pharmacies habilitées à vendre les médicaments. Le docteur en pharmacie porte en badge un *caducée*, sinon la mention *pharmacien* pour le distinguer de ses collaborateurs. Il peut conseiller et délivrer certains médicaments sans ordonnance pour traiter des problèmes bénins de santé. D'autres médicaments exigent la présentation d'une prescription sur papier à en-tête signée du médecin, indiquant de préférence le vrai nom du médicament (celui de la molécule) plutôt que l'appellation commerciale, les doses et la durée du traitement. Lors de soins au long cours, la mention *à renouveler* sera portée sur l'ordonnance.

Il y a toujours une pharmacie de garde pour répondre aux urgences la nuit ou les jours fériés. Par sécurité, c'est le service de police qui vous annoncera auprès du pharmacien de garde.

Les médicaments génériques

C'est la copie exacte d'un médicament qui, 20 ans après le dépôt de son brevet, peut être mis en concurrence et produit par d'autres laboratoires sous le nom de sa molécule. Ainsi, sans nom de marque commerciale, le générique d'efficacité identique a l'avantage d'être connu de tous les pharmaciens et d'être moins cher puisque les fabricants d'aujourd'hui n'ont pas eu à payer les coûts de recherche du médicament d'origine.

Les médicaments sont présentés par boîtes, flacons ou tubes avec des dosages pour adultes, enfants ou nourrissons, sous forme liquide (sirop, ampoules, injection), comprimés ou cachets et parfois suppositoires. Ils ont une date de validité et une notice d'emploi qui précise la composition, les indications thérapeutiques, la posologie et les précautions d'utilisation. Certains diminuent de façon significative l'attention et les réflexes ; aussi des pictogrammes de couleur (jaune, orange ou rouge) portés sur les boîtes informent-ils des risques. Il faut bien sûr se conformer à la prescription médicale, et au conseil du pharmacien.

Tous les médicaments ne sont pas remboursables. S'ils le sont, ils portent une petite vignette de couleur qui indique le pourcentage de prise en charge : blanc (65 %), bleu (35 %), orange (15 %). Tous les médicaments sont à ranger hors de la portée des enfants. Le surplus, en fin de traitement, ne doit pas être jeté : mieux vaut le rapporter dans une pharmacie qui le remet à des œuvres humanitaires.

On peut également acheter à la pharmacie seringues, pansements, préservatifs, contraceptifs, produits de toilette, ainsi que des préparations alimentaires pour bébés (laits en poudre, farines, petits pots cuisinés…) commercialisées aussi dans les supermarchés. Anecdotique : à l'automne, vous pouvez présenter au pharmacien votre cueillette de champignons du week-end pour vérifier qu'ils sont tous comestibles avant de les goûter.

Les pharmacies, dites *officines* sont autorisées à élaborer des *préparations magistrales* de médicaments non commerciaux, suivant une prescription médicale. Historiquement, c'est à la fin du XVIIIe siècle, que les apothicaires deviennent des pharmaciens. Ils obtiendront l'exclusivité de la préparation des remèdes tandis que les *épiciers-droguistes* de l'époque se verront interdire la vente de drogues.

Bébés et enfants

Si, aujourd'hui, le mariage a moins la cote, la banalisation de l'union libre n'a pas découragé la natalité, au contraire. La vitalité démographique française est en partie liée à une politique familiale volontariste : prestations familiales, équipements et dispositifs dédiés à la petite enfance qui permettent aux femmes de concilier travail et maternité, par choix ou par nécessité.

Lorsque bébé s'annonce, la déclaration de grossesse se fait auprès de la Caisse d'allocations familiales (CAF) et de votre CPAM. Vous recevrez un carnet de maternité qui vous indiquera les renseignements médicaux et sociaux utiles à son bon déroulement. Un premier examen prénatal doit être effectué avant la fin du premier trimestre de grossesse, puis un examen de santé est prévu chaque mois jusqu'à l'accouchement. Une échographie au 3e, 5e et 8e mois permet de suivre régulièrement le développement du bébé.

Le suivi médical de la grossesse est pris en charge en totalité par la Sécurité sociale. À la clinique ou à l'hôpital, une sage-femme, sous le contrôle d'un obstétricien, dispense une préparation à l'accouchement.

Les femmes qui travaillent bénéficient d'un congé maternité de 16 semaines : 6 semaines sont à prendre avant la date présumée de la naissance du bébé et 10 semaines après. Des indemnités journalières sont versées pendant ce congé prénatal et postnatal.

Depuis 2002, les nouveaux pères peuvent bénéficier d'un congé paternité de 11 jours maximum, à prendre au cours des quatre mois qui suivent la naissance de leur enfant, en plus des 3 jours donnés systématiquement. Le salarié doit informer son employeur un mois avant la date choisie. Comme pour le congé maternité, les indemnités journalières de paternité sont prises en charge par la Sécurité sociale.

287

■ Carnet de santé et suivi médical

Chaque enfant reçoit à sa naissance un *carnet de santé* où le médecin consigne son histoire de santé depuis la grossesse. Au fil du temps y sont notés les examens médicaux, les maladies infantiles, la courbe de croissance, les vaccinations… Ce carnet est confidentiel et appartient aux parents.

Au cours des six premières années de l'enfant, vingt examens de santé sont obligatoires et gratuits pour mieux suivre son évolution. Le pédiatre soigne l'enfant malade, mais il est aussi le spécialiste des bébés bien portants dont il suit le développement staturo-pondéral et psychomoteur. Il adapte le régime alimentaire et le traitement vitaminique nécessaire.

Il peut être pédiatre libéral ou salarié du Centre de protection maternelle et infantile (PMI) qui assure gratuitement la surveillance médicale des mères et des enfants jusqu'à six ans. Le centre de PMI est animé par des équipes pluridisciplinaires médicales et sociales : puéricultrice, éducatrice, psychologue… qui développent des actions de prévention avec les services sociaux du secteur.

■ Vaccinations

En France, seuls sont obligatoires le DTPolio (diphtérie, tétanos, poliomyélite) et le BCG qui immunise contre la tuberculose. La preuve de ces vaccinations est exigée pour l'inscription à la crèche ou à l'école. D'autres vaccins sont vivement recommandés, mais laissés à l'appréciation des parents, tels que le vaccin anti-coqueluche, le vaccin ROR (anti-rougeole, oreillons et rubéole associés), le vaccin anti-hémophilus. Les vaccinations peuvent être effectuées par le pédiatre, le médecin traitant ou le centre de PMI.

■ Maladies infantiles

L'hiver et le début du printemps sont des périodes froides et humides, propices au développement d'infections de saison. La famille des microbes comprend notamment les virus ; et comme le rappelle la campagne d'information « *les antibiotiques, c'est pas automatique* », puisqu'ils ne peuvent soigner les infections d'origine virale.

La fièvre

C'est un indice qu'il faut surveiller chez les enfants. Lorsque la température monte c'est un signe naturel de défense contre une infection, mais il faut en comprendre les raisons et demander un avis médical selon le degré et la persistance de la fièvre. En France, les thermomètres donnent la température en centigrade (degré Celsius) des pays anglophones ont encore les degrés Fahrenheit comme référence.

■ L'enfant à l'hôpital

Un enfant peut avoir à subir des soins spécialisés ou une intervention qui le conduisent à l'hôpital. Les « spécialistes » en blouse blanche, bleue ou verte sont inquiétants pour tous les enfants du monde. Lorsque la situation le permet, il est important d'expliquer à l'enfant, même s'il est tout petit, les raisons de son hospitalisation ; ne pas oublier le livre préféré ou le *doudou*, ce précieux confident qui console dans les moments difficiles. La plupart des équipes médicales ont un psychologue pour accompagner les parents et surtout pour écouter les petits patients.

Les services de pédiatrie disposent de quelques chambres « parent-enfant » permettant au père ou à la mère de rester auprès de leur enfant pour le rassurer, ou bien proposent des horaires de visites très souples. Quelques hôpitaux d'enfants, grâce à d'attentifs mécènes et à la générosité publique, ont ouvert une maison des parents près de l'hôpital, pour accueillir et héberger les familles venant de loin, de province ou de l'étranger.

Docteur Souris

C'est l'hôpital Armand Trousseau à Paris qui a le premier accueilli le Docteur Souris. Depuis, il s'est fait beaucoup d'amis dans d'autres hôpitaux d'enfants. Lui n'a pas de stéthoscope car il est l'as de la communication à distance et des réseaux sans fil. Tout le monde le sait, lorsqu'on est hospitalisé on est coupé de son monde habituel en plus d'être mal dans sa peau. C'est pourquoi le Docteur Souris a imaginé un remède efficace pour que les enfants, depuis leur lit d'hôpital, gardent le contact avec les autres : la famille, les copains, l'école… grâce à un ordinateur. C'est une façon utile et agréable de passer le temps, de faire des devoirs ou des recherches sur Internet. L'association du Docteur Souris réunit plein de gens motivés : des étudiants informaticiens qui soignent les ordinateurs, des mécènes qui donnent des sous pour en acheter d'autres et des spécialistes de l'éducation et de la santé qui cogitent sur de nouvelles idées. Tout le monde peut en apporter… des sous et des idées, à www.docteursouris.asso.fr

24 h/24

■ Allo! le 15 ou le 112 : aide médicale urgente

Des gardes d'urgence de médecine et de chirurgie sont assurées 24 h/24 par les hôpitaux publics. Il est donc toujours utile de connaître l'hôpital le plus proche de son domicile. Le 15 est le numéro d'appel unique et gratuit, sur l'ensemble du territoire français, du Service d'aide médicale urgente (SAMU) qui est généralement situé dans l'hôpital principal du département. D'un téléphone mobile (GSM), il faut composer le 112 qui est aussi le numéro d'urgence européen.

Un médecin de permanence répondra à toutes les demandes d'aide médicale urgente et donnera le conseil adapté à la situation du malade en attendant, si besoin, l'arrivée d'une ambulance ou du service de secours à domicile : le Service mobile d'urgence et de réanimation (SMUR).

Dans les grandes agglomérations, un service SOS médecins assure une permanence 24 h/24 et envoie à domicile, pour les problèmes sérieux de santé, un médecin conventionné, dans de brefs délais.

■ Allo! le 17 : police

Si vous n'obtenez pas le 15 ou le 18, il est possible de composer le 17, le numéro de la police. Une liaison directe est établie avec les services d'urgences.

■ Allo! le 18 : les pompiers

Les pompiers portent secours en urgence également. C'est un service public, gratuit, extrêmement efficace à ne réserver qu'aux situations graves. Le numéro 18 est relayé au centre le plus proche de votre domicile. Certaines interventions liées à la négligence des personnes ou au caprice d'un animal (chat sur le toit) peuvent être facturées.

L'autre mission des pompiers, professionnels ou bénévoles, est liée à la lutte contre les incendies. Ils sont très estimés du public pour leur sens de l'engagement et leur disponibilité. C'est un métier qui fascine les petits garçons qui ont tous rêvé d'être pompier à un moment de leur enfance.

■ Ambulances

Les compagnies d'ambulances sont des organismes privés et leur coût de déplacement est élevé. Une prescription médicale est nécessaire à la prise en charge des frais par la Sécurité sociale.

■ Décès et don d'organes

Lors d'un décès, des formalités obligatoires et urgentes s'imposent, notamment la déclaration du décès qui sera porté sur les registres d'état civil. Les obsèques doivent, après l'autorisation d'inhumer donnée par la mairie, se tenir entre 1 et 6 jours après la mort. S'il y a lieu, le rapatriement d'un corps dans son pays d'origine nécessite l'autorisation du consulat concerné.

Une mort peut sauver une vie, et en France le don d'organes est anonyme et gratuit. Il repose sur le principe du consentement présumé qui respecte, bien sûr, le refus exprimé par la personne de son vivant ou reformulé par sa famille.

Le cimetière, dernière demeure, est parfois un lieu de souvenirs très fréquenté. Ainsi, le Père-La-Chaise, ce jardin panthéon situé dans le XXe arrondissement de Paris, reçoit plus de 2 millions de visiteurs par an, pour s'y promener à la mémoire de ses hôtes célèbres dont Chopin, Proust, Oscar Wilde, Jim Morrison ou Édith Piaf.

Prévention santé

« La santé dépend plus des précautions que des médecins. » **Bossuet**

L'évolution des connaissances en matière de sécurité et de santé confirme un diagnostic sans appel : nous vivons bien dans une *société du risque*. C'est pourquoi prévention, précaution et information sont les maîtres mots des services de santé publique qui développent une politique de communication résolument pédagogique en direction du grand public.

Des actions spécifiques d'éducation à la santé, en lien avec les établissements scolaires, s'adressent aux enfants ou aux adolescents sur des thèmes comme la nutrition, la contraception, le tabac, la toxicomanie, l'alcool, etc. : conseils, tests de dépistages anonymes et gratuits sont proposés aux jeunes dans de nombreux lieux de soins.

En outre, le sida reste un problème majeur. En l'absence de vaccin et de traitement totalement curatif, seuls les précautions et les préservatifs peuvent protéger de la transmission du sida. Les préservatifs sont vendus en pharmacie et en distributeurs en différents lieux publics (lycées, gares, métro…).

Par ailleurs, d'intensives campagnes de dépistage des cancers, notamment du sein et de l'intestin, sont relayées de façon méthodique et nominative au niveau départemental, invitant des populations ciblées à effectuer des tests gratuits.

■ Stop au tabac

La loi Évin interdit de fumer dans les lieux collectifs : espaces publics, lieux de travail, hôtels, bars et restaurants… en dehors des zones définies par la mention « fumeurs »

■ Accidents domestiques

La maison ne manque pas de dangers pour de jeunes enfants curieux de tout ce qui les entoure. En cas d'accident domestique, appelez immédiatement le 15. S'il s'agit d'une intoxication, il est important de repérer le nom du « produit » pour orienter la conduite à tenir. En outre, l'électricité en 220 volts est toujours dangereuse. Les appareils électriques doivent être utilisés avec prudence et les prises de courant protégées par des caches de sécurité pour empêcher que les petits doigts ne s'y glissent.

292

■ Un bilan de santé

Un bilan de santé est proposé gratuitement par la Sécurité sociale aux assurés sociaux et leur conjoint, tous les cinq ans. Ce *check-up* peut déceler des anomalies ou des symptômes qui seront signalés au médecin traitant afin d'effectuer les explorations complémentaires et les soins nécessaires.

À l'évidence la vue baisse avec l'âge. Il convient donc de la faire surveiller régulièrement par un ophtalmologue à partir de 40 ans.

Certaines entreprises offrent à leurs salariés un bilan de santé, à la carte, comprenant toutes les investigations de pointe afin de dépister et soigner à temps tout signe d'alerte.

Les *French doctors*

Médecins sans frontières (MSF) a été fondé en 1971 par une poignée d'amis du pays des Droits de l'Homme partis opérer et soigner en urgence les victimes des horreurs du monde. *Médecins du Monde* est né en 1980 d'une scission de *MSF*, suite à l'initiative *« un bateau pour le Vietnam »*, qui était un bateau-hôpital pour secourir les *boat-people*. Ces missions humanitaires ont suscité l'admiration de tous. La presse étrangère en particulier a été impressionnée par le courage désintéressé des équipes médicales qu'elle a spontanément appelé les *French doctors*. Ils ont osé se mêler de ce qui regarde tout humaniste convaincu et ont imposé le *« droit d'ingérence »*. Le 15 octobre 1999, les *French doctors* ont reçu la reconnaissance suprême de la communauté internationale : *le prix Nobel de la paix*. En 2005, le *leitmotiv* de Médecins du Monde est toujours de *« soigner ceux que le monde oublie peu à peu »* et de dénoncer toutes les formes d'injustice, ici et ailleurs.

■ « Mettre de l'eau dans son vin » !

Lever son verre pour porter un toast et trinquer est toujours accompagné d'un sincère *à votre santé*. S'il est recommandé de boire de l'alcool avec modération, il n'est pas question d'appliquer au pied de la lettre la formule « *mettre de l'eau dans son vin* ». Il s'agit en effet d'une métaphore qui signifie modérer ses exigences et nuancer ses affirmations.

Les Français sont à la fois le premier producteur et consommateur de vin et parmi les plus grands buveurs d'eaux minérales et de source du monde (plus de 150 litres par an et par personne).

L'eau est un bien précieux et la boisson naturelle par excellence. L'eau du robinet en France est contrôlée en permanence, son goût peut varier d'un lieu à l'autre, mais elle est bonne à la consommation et peut être bue à tout âge, sauf avis exceptionnel de pollution annoncé par les pouvoirs publics *via* la presse.

L'eau de source, comme son nom l'indique, est captée à sa source. Elle provient de nappes souterraines tout comme l'eau minérale qui, en revanche, se distingue précisément par ses minéraux (calcium, magnésium, fluor, etc.). L'académie de médecine et le ministère de la Santé sont seuls habilités à attribuer le label de minéralité avant toute commercialisation.

Certaines villes telles que Vittel, Évian, Contrexéville, Vichy… sont des villes d'eaux qui ont bâti leur réputation sur leurs sources minérales ou thermales. On compte une centaine de stations thermales dans l'Hexagone, certaines sont agréées et conventionnées par la Sécurité sociale pour des vertus thérapeutiques liées à la température naturelle de l'eau (sa thermalité). Quelques pathologies chroniques peuvent bénéficier d'une prise en charge par la CPAM, au titre d'une cure thermale.

D'autres établissements de renom proposent des séjours de remise en forme naturelle de thalassothérapie (eau de mer) ou de balnéothérapie (eau douce). Ces formules de repos tonique, accompagnées de régime diététique et de soins esthétiques, rencontrent un grand succès.

« L'air de France éclaircit les idées, fait du bien, tout le bien du monde. »
Vincent Van Gogh

Pour en savoir plus

www.ameli.fr (assurance-maladie en ligne)

www.filsantejeunes.com

www.frm.org (Fondation pour la recherche médicale)

Le temps libre en 3 D

« Être capable d'occuper intelligemment ses loisirs, tel est l'ultime produit de la civilisation. »

Bertrand Russel

D comme... détente, divertissement, dépaysement

« Comme rien n'est plus précieux que le temps, il n'y pas de plus grande générosité qu'à le perdre sans compter. » Marcel Jouhandeau

Le « temps libre » diffère bien sûr selon les métiers et les responsabilités, il échappe aux multiples obligations de la vie quotidienne. Aux soirées : la détente, aux week-ends : le divertissement et aux vacances : le dépaysement. À l'extérieur, les activités sociales et collectives, à la maison les occupations plus individuelles.

Le calendrier civil officiel institué en 1582 par le pape Grégoire XIII, d'où son nom de *calendrier grégorien* s'est imposé à l'ensemble du monde. De type solaire, il recourt aux vieilles lunaisons pour dater des fêtes comme Pâques qui revient chaque année le premier dimanche après la pleine lune de l'équinoxe de printemps. Au plus tôt, Pâques est le 22 mars et, au plus tard, le 25 avril.

À chaque civilisation son calendrier, à chaque calendrier ses fêtes. Nombre de fêtes occidentales ont des racines chrétiennes. Qu'elles soient commémoratives, nationales, religieuses ou culturelles, la plupart reviennent à date fixe. Six sur onze jours fériés sont d'origine catholique. En outre, un concordat religieux confère un statut particulier à l'Alsace et la Moselle qui offre deux jours fériés de plus (avant-veille de Pâques et lendemain de Noël).

Les principales fêtes musulmanes suivent un calendrier lunaire qui fixe le déroulement de l'année. Le ramadan se situe au 9e mois de l'année musulmane et l'Aïd as-Saghir marque la fin d'un mois de jeûne. L'Aïd el-Kebir, 70 jours plus tard, est la fête du sacrifice du mouton.

La religion juive fête Rosh Hashanah, le nouvel an juif en automne. Yom Kippour, le jour du Grand Pardon est célébré 10 jours plus tard. Entre novembre et décembre, Hanoukkah, la fête des Lumières, est symbolisée par un chandelier à 8 branches dont on allume une bougie chaque soir pendant 8 jours. Le chandelier de shabbat compte, lui, 7 branches. Pessah, la Pâque est célébrée en avril.

La date du nouvel an chinois varie selon le calendrier des lunaisons. Il se fête en famille selon des rites et coutumes ancestrales. La fête est aussi dans la rue où de grandes parades mettent en scène les douze animaux du zodiaque pour mieux honorer celui qui présidera aux destinées de l'année.

Au fil
des quatre saisons

- Le **printemps** incite aux activités de nature et de plein air.

- L'**été** affiche les rendez-vous sportifs et festifs des vacances.

- L'**automne** accompagne les rentrées en tout genres : scolaires, universitaires, professionnelles, mais aussi culturelles.

- L'**hiver** privilégie les passe-temps en salles… de cinéma, de sports ou d'expositions. Les préparatifs des fêtes de fin d'année sont les occupations favorites du mois de décembre.

« Un calendrier, c'est-à-dire un avenir divisé en cases, où je vais pouvoir distribuer mes projets et mes espérances. » Alain

Janvier	Février	Mars
1er : **Nouvel an**	2 : Chandeleur	Mardi Gras
6 : Épiphanie Fêtes des Rois	14 : Saint-Valentin Carnaval	8 : Journée internationale des femmes
		Semaine de la langue française
		21 : Équinoxe de printemps
Avril	**Mai**	**Juin**
1er : Poisson d'avril	1er : **Fête du travail**	Pentecôte
Pâques	8 : **Fête de la Victoire**	**lundi de Pentecôte**
Lundi de Pâques	9 : **Journée de l'Europe**	21 : Solstice d'été Fête de la Musique
	Jeudi de l'Ascension	Fête des Pères
	Fête des Mères	
Juillet	Août	Septembre
14 : **Fête nationale**	15 : **Assomption**	Rentrée
		21 : Équinoxe d'automne
Octobre	Novembre	Décembre
Les vendanges	1er : **Toussaint**	6 : Saint-Nicolas
	11 : **Armistice**	21 : Solstice d'hiver
		25 : Noël
		31 : Saint-Sylvestre

Bonnes fêtes :
arrêt sur images

• Le 6 janvier est le jour de *l'Épiphanie*. La tradition se perpétue quelles que soient les croyances ou les religions et, au mois de janvier, les Français tirent les rois, en famille, à l'école, avec les collègues. Dans les villages, le maire est ravi de présenter ses vœux en partageant une galette des rois avec ses concitoyens ! Ce drôle de gâteau rond se coupe en autant de parts qu'il y a de convives. Une fève y est cachée à l'intérieur et désignera le roi ou la reine d'un jour. Haricots à l'origine, les fèves sont devenues des figurines porte-bonheur qui peuvent être en céramique, en métal ou autre matière selon les créateurs. Elles sont prisées les fabophiles qui les collectionnent.

Début janvier, une immense galette est même livrée à l'Élysée par de jeunes pâtissiers, lauréats de l'année. Mais République oblige, le Président ne peut être roi et donc la galette n'a pas de fève.

• Le 2 février, la *Chandeleur*, du mot chandelle, est la fête des lumières. Selon la légende, pour être riche toute l'année chacun doit, ce jour-là, faire sauter une crêpe en tenant d'une main la poêle et de l'autre une pièce d'or. *Mardi Gras* est un jour de carnaval en février avec défilés et déguisements, cavalcades et batailles de fleurs, gaufres et beignets.

• Le 14 février *Saint-Valentin* veille sur les amoureux : à cette occasion fleurs, billets doux et mille gages de tendresse sont échangés.

• Les cloches des églises, qui dit-on reviennent de Rome, sonnent à toute volée pour annoncer la fête de *Pâques*. Au grand bonheur des enfants, elles déposent en chemin des œufs en chocolat dans les jardins. L'œuf est, de fait, un des symboles de Pâques et du renouveau de la nature après 40 jours de carême qui l'avait exclu des repas. Il faudra compter 40 jours de plus pour dater le jeudi de *l'Ascension* et 10 jours plus tard, c'est la *Pentecôte*. Le lundi de Pentecôte est férié mais, depuis 2005, il est devenu *journée de solidarité* et chacun doit travailler ce jour-là ou un jour de son choix dans l'année, sans être rémunéré.

• Le *1er avril* est prétexte à quelques blagues et farces. Des journalistes rivalisent d'imagination pour annoncer de fausses nouvelles et piéger avec bonne humeur leur public. Le *poisson d'avril* s'achète chez le pâtissier, il est sans arêtes et bien sûr en chocolat !

• Le 1ᵉʳ mai, **fête du travail**, est un jour chômé. À l'origine, le mouvement ouvrier est australien (1856), puis américain (1886), avant d'être européen (1889). Tous les ouvriers manifestent le 1ᵉʳ mai pour revendiquer l'instauration de la journée de 8 heures (soit 48 heures de travail par semaine) qui sera votée en France le 23 avril 1919. On dit que les Français portaient à la boutonnière un petit triangle rouge symbolisant la division d'une journée en 3 fois 8 heures : travail, sommeil, vie sociale, puis une églantine. Jugée trop fragile, elle sera remplacée dans les années 1900 par le muguet, fleur de saison. Le 1ᵉʳ mai est la seule date de l'année où, depuis le Front Populaire, on peut, sans être fleuriste et sans payer de taxe, être vendeur de brins de muguet. Côté couture, le muguet est à la mode, Christian Dior, en fera sa fleur porte-bonheur qu'il offrira à ses clientes le 1ᵉʳ mai.

• Le 9 mai est la **Journée de l'Europe**, rappelant qu'à 18 heures, le 9 mai 1950, Robert Schuman, ministre français des Affaires étrangères, annonçait depuis le salon de l'Horloge, au Quai d'Orsay, l'idée de la construction européenne en accord avec l'Allemagne.

• En mai ou juin, selon les années, les enfants n'oublient jamais la **fête des mères** et la **fête des pères**. Avec la complicité de leurs enseignants, ils préparent en secret à l'école, de petits cadeaux pour leurs parents. Les grands-mères ont maintenant leur jour de fête au printemps.

• Le **8 mai** et le **11 novembre** sont les dates anniversaires de la fin des deux guerres mondiales (8 mai 1945 et 11 novembre 1918). Des cérémonies officielles rendent hommage aux soldats morts pour la France. À l'initiative de Normands, le 6 juin devient la **Journée de la Normandie**, pour commémorer le 6 juin 1944, le jour J du débarquement des troupes alliées sur les plages normandes.

• Le **21 juin** est le solstice d'été, le jour le plus long de l'année. La tradition des feux se perd dans la nuit des temps païens mais l'Église déplacera au 24 juin, fête de la Saint Jean, le rituel des feux de joie. C'est aussi devenu la fête de la musique.

• Le 14 juillet, **fête nationale,** commémore doublement la prise de la Bastille (14 juillet 1789) et la fête de la Fédération (14 juillet 1790). De défilés en discours, la journée se termine par des feux d'artifice, des concerts et des bals populaires.

• **Noël**, le 25 décembre, est une des plus importantes fêtes religieuses pour les chrétiens et pour tous un événement familial avec sapins et cadeaux autour d'une bonne table.

- Aux 12 coups de minuit, entre le 31 décembre et le 1er janvier, les vœux s'échangent sous une boule de gui. La plante sacrée des druides gaulois porte bonheur, dit-on. Le Réveillon de la **Saint Sylvestre** donne lieu à une grande fête, le plus souvent entre amis.

Commémorations

Les Français ont le culte des dates et s'attachent à remonter le temps pour commémorer les moments clés de leur Histoire. Les anniversaires en chiffres ronds (cinquantenaire, centenaire…) de personnages illustres et d'événements s'inscrivent au calendrier des célébrations nationales. Cérémonies et réjouissances renforcent l'appartenance sociale et culturelle. En famille, les anniversaires des petits et des grands se fêtent autour d'un bon repas et d'un gâteau avec des bougies.

Passe-temps et passions

Du sport à la généalogie, du jardinage à l'aquarelle, etc. nos passe-temps sont multiples. Les innovations technologiques et numériques comme l'ordinateur, l'Internet… se sont imposées dans les loisirs, à côté des jeux de société qui ont toujours leur place en famille : jeux de cartes, jeux de stratégies ou jeux de lettres. Certains préparent même des championnats d'orthographe le dimanche.

Êtes-vous collectionneur ?

On aime garder et collectionner des bricoles les plus ordinaires aux objets les plus insolites. Chaque collection a son nom : la philatélie désigne la collection de timbres-poste, mais que désigne la lecythiophilie ? Ce n'est pas une maladie mais une collection de flacons de parfum.

Les connaisseurs fréquentent assidûment les bourses d'échanges, les marchés aux puces, les brocantes ou les ventes aux enchères pour y marchander la pièce convoitée. On chine aussi le week-end dans les vide-greniers et autres bric-à-brac de villages ou de quartiers.

Près d'un million d'associations

La tendance à se grouper ne date pas d'hier : d'illustres pléiades ou confréries témoignent du goût bien français à se réunir par affinités ou convictions. Un projet et deux amis – l'un président, l'autre trésorier – suffisent pour créer une association à but non lucratif. La loi 1901 confère à une association la capacité juridique d'œuvrer à sa vocation (sociale, culturelle, sportive, humanitaire, civique…) et de percevoir des cotisations, de recevoir des dons et donc de disposer d'un compte en banque. Il suffit d'une déclaration auprès de la préfecture du siège social qui donnera lieu à une insertion au *Journal officiel*. Une association qui fera preuve d'une mission d'intérêt général pourra solliciter le label *reconnue d'utilité publique*.

La plupart des associations comptent sur l'altruisme d'environ 12 millions d'humanistes bénévoles. Certaines s'inscrivent dans le secteur de l'économie sociale et emploient des professionnels qui sont alors salariés.

Sur le grand écran

« La vie est un film dont chacun est la star. Trouvez-lui un dénouement heureux ». Joan Rivers

Invention des frères Lumière en 1895, le cinéma français est plus créatif que jamais et affiche une production de 240 films en 2005. Chaque année, les meilleures réalisations et les talents sont récompensés à Paris par un *César*, symbolisé par une statuette créée par le sculpteur César. En mai, c'est à Cannes que, depuis 1946, toutes les caméras du monde traquent la *palme d'or*.

Les programmations étrangères sont visibles en version originale (VO) et sont soit sous-titrées en français, soit adaptées en version française. Les nouveaux films sortent toujours le mercredi. Moins commerciales, les salles de *cinéma art et essai* ont un public d'initiés, amateurs de créations originales, qui aiment en discuter après la projection. Les cinémathèques et vidéothèques conservent précieusement films classiques et documentaires. Les ciné-clubs sont généralement rattachés à un établissement universitaire ou à une association.

Le 7ᵉ art!

« Tous les arts sont frères, chacun apporte une lumière aux autres. »
Voltaire

Les beaux-arts sont au nombre de 6 : la peinture, la sculpture, la gravure, la poésie, la musique et l'architecture. Le cinéma est dit le 7ᵉ art, suivi de la télévision le 8ᵉ et de la BD le 9ᵉ. Au Moyen Âge, les arts de l'esprit enseignés à l'université étaient la grammaire, la rhétorique et la logique d'une part, l'arithmétique, la géométrie, l'astronomie et la musique d'autre part. L'art de vivre est hors classement, c'est un état d'esprit!

Au théâtre

« Je tiens ce monde pour ce qu'il est : un théâtre où chacun doit jouer son rôle. » William Shakespeare

Œuvre classique, contemporaine ou comédie de boulevard, il y en a pour toutes les émotions. Le théâtre n'a de cesse de représenter, sur scène, les intrigues du monde et les quiproquos du quotidien. Certains théâtres accueillent d'autres spectacles vivants comme la danse ou la musique.

Molière, auteur dramatique et comédien du XVIIᵉ siècle, outre son savoureux répertoire, voit son nom associé aux récompenses décernées aux différents métiers du théâtre : auteurs, comédiens, metteurs en scène, costumiers… Les *Molières* sont remis une fois l'an au printemps.

Musées pour tous

« Il en est de certaines caves comme des musées. On souhaiterait de s'y laisser enfermer après l'heure ; d'entendre claquer la serrure et s'éloigner les pas du gardien pour surprendre les conciliabules de la nuit. » Pierre Veilletet

Le **Louvre** est l'un des plus grands musées du monde. Il a été créé en 1793 avec une collection de François Iᵉʳ dont le précieux tableau de la Joconde signé de Léonard de Vinci. Depuis, Mona Lisa retient le regard de ses admirateurs. Cette œuvre, symbole de la Renaissance italienne réalisée sur bois de peuplier (77 cm x 53 cm), est la plus populaire du musée.

Le Penseur, Musée Rodin (Paris).

Le ***Placard d'Erik Satie*** à Paris est le plus petit musée de France. Il se visite en toute intimité ; c'est un clin d'œil adressé à ce spirituel compositeur français (1866-1925). Sa musique a le charme qui sied à la danse, et ses mots dénotent un bel humour : « *Nous savons que l'Art n'a pas de Patrie… le pauvre… sa fortune ne le lui permet pas.* » Lorsque le musée offre un concert, c'est pour quelques privilégiés qui se comptent sur les doigts de la main.

La ***Piscine Art déco de Roubaix*** est à la fois musée et chef-d'œuvre par sa remarquable architecture. Piscine municipale créée dans les années 1930, le lieu garde ses attributs aquatiques sans les baigneurs puisqu'il accueille dorénavant une collection permanente d'arts appliqués à l'industrie. Ses expositions temporaires sont des événements attendus.

À Caen, en Normandie, la paix a son musée. ***Le Mémorial*** retrace l'histoire de la seconde guerre mondiale. Le visiteur y est témoin du « jour J », ce 6 juin 1944 où principalement Américains, Britanniques et Canadiens ont été « *le fleuve de liberté* ». Une scénographie futuriste transmet un message de paix à toutes les générations. La galerie des prix Nobel de la paix salue les hommes et les femmes qui ont travaillé à la réconciliation et à la liberté des peuples dans tous les pays de la planète. À l'extérieur, des jardins aux essences mêlées sont dédiés à la mémoire des soldats. À leur façon, *Les Fleurs de la mémoire* rendent hommages aux héros des cimetières de Normandie. Une fois par an, au moins, chaque membre de l'association fleurit la tombe du soldat qu'il parraine, c'est un engagement. « *Ces cimetières sont des champs*

de bataille que la mer lave quatre fois par jour. Grâce à ces plages et aux jardins piquetés de croix blanches, peuplés de jeunes hommes aux noms étrangers, je ne risque pas de commercer avec l'oubli. »
François Simon

Paix : 4 lettres pour un idéal

Pour célébrer l'entrée dans le IIIe millénaire, l'artiste Clara Halter a calligraphié le mot « paix » dans 32 langues et 13 alphabets sur *le Mur pour la Paix* créé par l'architecte Jean-Michel Wilmotte. Cette œuvre a été érigée sur le Champ de Mars près de la Tour Eiffel à Paris.

Lieux d'animation

Chaque ville ou quartier a ses équipements publics de sports et de loisirs destinés aux résidents adultes et enfants. L'offre est multiple et les coûts de participation diffèrent selon les activités qui sont le plus souvent subventionnées par la mairie.

■ Sports à la carte

Que vous souhaitiez pratiquer le squash, le basket ou le badminton… chaque spécialité a sa fédération sportive. C'est le football et le rugby qui comptent le plus de joueurs et de supporters. Certains sont par tous les temps, en basket, sur le terrain tandis que d'autres sont des sportifs plutôt en pantoufles devant la télévision. Des clubs et leurs équipes portent aussi les couleurs d'entreprises ou d'universités.

305

Loisir ou compétition, détente ou performance : le sport ne manque pas de bienfaits. La natation est l'activité recommandée pour tous et les piscines sont très fréquentées à tout âge. Pas besoin d'être sportif pour jouer aux boules, mais mieux vaut être adroit. Toutes les communes de France ont au moins un terrain de terre battue de 20 m de long, le

boulodrome. Tirer ou pointer, le but du jeu est de toucher le « cochonnet » avec une ou plusieurs boules d'acier dont le poids et les règles varient selon que l'on pratique la pétanque provençale ou la boule de Lyon. Comme le rugby, la boule a un bel accent du Sud !

Joueur
de pétanque.

Faites vos jeux

« Bien sûr que j'ai déjà fait du sport en plein air. Une fois, j'ai joué aux dominos à la terrasse d'un café. » Oscar Wilde

La reine et le fou ont leurs clubs. S'il fait beau, les échiquiers sortent en plein air comme au jardin du Luxembourg à Paris ou à la Bourse de Lille entourés de quelques fidèles qui ne manquent jamais une belle partie. Si vous préférez le tarot et ses 21 atouts, le bridge ou tout autre jeu, chaque ville a ses bonnes adresses. Amateur de billard – qu'il soit français, anglais ou américain – vous trouverez des tables dans certains cafés ou dans une académie de billard.

Lieux de savoir

« On se lasse de tout, sauf d'apprendre » tel est le credo des inconditionnels auditeurs des amphithéâtres de l'Université de tous les savoirs, des cours municipaux ou… des prestigieuses conférences du Collège de France. Sans condition d'âge ni de niveau d'études, sans devoirs ni diplômes, les lieux de savoirs sont courus pour le simple plaisir d'apprendre.

■ Demandez le programme

Les journaux locaux et des hebdomadaires spécialisés annoncent les rendez-vous culturels et sportifs de leur secteur géographique. Les mairies tiennent, elles aussi, à diffuser le programme des manifestations régionales. Pour toutes activités, il existe différentes formules d'adhésion, d'abonnement ou de « laisser-passer » pour adultes et pour enfants.

Les week-ends

« Les Français sont des millions d'individualistes qui lisent les mêmes prix littéraires, visitent les mêmes expositions, partent en week-end à la même heure et sont dans les mêmes embouteillages ! »

La semaine anglaise, *« la semaine des deux dimanches »* apparue au XVIIIe siècle outre-Manche et le mot *« week-end »* se sont exportés en France et sont entrés dans les mœurs. Bien que la population soit de plus en plus urbaine, les Français restent attachés à leurs racines régionales. Beaucoup ont, quelque part dans l'Hexagone, une maison secondaire ou une maison de famille qu'ils aiment retrouver en fin de semaine. La maison représente l'idéal de la tribu familiale qui se réunit autour d'une bonne table le week-end. Les Parisiens, en particulier, n'hésitent pas à s'évader de la capitale pour aller prendre un bol d'air à la campagne ou au bord de la mer.

Jardins... à la française

« Dans le jardin à la française, les parterres, s'accommodent d'être géométriquement dessinés... Une noble mélancolie s'en dégage parfois. » Charles de Gaulle

Dès le printemps personne ne résiste au plaisir de fleurir fenêtres, balcons ou jardins. Certains cultivent un potager comme un véritable art de vivre afin, comme le suggérait Voltaire « d'en tirer sagesse et sérénité, en plus de quelques légumes pour la soupe ». Tous sont destinataires de l'invitation *Visitez un jardin en France* conviant, le temps d'un week-end de juin, le public à découvrir des jardins d'exception. Événement aussi, de juillet à octobre, le Conservatoire international des parcs et jardins et du paysage propose à Chaumont-sur-Loire *le Festival international des jardins*. Les plus talentueux paysagistes du monde y réalisent un jardin extraordinaire selon un thème et un budget fixés.

Label « fleur »

Les villes et villages font preuve d'imagination pour valoriser leur cadre de vie. Certains cultivent même leur nom en parterre fleuri à l'intention des visiteurs. Le label national de *ville fleurie* ou de *village fleuri* est attribué aux communes qui fleurissent harmonieusement les rues et les monuments. Un panneau portant une ou plusieurs fleurs à l'entrée de la commune le fait savoir.

Cueillettes et vitamines

Au marché ou au jardin, on trouve en juin les fraises et les radis, en juillet les haricots verts et les groseilles, en août les tomates et les courgettes. Dans certaines fermes, chacun peut faire sa cueillette de fruits, de légumes et de fleurs. La récolte se paie au poids ou au volume. En automne, les champignons des bois et des prés poussent en abondance mais il faut être matinal. Vigilance ! s'il y a le moindre doute avant de s'attabler devant une omelette aux *trompettes de la mort*, mieux vaut consulter le pharmacien.

À la rencontre de la nature

Les *parcs naturels régionaux* protègent un terroir tout en développant une activité économique sur un territoire qui peut être habité. La France en compte 44. Dans le même esprit, *7 parcs nationaux* sont classés et protègent la faune et flore. Les *réserves naturelles* ont, quant à elles, une mission de protection d'une espèce. Autant de lieux où les visiteurs sont les bienvenus pour une initiation aux secrets de la nature qu'ils auront à cœur de préserver à leur tour.

■ Chasseurs ou pêcheurs

La France est une terre de gibiers, petits et gros. De même, les rivières, lacs et étangs y sont nombreux et poissonneux. Toutefois, pour chasser ou pêcher il faut avoir pris connaissance de la réglementation en vigueur auprès des fédérations locales, à la mairie ou la préfecture du département (permis, périodes d'ouverture…).

Sentiers, promenades et randonnées

Quelque 180 000 km de chemins ou sentiers sont balisés et répertoriés dans les topoguides édités par la Fédération française de la randonnée pédestre. Les sentiers de grande randonnée (GR) sont signalés en rouge et blanc et s'adressent aux marcheurs expérimentés. Les promenades familiales sont pour leur part balisées en jaune.

■ Sur les chemins de l'Histoire

Les voyageurs passionnés de diversités architecturales auront plaisir à parcourir les « *Routes historiques* » tracées par la Caisse nationale des monuments historiques et des sites. Elles vont d'un château à un jardin, suivent un coteau et son vignoble ou encore esquissent le périple d'un écrivain célèbre. Ailleurs, des spécialités en font un itinéraire de choix : route de l'olivier, route du sel, route du cidre.

Songes de nuit

Une visite intemporelle du Mont-Saint-Michel, rythmée par violon-celle et clavecin fait revivre les personnages médiévaux qui hantent les lieux dès le crépuscule. L'ange, le pèlerin, le chevalier, le moine… y sont ombres et lumières grâce aux jeux de miroirs et de lanternes magiques. Ce rocher de Normandie, labellisé Patrimoine mondial est à la fois un lieu de pèlerinage et un site touristique unique.

Depuis 1979, l'UNESCO a inscrit 788 lieux au Patrimoine mondial de l'Humanité dont 30 sites en France. En 2005, le centre-ville du Havre est distingué au titre d'exemple d'architecture et d'urbanisme de l'après-guerre : les 150 ha détruits en 1944 ont été reconstruits en béton par l'architecte Auguste Perret. De même, 23 beffrois édifiés entre les XIe et XVIIe siècles dans les régions Nord-Pas-de-Calais et Picardie ont aussi été classés en 2005. De style roman, gothique, renaissance et baroque, ces tours de guet donnaient l'alerte en sonnant les cloches à l'approche des pillards. Ils donnent toujours l'heure au cœur de la cité.

Au cœur de la diversité culturelle

La France est à la croisée de six pays qui forment l'un des carre-fours touristiques de l'Europe. En voiture, par le train ou par avion, les destinations européennes sont proches et la diversité garantie. D'ailleurs, sous l'égide de l'UNESCO, 148 pays ont reconnu l'im-portance de la diversité des cultures et inscrit le 21 mai comme Journée mondiale de la diversité culturelle dans un esprit de dialo-gue et de développement.

À Paris, la semaine des cultures étrangères

Initiative des instituts et centres culturels étrangers en France, cette fête de la diversité et du dialogue entre cultures incite à aller vers l'autre, vers l'inconnu et invite à faire le tour du monde en huit jours. Au programme, découvertes, débats et divertissements.

Les parcs de loisirs

Les parcs récréatifs, appelés *jardins de plaisance* au XVIIe siècle, sont devenus parcs d'attractions et rivalisent d'imagination pour proposer le « dépaysement dans un univers de loisirs ». Des formules forfaitaires individuelles ou familiales, résidentielles ou non, donnent accès à toutes sortes d'activités. Certains lieux associent l'exploration des technologies et des sciences comme **Planète Futuroscope** à Poitiers (87), la **Cité de l'espace** à Toulouse (32), **Vulcania** dans le Puy-de-Dôme (63) ou la **Cité des Sciences et de l'Industrie** de Paris. D'autres parcs à thèmes animaliers ou aquatiques ont aussi leurs adeptes.

• Le **Parc Astérix**, dans l'Oise (60), est le domaine du petit Gaulois et de son compère Obélix. Personnages nés du talent et de la complicité du duo Goscinny et Uderzo en 1960, ils sont les héros d'albums de BD et de films qui comptent des millions de fans sur la planète.

• **Disneyland Paris** se veut le « pays enchanteur » de Walt Disney installé à Marne-la-Vallée (77). C'est à la fois un parc d'attractions et un centre de congrès. Mickey et ses complices savent flatter la part d'enfance des visiteurs avec Pinocchio, les Sept Nains, la Belle au Bois Dormant, Blanche-Neige, Cendrillon… personnages bien connus des Français puisqu'ils sont nés sous la plume de conteurs européens.

• À Élancourt (78), architectes, maquettistes et paysagistes ont créé une **France Miniature** qui se visite à pied. On ne compte pas moins de 200 monuments et 15 villages reproduits à l'échelle de 1/30e qui donnent envie d'en découvrir les charmes en taille réelle. C'est un parc de 5 ha, en forme d'hexagone bien sûr. À Bruxelles, une **Mini Europe** a, comme son nom l'indique, une envergure européenne : 350 monuments sont reconstitués dans les moindres détails. La Tour Eiffel y mesure 13 m de haut et voisine avec le carillon de *Big Ben* de Londres ou l'Acropole d'Athènes.

Le parc Astérix, dans l'Oise (Île-de-France).

• *Center-Parc*, en Normandie, en Sologne ou en Picardie, offre un complexe de loisirs aquatiques dans un environnement tropical. Toute l'année, il y règne une température de 29° même s'il pleut sur la pyramide de verre. De multiples activités sportives ou de nature y sont proposées et on peut prolonger le dépaysement en louant un *cottage* avec cheminée.

Ici et là, on trouve des bases de loisirs et de pleine nature, aménagées pour les promenades en famille, les pique-niques de fin de semaine, les sports tels que le canoë, l'escalade, le tir à l'arc, le golf, etc.

Bienvenue dans l'entreprise

De plus en plus d'entreprises ouvrent leurs portes aux touristes et vacanciers. Le « tourisme industriel » est source de fierté pour le personnel qui a l'occasion de montrer son univers professionnel et valoriser son savoir-faire. À chacun ses options : les chantiers navals de Saint-Nazaire, les Halles de Rungis qui constituent le plus grand marché professionnel de produits frais, les coulisses technologiques du Viaduc de Millau qui enjambe les gorges du Tarn. Les gourmets peuvent préférer des fabriques de chocolat ou des caves à fromages.

Vive les vacances

Détente, évasion, famille, plage, amis, soleil, rencontre, sport, lecture, paresse, monument, bonne cuisine… sont les mots qui fleurent bon les vacances. Congé est synonyme de vacances mais il est le plus souvent caractérisé de congé payé, congé de maladie, congé de formation, ce qui renvoie à une réglementation du code du travail.

En France, les salariés ont cinq semaines de congés payés. Il est habituel de fractionner ses vacances en prenant trois semaines l'été, une semaine l'hiver et une semaine au printemps, sinon les jours supplémentaires permettent de faire un « pont » au mois de mai ou de novembre.

Sans contraintes particulières, il peut être agréable de partir en vacances en dehors du calendrier scolaire. Il y a en effet moins de monde, avant ou après le chassé-croisé des juillettistes et des aoûtiens et les prix sont plus avantageux.

Char à voile sur la plage de Saint-Malo (Bretagne).

Des organismes agréés par le ministère de la Jeunesse et des Sports proposent des vacances actives pour les jeunes : séjours sportifs, touristiques, linguistiques, chantiers de constructions, etc. Certains comités d'entreprises cofinancent des centres de vacances à des conditions avantageuses pour les salariés et leur famille.

■ L'été

Les vacances d'été se préparent dès les premiers rayons de soleil, en mars. L'idée s'immisce peu à peu dans les magazines, dans les magasins et dans les têtes. Selon les statistiques, 65 % des Français partent en vacances d'été. 20 % vont à l'étranger tandis que les autres optent pour la découverte ou les retrouvailles avec le patrimoine du pays. La voiture reste le moyen de transport privilégié l'été.

Côte d'Opale au nord, *Côte de Nacre* en Normandie, *Côte d'Argent* dans les Landes, *Côte d'Azur* appelée *Riviera* du côté italien... ces noms pour désigner un morceau de littoral sont plus poétiques que géographiques. L'Hexagone compte plus de 5 500 km de côtes de sables, de roches ou de marais réparties sur 26 départements. Les plages sont en grande partie propriété du domaine public et d'accès libre sauf raison de sécurité ou de protection de l'environnement. On compte près de 2 000 plages publiques très attractives pour les estivants. La montagne est le deuxième grand espace de vacances. Viennent ensuite les séjours à la campagne, à l'étranger sans oublier les séjours et les visites guidées dans les villes.

Le rythme de vie de vacanciers est propice aux relations de voisinage et il est fréquent de partager l'apéritif, un barbecue ou une salade avec ses voisins temporaires.

▪ Et l'hiver

« *L'automne est le printemps de l'hiver* » selon Ésope. L'hiver, les massifs montagneux des Alpes, des Pyrénées, de l'Auvergne ou du Jura ont les pentes neigeuses. Cet important domaine skiable attend impatiemment les premiers flocons pour accueillir les inconditionnels des cimes et des sports de glisse. De retour le soir au chalet, rien de plus convivial qu'une fondue savoyarde ou une raclette.

Le mot ski vient du finnois *suski* qui signifie planche de bois. Chamonix-mont Blanc, en Haute-Savoie, est la plus ancienne station de sports d'hiver. Elle a organisé les premiers Jeux olympiques d'hiver en 1924. On compte aujourd'hui près de 360 stations, la plus haute (Val-Thorens – Savoie) culmine à 2 300 m.

Comme les cerises au printemps et les pommes en automne, les sapins reviennent dès les premiers jours de décembre. Les rues et les boutiques s'habillent des traditionnelles couleurs or et argent, vert et rouge. De nombreux visiteurs provinciaux et étrangers choisissent l'atmosphère des fêtes de fin d'année pour visiter Paris et faire le tour des célèbres vitrines des grands magasins. La tradition des marchés de Noël venue d'Allemagne est arrivée en France par l'Alsace. Elle prend maintenant ses quartiers d'hiver dans beaucoup de villes françaises mais celui de Strasbourg reste le plus célèbre.

À l'office de tourisme

Bien en vue en ville, l'office de tourisme ou le syndicat d'initiatives se veut une vitrine de promotion locale. On y trouve toutes les informations utiles : cartes, plans, dépliants et rendez-vous à ne pas manquer. Il est possible d'y réserver son hébergement.

Des régions et des départements ont pignon sur rue à Paris pour y promouvoir leur territoire. Ces *Maisons de région* orientent les touristes à la découverte du patrimoine régional et de ses spécialités.

À l'étranger, *Maison de la France* est l'ambassade touristique de l'Hexagone qui reste la première destination du monde. L'enseigne est présente dans les plus grandes villes pour y accueillir les visiteurs curieux de la France. On y trouve toutes les informations utiles pour organiser un séjour de vacances.

En villégiature

Vous souhaitez louer une chambre en ville, un chalet à la montagne, une villa au bord de la mer, un studio meublé pour un week-end, un camping les pieds dans l'eau ? Les offres d'hébergement sont multiples et sont diffusées sur les sites Internet des offices de tourisme, des agences immobilières et dans la presse. Les prix varient selon la notoriété des lieux et le confort recherché. Les clubs de vacances ont des formules individuelles ou familiales comprenant des activités sportives ou touristiques en plus de l'hébergement et des repas. Une réservation est confirmée dès le versement d'un acompte d'environ 25 % du coût de la location.

Des organismes proposent leur sélection de maisons d'hôtes et ont leur propre label tel que *Maison des Gîtes de France* et ses différentes formules de séjour :
– des chambres et tables d'hôtes sélectionnées et classées dans tous les départements selon un nombre d'épis : 1, 2 ou 3. Les demeures originales ont la mention « prestige » ;
– des *gîtes ruraux* sont des maisons indépendantes qui sont à louer pour une ou plusieurs semaines mais aussi les week-ends hors saison.

Les hôtels ont aussi leur classement et le prix des chambres varie selon le nombre d'étoiles. Ce dernier doit être affiché, taxes et services compris. Le petit-déjeuner n'est pas obligatoire mais nombre d'hôtels proposent des forfaits « pension complète » (chambre et 3 repas par jour) ou demi-pension (chambre, petit-déjeuner et dîner).

La vie de château ? Des amoureux de vieilles pierres restaurent de magnifiques propriétés pour accueillir quelques visiteurs privilégiés. L'histoire et les souvenirs de la demeure se racontent autour d'un verre ou d'un dîner-maison. *Relais et châteaux* est une signature et un gage de confort et d'accueil.

Enfin, l'échange de maison se développe en France. Prêter son chez soi pour aller s'installer chez les autres est une façon originale et économique de passer des vacances ailleurs mais nécessite un contrat de confiance et, bien sûr, un engagement écrit. L'adhésion à un organisme expérimenté fait entrer dans le fichier des candidats à l'échange de domicile.

Pour les routards, le réseau des 200 Auberges de jeunesse française est ouvert à tous : seul, en famille ou en groupe. L'hébergement est simple mais toujours chaleureux et au meilleur prix.

Une fois par an

Au fil du temps, des événements sont devenus des rendez-vous inscrits au calendrier des Français tels que fêtes, expositions ou compétitions sportives. Aperçu sur quelques incontournables :

■ La fête de l'Internet

Dans les années 1990, l'Internet était à ses premiers balbutiements, il est devenu le média en ligne et en réseau par excellence pour mieux mailler la planète. Les technologies qui défient le temps et les distances ont, de fait, investi le monde de travail et l'espace de la vie privée. Créer un site ou un blog, participer à un forum est à la portée de tous ou presque, même si parfois le « *cyber homo numericus* » a le sentiment d'y perdre son latin. Bon prétexte pour se mettre à la page en participant en mars à la fête de l'Internet. L'anglais est bien sûr la langue la plus présente sur l'Internet (80 %) suivie de l'allemand (5,5 %) et du français (5 %).

■ La « journée mondiale de l'environnement »

La « *Journée mondiale de l'environnement* », proclamée par l'ONU en 1972, revient tous les 5 juin. Les Français en général, et les enfants en particulier, portent dorénavant un regard réaliste et un intérêt durable aux ressources naturelles de leur région et de la planète.

■ La fête de la science

Chaque automne, les scientifiques font l'expérience d'ouvrir leurs laboratoires. Blouses blanches et matière grise partagent ainsi un peu de leur savoir avec les curieux de la chose scientifique et technique, d'hier à demain.

L'aventure du mètre

Avant d'être une commune unité de mesure décimale, le système métrique est une incroyable collaboration scientifique née en France de l'esprit des Lumières, après la Révolution. Ainsi, pendant des années, physiciens, mathématiciens, astronomes vont se creuser la tête pour trouver le mode de calcul qui « *rapporterait toutes les mesures à une unité prise dans la nature* » et donc qui n'appartienne à aucune nation pour être adoptée par toutes. La Terre sera la référence idéale et donnera la dimension universelle recherchée.

C'est le 7 avril 1795 que le système métrique décimal est déclaré officiel en France. Il sera rendu obligatoire en 1840. Auparavant, il était impossible de comparer équitablement des biens ou de réaliser une carte qui soit à la mesure sans qu'il y ait litige. Ces mesures inédites prendront des noms adaptables à toutes les langues et simples à mémoriser : mètre, litre, gramme, are et stère forment la racine du mot, précédé de préfixes grecs (déca, hecto, kilo, et latins (déci, centi, milli). La promotion de cette invention se fera, de par le monde, au gré des expositions universelles.

■ La fête de la musique

Lancée en France en 1982, la fête de la musique est désormais un événement international qui fait écho dans plus de 120 pays des 5 continents. Le 21 juin, premier jour de l'été, tous les genres de musique sont dans la rue, témoins du brassage musical et culturel : jazz, rock, hip-hop, rap, traditionnelle, classique, techno, etc. De quoi passer une nuit blanche en fête !

Les autres jours, la musique rythme bien sûr la vie quotidienne : radio, baladeur, CD… Ainsi, les chansons à texte des grands poètes d'hier comme Brassens, Brel, Gainsbourg, Piaf, etc. traversent les époques sans une ride. Le festival des Francofolies de La Rochelle est la scène d'été préférée de la nouvelle vague d'auteurs et de chanteurs de langue française.

Par ailleurs, la plupart des villes ont un conservatoire municipal ouvert aux disciplines artistiques : musique, danse, art dramatique, chorales.

À la Belle Époque

Les places ou les jardins publics avaient leur kiosque à musique. En mai et au cours de l'été, on y programme à nouveau des intermèdes musicaux et des concerts publics. Les tendres *amoureux de Peynet* ont immortalisé ces romantiques gloriettes.

■ Les « journées européennes du patrimoine »

Nées en France en 1984, les « journées du patrimoine » ont pris une envergure européenne en 1991 sous l'égide du Conseil de l'Europe. À chaque année son thème : *patrimoine spirituel, patrimoine industriel, la citoyenneté et l'Europe.*

Ainsi, depuis plus de 20 ans, les Français ont le privilège de pénétrer quelques secrets bien gardés de demeures privées, de châteaux et même d'usines. C'est le troisième week-end de septembre et c'est gratuit. Le Président de la République à l'Élysée, les présidents de l'Assemblée nationale et du Sénat s'improvisent guides émérites pour accueillir les citoyens enchantés de visiter les hauts lieux de la République.

À l'origine, le patrimoine est une notion personnelle liée aux biens transmis par héritage. Progressivement, la dimension de biens communs et de patrimoine national s'est développée.

Il était une fois

Pour une réception, un concert, un événement hors du commun, certains monuments comme le Château de Chambord ou l'Orangerie du Château de Versailles peuvent être loués, de même que des trains de légende classés monuments historiques.

Le premier train de la prestigieuse lignée de *l'Orient Express* était inauguré en 1884 pour assurer la liaison entre Paris et Istanbul, la Constantinople d'alors. La Compagnie internationale des wagons-lits a pu rendre ses lettres de noblesse et ses armoiries à d'authentiques voitures de la Belle Époque. Pourquoi ne pas retrouver l'esprit du voyage des années vingt et le charme d'antan à bord de l'un de ces élégants trains à la livrée bleue et beige? D'ailleurs vous percevez déjà une fragrance de romantisme? Et si c'était le parfum de Coco Chanel; vous pressentez un soupçon de mystère? N'est-ce pas un frisson à la Hitchcok; vous devinez l'ombre d'une moustache? c'est sans nul doute la silhouette d'Hercule Poirot. *L'Orient Express, le Train bleu, l'Étoile du Nord* peuvent vous concocter un voyage imaginaire d'exception le temps d'un repas, d'une soirée ou d'une évasion.

317

■ « Lire en Fête »

Tous les ans, les livres et la lecture sont à leur tour à l'honneur en octobre. Bibliothèques et librairies mais aussi musées, théâtres… accueillent des artistes et des écrivains pour fêter les livres et leurs auteurs. Même les gares et les trains proposent un original « voyage au cœur des livres ».

L'UNESCO a déclaré le 23 avril « *journée mondiale du livre et du droit d'auteur* ». Selon la tradition catalane, à la San Jordi, les femmes offrent un livre aux hommes qui en retour leur offrent des roses. En France, les libraires interprètent cette belle idée en offrant une rose pour l'achat d'un livre. Ensemble, libraires et fleuristes ont, ce jour-là, l'occasion de voir la vie en rose.

La lecture est, selon les enquêtes, le deuxième loisir après la télévision. La littérature française a ses morceaux choisis même si parfois elle est « un peu considérée comme de l'épicerie fine, pas toujours abordable. » (Koukla Maclehose)

Prix littéraires

Pour la rentrée littéraire, en septembre, plus de 680 nouveaux romans sont publiés, et empilés en librairie. À la veille des prix littéraires, les éditeurs, les critiques, les jurés… bref, le monde des lettres s'enflamme pour déceler les meilleurs prétendants parmi ces milliers de pages.

Créé en 1903, le plus illustre prix littéraire de France est le *Goncourt* qui récompense le « *meilleur livre d'imagination en prose publié dans l'année* ». La récompense est un chèque symbolique de 10 euros… à encadrer pour le souvenir. La fortune ne viendra qu'après grâce aux ventes record du livre couronné.

… et succès planétaire

« Qu'est-ce que signifie "apprivoiser" ? dit le Petit Prince. – C'est une chose trop oubliée, dit le renard. Ça signifie "créer des liens"… » Saint-Exupéry

Le Petit Prince a plus que jamais la tête dans les étoiles. Ce merveilleux conte philosophique d'Antoine de Saint-Exupéry, d'abord publié aux États-Unis en 1943, paraît en France pour la première fois en avril 1946 illustré par son auteur. Saint-Exupéry disparaît aux commandes de son avion de guerre au large de Marseille le 31 juillet 1944. *Le Petit Prince* est aujourd'hui l'œuvre littéraire la plus traduite : on compte plus de 160 langues et dialectes. C'est aussi le livre français le plus vendu dans le monde.

Les médiathèques et les bibliothèques municipales, ouvertes à tous, proposent une large palette d'ouvrages (romans, documentaires, albums de bandes dessinées, livres pratiques, artistiques, dictionnaires…) et de magazines. Des espaces jeunesse accueillent les enfants qui affectionnent les belles histoires et chacun peut choisir des livres à emporter quelques jours à la maison. À la campagne, on guette le bibliobus qui s'arrête de villages en villages. Après inscription, les prêts sont gratuits ou presque.

Les bibliothèques universitaires ou spécialisées sont réservées aux étudiants et aux chercheurs selon l'objet de leurs travaux. Nombre d'auteurs étrangers sont traduits et publiés en français. Quelques bibliothèques et librairies étrangères dans les grandes villes ont leur réseau de fidèles lecteurs.

Il est toujours possible de chercher et trouver un livre par sa référence *ISBN* (*International standard book number*) autrement dit, le numéro de référence internationale qui identifie de façon unique chaque livre publié.

■ Fêtes et festivals

Théâtre, musique, livres… les fêtes et festivals ont le charme de l'éphémère qui se renouvelle chaque saison. Toutes les régions s'évertuent à offrir une programmation d'exception. Parmi les rendez-vous les plus attendus : Avignon est depuis 1947, au mois de juillet, la capitale du théâtre ; en plus des spectacles officiels, les scènes d'amateurs dites du « off » se sont taillé une belle réputation. La musique contemporaine et populaire fait le Printemps de Bourges. Aix-en-Provence accueille le *Festival international d'art lyrique et de musique*. La ville d'Orange donne ses Chorégies dans le haut lieu du théâtre antique, témoignage de l'époque romaine. En Normandie, *Jazz sous les pommiers* fleurit tous les printemps à Coutances qui est fière de jouer dans la cour des grands. Le *Festival interceltique* de Lorient fait vibrer la corde de la grande famille d'origine celte. Ici et là des *technivals* déferlent leur musique robotisée. Côté livres, la bande dessinée fait ses bulles à Angoulême en janvier, Saint-Malo convie ses *Étonnants voyageurs*, un festival de « *littérature qui dise le monde* » tandis que le *festival de la correspondance* de Grignan dans la Drôme ne manque pas de cachet, la marquise de Sévigné y veille.

L'été, c'est aussi pour les villes et les villages de France, le moment idéal de faire revivre leur épopée et de la mettre en scène, en son et lumière.

■ Les salons et foires dans toute la France

Locale, nationale, voire internationale, foires et salons déplacent toujours les foules. Paris accueille notamment, le *Salon international de l'agriculture* en mars. Bonjour veaux, vaches, cochons, couvés pour le plaisir des visiteurs ruraux et citadins. La plus grande ferme de France réunit ainsi, pendant une semaine à Paris, tous les accents et tous les terroirs de l'Hexagone.

Dans un registre plus technologique ou plus aérien, le *Salon mondial de l'automobile* se tient tous les deux ans à Paris et le Salon international aéronautique attire au Bourget (93), tour à tour les professionnels et les inconditionnels de l'aviation.

■ Au calendrier... des sportifs

■ À Roland-Garros

Les internationaux de France de tennis sont l'un des quatre tournois du Grand Chelem (France, Grande-Bretagne, États-Unis et Australie). Les courts de Roland-Garros, à Paris, voient s'opposer les meilleures raquettes du monde. Rendez-vous mondain et populaire, fin mai ou début juin, il est attendu par de nombreux amateurs qui n'hésitent pas à prendre quelques jours de congé pour assister aux cinq sets d'un match ou les suivre en direct à la télévision. La finale dame se joue sur le court central le samedi, le dimanche reste réservé aux messieurs. Depuis 2003, Roland-Garros a son musée, le *Tenniseum*.

■ Le Tour de France

Le cyclisme est populaire en France et le *Tour de France* est, depuis 1903, une véritable institution. Cet événement spectacle, très médiatisé, remporte un franc succès international. Les coureurs accompagnés de l'incroyable *caravane* du Tour empruntent chaque année un itinéraire différent et sont salués par les supporters de la Grande Boucle toujours plus nombreux. En revanche, l'arrivée a toujours lieu un dimanche sur l'avenue des Champs-Élysées à Paris. Le porteur du maillot jaune est le vainqueur.

■ Le marathon de Paris

Que font 35 000 personnes en short sur les Champs-Élysées un dimanche matin de printemps ? Ce ne sont ni des touristes, ni des manifestants mais les coureurs du marathon de Paris. Ces sportifs de tous pays, amateurs ou professionnels, ont le privilège de traverser la capitale au pas de course et de parcourir 42,195 km, le long des quais de Seine, de Boulogne à Vincennes. Avec Berlin, Chicago, Londres et New York, Paris est dans le quintette des marathons mondiaux.

La légende voudrait que 42 km et 195 m soient la distance entre les villes grecques d'Athènes et de Marathon qui aurait été couru pour la première fois, d'une seule traite en l'an 490. C'est en réalité la distance exacte du marathon couru à l'occasion des Jeux olympiques de Londres en 1908, entre la ligne de départ du château de Windsor et l'arrivée devant la loge royale du stade olympique.

Si vous préférez le terroir au bitume, le marathon du Médoc, en octobre, offre les charmes d'un parcours sportif dans les vignobles auquel s'ajoute le plaisir de quelques dégustations.

Le marathon de Paris (6 avril 2003).

■ Tiercé gagnant

Les courses de chevaux ont leurs inconditionnels parieurs, notamment le dimanche. Lors de grands prix tels que le prix de l'Arc de Triomphe, le prix d'Amérique ou le prix du Président de la République, on voit se bousculer sur les hippodromes parisiens les gens connus du monde des affaires et du spectacle. L'attraction est alors du côté des chapeaux de femmes élégantes qui osent même assortir la couleur de leur extravagant couvre-chef à la nappe du pique-nique. Une façon d'être remarquée pour figurer en photo dans les magazines?

Les courses hippiques et les casinos bénéficient d'une dérogation aux dispositions du Code pénal qui interdit les jeux d'argent et de hasard. En outre, si le droit d'ouverture d'un casino était d'abord réservé aux stations climatiques, balnéaires et thermales, l'autorisation est dorénavant étendue aux villes touristiques de plus de 500 000 habitants qui ont théâtre, opéra et orchestre national. La France en compte 188. L'entrée est réservée aux adultes d'au moins 18 ans.

Pour en savoir plus

www.jours-feries.com

www.lagenda.com

www.maisondelafrance.com

www.office-de-tourisme.com

www.gites-de-france.fr

www.francebenevolat.org

Guides gratuits disponibles à la mairie

Comme chez vous… en France

« Chez vous, pardonnez-moi, c'est un peu chez nous ;
Un peu ? Beaucoup, passionnément. Et pas du tout
les jours où les Français nous énervent…
Ça arrive. Ou quand ils nous renvoient bêtement
à notre idée d'étranger. »

Vincent Philippe
« De Suisse romande (francophone dites-vous)… »

L'ailleurs :
une enrichissante expérience

« Les gens ne se rendent pas compte d'une chose, commencer une vie entièrement nouvelle dans un autre pays prend à un homme toute son énergie, vous entendez, toute son énergie. » Milan Kundera

Partir d'un pays vers un autre, d'une région vers une autre est une décision parfois cornélienne : l'un ose tandis que l'autre hésite. Qu'il s'agisse d'un motif professionnel ou d'une raison personnelle, la mobilité géographique se pose ou s'impose de plus en plus et pour chacun, s'expatrier, c'est aller vers une *terra incognita*, au-delà de ses horizons. Laisser derrière soi un univers familier ne s'improvise pas et il faut accepter de perdre avant de gagner, de renoncer avant de réussir.

« Quand on sort de chez soi, on s'enquiert de la route, quand on rentre dans une région, on s'enquiert des coutumes. » Ce proverbe chinois invite à s'y préparer car comme en mathématiques, l'inconnue est une variable à déchiffrer.

Ce dixième chapitre est écrit avec la complicité de personnes étrangères, d'horizons et de cultures différentes, qui vivent en France depuis deux mois ou vingt ans. Toutes gardent un souvenir ému de leurs premiers pas dans l'Hexagone, pays hôte. Paradoxe de l'hospitalité, le mot *hôte* est justement à double sens, il signifie à la fois celui qui reçoit et celui qui est reçu.

L'adaptation
en quatre temps

325

« Le voyage me semble un exercice profitable, et je ne sache point meilleure école que [...] la diversité de tant d'autres vies, fantaisies et usances. » Montaigne

À chacun son rythme pour apprivoiser l'autre, à chacun sa boussole pour retrouver ses points cardinaux. Le processus d'adaptation est une affaire très personnelle avec des étapes, des hauts et des bas avant d'être à nouveau maître de son chemin.

■ Le dépaysement

« C'est qui l'étranger ? Celui qui est différent ou celui que nous ne connaissons pas encore. » Nidra Poller

Vous aviez une certaine idée de la France mais vous ne préjugez plus de rien. Un autre pays c'est un monde en soi et vous vous laissez surprendre. Vos impressions sont multiples, parfois paradoxales. Déjà vous appréciez le bon côté des choses, mais vous pressentez quelques frustrations et nostalgies : *Qu'est-ce que je fais ici ?*

Impressions

« Être étranger, c'est être sous l'eau quand d'autres vous parlent à la surface, les sons pénètrent mais pas le sens. » Tania de Montaigne
« La Tour Eiffel n'est jamais exactement aussi dorée que sur les cartes postales. » Maxime (Russie)
« Quand tout est inconnu à l'extérieur, je tente que tout soit connu à l'intérieur et petit à petit, je sors de ma carapace… » Lena (Norvège)
« Chaque jour il y a des énigmes à résoudre. Je me dis que ce pays est un jeu et que j'ai les atouts. » Christina (Australie)

■ Principes de réalité

« Quand vous achetez une valise, n'oubliez pas qu'au cours d'un long voyage, à un moment ou à un autre, vous serez obligé de la porter vous-même. » Paul Morand

Comme partout, les jours se suivent et ne se ressemblent pas, heureusement car il y a ceux où l'on fait dans le pire : une fuite d'eau dans l'appartement, le certificat de naissance du petit introuvable, le PV sur le pare-brise de la voiture. Il n'est plus question de se laisser décourager par une déconvenue, vous avez-vous votre propre système D comme Déclic et Débrouille pour faire face et faire surface.

Impressions

« Ris et le monde rit avec toi. Pleure et tu pleures toute seule. » Jane Birkin
« Les optimistes racontent leurs mésaventures comme des anecdotes, les anxieux… comme des agressions : mieux vaut l'humour que la rébellion. » Ema (Brésil)
« Ça passe ou ça casse, entre les deux, il faut avoir une porte de sortie pour garder la face… et le moral. » Peter (Grande-Bretagne)
« On écoute beaucoup, mais on n'entend rien. Lorsqu'on ne parle pas bien la langue, on a une façon différente de regarder pour essayer de deviner ce qui se passe. » Mariko (Japon)

■ Pas à pas vers l'autonomie

« Pour ne pas faire de vagues, vous justifiez tous les malentendus entre vous et votre famille par le choc des cultures, la difficulté d'expliquer l'une dans les termes de l'autre. » Nancy Houston

Peu à peu vous vous sentez pousser des ailes et vous débordez d'idées et d'initiatives, mais *« faire comme chez soi »* n'est pas exactement *« être chez soi »*. Il suffit d'un jour gris pour se laisser habiter par la nostalgie. Serait-ce le *mal du pays*? Une solution : invitez votre famille et vos amis pour que les uns ou les autres viennent dépayser vos pensées et vous apportent un bol d'air de chez vous. Vous serez surpris de compter tant de gens prêts à venir vous voir... à moins que ce ne soit une bonne occasion de visiter la France. Vous réaliserez alors combien ce pays vous est familier lorsque vous en parlez à vos visiteurs.

Impressions

« Je n'ai jamais pu m'adapter à un monde où l'on doit rentrer dans un moule. J'aime les variations, les approximations et en France on a encore cette liberté. » Pia Petersen
« Vais-je m'habituer? Je suis sûre que tout le monde se pose cette question. Au début, on se cambre, mais on finit par retrouver légèreté et sérénité. » Jennifer (États-Unis)
« Il faut accepter de changer un peu, juste ce qu'il faut, sinon on est changé de force. » Johanne (Canada)
« On ne peut tout avaler d'un coup. Un pays comme la France ne peut être compris que pas à pas. » Samira (Égypte)

327

■ Riche de deux cultures

« Vous êtes ici comme chez vous, mais n'oubliez pas que j'y suis chez moi. » Jules Renard

Vous connaissez le pays, sa langue, sa culture et vous savez tirer avantage de la vie française. Votre esprit critique est aiguisé et vous ne dépendez plus de l'opinion des autres. Votre carnet d'adresses se remplit et vous avez des amis pour aller au cinéma, prendre un verre ou partir en week-end.

La réussite? C'est une disposition d'esprit. Selon le dictionnaire, c'est un résultat positif mais aussi un jeu où l'on s'efforce de placer ses cartes selon les règles. Son synonyme est patience!

Impressions

« Il faut prendre la France comme elle est : charmeuse, complexe, conciliante et le Français, qui dit oui, qui dit non, qui dit tu, qui dit vous, comme il est. » Ian (Irlande)

« Je suis là depuis 3 ans et j'ai toujours un pied là-bas. J'aime les différences, mais j'évite les comparaisons constantes entre les deux pays. » Mary (États-Unis)

« Un an ailleurs, c'est en gagner 10 en maturité. On prend conscience du pouvoir que son pays a sur soi. » Jeff (Suède)

« J'aime la France et les Français. J'ai savouré chaque minute de mon séjour comme une parenthèse, comme un bonbon. » Édith Luc (Québec)

Spontanéité des enfants

« D'où je suis ? Je suis de mon enfance. Je suis de mon enfance comme d'un pays. » Saint-Exupéry

Les enfants s'approprient volontiers un autre cadre de vie dès lors qu'ils ont une image positive de leur nouvelle destination. Spontanés et curieux, ils sont moins dépendants des habitudes que les adultes. Comme le chantait Claude Nougaro, *« Que tu lui donnes un crayon, et l'enfant bâtit sa maison »*. En effet, l'enfant est *chez lui* là où s'installent ses parents et ses affaires, là où il trouve des copains avec qui s'entendre même sans se comprendre.

Les adolescents sont plus réservés et redoutent les ruptures. L'amitié à distance est difficile à vivre : Internet et SMS y participent mais restent trop virtuels. Une transaction sur mesure, à l'avantage du jeune, peut faciliter la transition, par exemple lui permettre de pratiquer l'activité ou le sport rêvé depuis longtemps, ce qui lui *mettra le pied à l'étrier* de son nouveau monde.

Mot à mot

« Quand j'allais en classe, j'entrais en France ; à la maison, je retrouvais la Russie, avec sa langue et ses souvenirs... Il est possible de se fondre à la France sans renoncer à la poésie de ses racines et de sa famille. » Henri Troyat

« J'ai eu un globe à Noël et je n'ai plus peur depuis que je dors avec la terre dans ma chambre. » Mary (7 ans)

« Avant, on croyait que mon père savait tout, maintenant on est plus fort que lui sur la France. » George (12 ans)

« Le fait de parler une autre langue, c'est mettre un pied dans le pays. On acquiert des modes de penser différents. » Clément (12 ans – France)

« Nous on adore les fêtes. En France, il y en a tout le temps : au carnaval on se déguise, à Pâques on cherche les œufs, au 1er mai on s'offre du muguet, le 9 mai c'est la fête de l'Europe et pour le jour de l'été, c'est la fête de la musique. Quand on était un peu triste, on cherchait dans le journal où il y avait une fête pour faire comme les Français. » Jean Alexandre (12 ans) et Maxence (10 ans – Québec)

Accueil et convivialité

« Une vie est faite de rencontres, rencontres avec des personnes, rencontres avec des lieux ! Tout cela laisse sa trace… Cette trace est faite de tout ce qui nous a surpris, déroutés ou instruits. » Jacqueline de Romilly

La France est de tradition catholique, mais les autres communautés religieuses ont leurs lieux de culte dans les grandes villes. Certaines ont développé un réseau associatif d'entraide qui réunit des personnes de même religion ou de même langue.

D'autres associations, non confessionnelles, ont une mission d'accueil et d'information pour toutes nationalités et toutes cultures. Ce sont aussi des espaces d'échanges et de rencontres pour élargir son cercle de relations à la française.

329

Accueils des villes françaises (AVF)

Plus de 350 villes ont une permanence AVF qui comme leur nom l'indique accueille les nouveaux résidents pour leur faciliter la découverte de la région et la rencontre avec ses habitants. Rendez-vous sur le site www.avf-accueil.com, sinon demandez à la mairie l'adresse la plus proche de votre domicile.

« Pour moi, l'AVF a été un oasis dans la dune où je me trouvais. » Norioko (Japon)

« On m'a prise en main, consolée parfois, et… j'ai tant ri après. » Jasmine (Afrique du Sud)

« Avec mon pauvre français hésitant, et leur français bien arti-culé, nous avons échangé quelques mots de présentation et je me suis rendue compte que je trouverais les réponses nécessaires aux »comment« de la vie française. Je me souviens que j'ai souri tout le long du chemin en rentrant chez moi. » Cecilia (Canada)

Héliotropisme

« Les hommes sont comme les plantes, qui ne croissent jamais heureusement, si elles ne sont bien cultivées. » Montesquieu

Les botanistes le savent, toute transplantation est un déracinement qui nécessite de *faire son trou*, autrement dit se faire une place. Ainsi, avant de devenir arbres des villes, les arbustes séjournent-ils au jardin d'acclimatation pour y être fertilisés jusqu'aux premiers signes de reprise des racines.

À l'évidence, ce détour métaphorique s'applique aussi à la transplantation des hommes, des femmes et des enfants qui, comme l'héliotrope, le nom savant du tournesol, regarderont naturellement vers la lumière pour s'épanouir.

Qui était Gustave Beonickausen ?

Le Français d'origine étrangère le plus célèbre! Venue d'Allemagne, la famille *Bœnickhausen* échangera légalement ce nom en 1879 contre *Eiffel*, le nom de sa région d'origine près de Cologne. Gustave Eiffel est né le 15 décembre 1832 à Dijon. Il aura avec Marie, sa femme, 5 enfants et il meurt à Paris en 1923, à 91 ans.

Le dimanche 31 mars 1889 à 13 h 30, Gustave Eiffel gravit 1 710 marches pour déployer à 300 mètres d'altitude le drapeau tricolore. La Tour Eiffel sera le clou de l'Exposition universelle. Cette année-là naissent mon grand-père, Charlie Chaplin et Adolf Hitler. C'est la IIIe République.

C'est Émile Nougier et Maurice Kœcchlin, ingénieurs des Ateliers d'Eiffel qui ont imaginé les premiers plans de cette audacieuse idée. Le 18 septembre 1884, Gustave Eiffel déposera en son nom le brevet d'invention d'un *« pylône métallique d'une hauteur pouvant dépasser 300 mètres »*. Il signera avec le préfet de police de Paris, Eugène Poubelle, le contrat de construction de la Tour qui illustrera une France déjà industrielle et une République dynamique au cœur d'une Europe monarchique.

Autour d'Alexandre Dumas fils et de Guy de Maupassant, l'opposition est vive : « Nous venons, écrivains, peintres, sculpteurs, architectes, amateurs passionnés de la beauté jusqu'ici intacte de Paris, protester de toutes nos forces, de toute notre indignation, au nom du goût français méconnu, au nom de l'art et de l'histoire français menacés, contre l'érection, en plein cœur de notre capitale, de l'inutile et monstrueuse Tour Eiffel. »

Construite pour vingt ans, son utilité scientifique (météorologie, émetteurs radio et TV…) sauve la Tour Eiffel qui sera classée *monument historique* en 1964. Aujourd'hui, elle a sa réplique en modèle réduit à Las Vegas et la *Dame de fer* illuminée, chantée, peinte, sculptée est le monument le plus connu de tous. Symbole de Paris, elle fait de la France le pays le plus visité du monde. Cet incroyable meccano géant scintille les dix premières minutes de chaque heure, de la tombée de la nuit jusqu'à 2 h du matin. Scintillement, style diamant, il est passé au rouge écarlate pour saluer le Nouvel An chinois en 2004 et au bleu saphir, le 9 mai 2006, en hommage à la Journée de l'Europe.

« La Tour appartient à la langue universelle du voyage. »
Roland Barthes

« Je ne me flatte pas de vous faire comprendre la France. J'ignore si je la comprends moi-même. Je n'essaie pas de la comprendre, parce qu'elle ne m'en laisse pas le loisir, elle m'emporte avec elle dans sa grande aventure. » Georges Bernanos

Dates-clés en France

« Les dates sont des ponctuations intéressantes. »
Pierre Perret

Des événements, des hommes et des innovations ont marqué l'histoire de France au fil des siècles.

Voici des dates qui comptent et, en contrepoint, des dates qui se racontent.

1100-150 av. JC Les Celtes en Gaule

58-51 av. JC Conquête de la Gaule par les Romains

52 av. JC Victoire de Jules César sur Vercingétorix à Alésia

Haut Moyen Âge – Moyen Âge

Conquête de la Gaule par les Francs

465-511 Clovis, roi des Francs (481), est baptisé par saint Remi en 498 à Reims. Le peuple franc donne son nom à la *France*

732 Charles Martel triomphe des Arabes près de Poitiers

800 Charlemagne est couronné Empereur d'Occident

842 Charles et Louis, petits-fils de Charlemagne prêtent *le Serment de Strasbourg* qui scelle leur alliance contre leur frère Lothaire. C'est sans doute le premier texte écrit en français mais aussi en allemand.

1066 Guillaume le Conquérant, duc de Normandie, devient roi d'Angleterre

1096 Première croisade vers Jérusalem – 1270 : huitième et dernière croisade

1163-1345 Construction de Notre-Dame de Paris

1214-1270 Louis IX, dit *Saint Louis*, roi de France (1226)

1257 Fondation de l'*Université de la Sorbonne* par Robert de Sorbon

1337-1453 *Guerre de cent ans* qui oppose la France à l'Angleterre

1412-1431 Jeanne d'Arc, héroïne de la Guerre de cent ans, est brûlée vive à Rouen

Renaissance

1494-1547 François Ier, roi de France (1515)

1491-1557 Jacques Cartier, explorateur, est surnommé le *découvreur du Canada*

1494-1553 François Rabelais, moine, médecin et écrivain (*Pantagruel, Gargantua…*)

1530 François Ier ouvre le Collège de France et fonde l'Imprimerie nationale

1539 François Ier signe l'ordonnance de Villers-Cotterêts qui rend obligatoire l'usage du français dans les actes publics au lieu du latin

1553-1610 Henri IV, roi de France (1572)

1562 1598 Guerres de religion (catholiques contre protestants : *Édit de Nantes,* 1598)

Période moderne

1596-1650 René Descartes, philosophe et savant. Le 8 juin 1637 *le Discours de la méthode pour bien conduire sa raison et chercher la vérité dans les sciences* est publié en français

1606 Publication du premier dictionnaire en langue française

1606-1684 Pierre Corneille, poète dramatique (*le Cid*)

1613-1700 André Lenôtre, architecte et initiateur du *jardin à la française* (Versailles, Sceaux…)

1619-1683 Jean-Baptiste Colbert développe le commerce international et l'industrie (création des manufactures de Saint-Gobain, des Gobelins…)

1621-1695 Jean de La Fontaine, auteur des *Fables… de La Fontaine*

1622-1673 Molière, auteur dramatique (les *Précieuses ridicules*, l'*École des femmes*, le *Misanthrope*, le *Médecin malgré lui*, l'*Avare*, *Tartuffe*) ; il meurt quelques heures après sa représentation du *Malade imaginaire*, le 17 février 1673

1635 Création de l'Académie française

1639-1715 Dom Pérignon a donné son pétillant au champagne

1639-1699 Jean Racine, poète dramatique (*Andromaque*, *Les Plaideurs*)

1638-1715 Louis XIV, roi de France (1651) dit Roi-Soleil fait construire le Château de Versailles, haut lieu de l'art classique français

1682 Cavelier de La Salle descend le Mississipi et découvre les terres qu'il nomme Louisiane (vendue par Napoléon en 1803)

1689-1755 Montesquieu, écrivain (*Les Lettres persanes*)

1694-1778 Voltaire (François-Marie Arouet) écrivain (*Lettres philosophiques, Candide…*)

XVIIIᵉ Siècle des Lumières : de Diderot à Condorcet… les philosophes et les savants sont des maîtres à penser qui luttent pour le droit à la liberté et au bonheur

1713 11 avril : traité d'Utrecht rédigé en français, reconnu comme langue diplomatique au lieu du latin

1754-1793 Le dauphin Louis (futur Louis XVI) épouse Marie-Antoinette (1770). Roi en 1774, il est guillotiné le 21 janvier 1793, place de la Concorde, Marie-Antoinette le 16 octobre 1793.

1757-1834 La Fayette, ami de Benjamin Franklin, soutient la guerre d'indépendance américaine (1784) et joue un rôle dans la Révolution française (commandant de la Garde nationale).

1783 4 juin : les frères Montgolfier font voler un ballon à plus de 1 000 m dit « la montgolfière »

De la Révolution au Consulat (1789-1804)

1789 7 février : cahiers de doléances
printemps : élections des représentants aux états généraux
14 juillet : prise de la Bastille

4 août : abolition des privilèges et du système féodal

26 août : l'Assemblée constituante adopte *la Déclaration des droits de l'Homme et du citoyen*

1789 30 novembre : rattachement de la Corse à la France

1790 26 février : création des départements (les communes sont créées le 14 décembre 1789)

1790 14 juillet : *Fête de la Fédération*

1790-1832 Jean-François Champollion, égyptologue, décrypte le premier les hiéroglyphes, en traduisant la *pierre de Rosette*, trouvée par Bonaparte en Égypte en 1798

1791 Abolition de la torture, invention de la guillotine inspirée par Joseph Guillotin, médecin et député de Paris aux états généraux

• *Convention : 1792-1795*

1792 28 mai : abolition de la monarchie et proclamation de la République

1793 octobre : imposition du calendrier républicain créé par l'écrivain et homme politique Fabre d'Églantine jusqu'au retour au calendrier grégorien le 31 décembre 1805

1793-1795 Gouvernement révolutionnaire dit *la Terreur* qui suspend les libertés (Robespierre)

1794 4 février : abolition de l'esclavage dans toutes les colonies, rétabli par Napoléon en 1802 jusqu'en 1848

• *Directoire : 1795-1799*

1795 18 germinal de l'an III de la République : décret adoptant le *système métrique décimal* qui devient obligatoire le 1ᵉʳ janvier 1840

• *Consulat : 1799-1804*

1799 Coup d'État du 18 brumaire (13 décembre) : Bonaparte renverse le Directoire, se fait désigner Premier consul, Consul à vie (1802), puis se fait proclamer Empereur des Français le 2 décembre 1804

1799-1850 Honoré de Balzac, écrivain, auteur de la *Comédie humaine*

1800 14 février : Bonaparte crée la fonction de préfet nommé à la tête des départements

1802-1885 Victor Hugo, écrivain et homme politique

Premier Empire (1804-1814)

1804 21 mars : promulgation du *Code civil* ou *Code Napoléon* qui fixe les principes de la propriété, de l'héritage et du mariage. Promulgation du *Code pénal* 28 avril 1810

1804-1893 Victor Schœlcher, homme politique, lutte contre l'esclavage dans les colonies (décret d'abolition de l'esclavage le 27 avril 1848 qui sera commémoré chaque année le 10 mai)

Restauration (1814-1830)

1814-1824 Louis XVIII, frère de Louis XVI, instaure une monarchie constitutionnelle en 1814

1809-1852 Louis Braille crée l'alphabet pour les non-voyants, dit *alphabet Braille,* fait en points saillants qu'il adapte également aux chiffres et aux notes de musique.

1816 Nicéphore Niepce invente la photographie

1824-1830 Charles X (dernier roi de France)

1821-1867 Charles Baudelaire, poète romantique *(Les Fleurs du mal)*

1821-1880 Gustave Flaubert, écrivain qui fit scandale avec *Madame Bovary*

1822-1895 Louis Pasteur, biologiste, découvre le vaccin contre la rage et invente le procédé de conservation, la *pasteurisation*

Monarchie de Juillet (1830-1848)

1830-1848 Louis-Philippe Ier (roi des Français)

1841-1925 Clément Adler, ingénieur, réalise le 9 octobre 1890 le premier vol de l'histoire de l'aviation à bord d'*Éole*, engin inspiré de l'anatomie des oiseaux.

1843 La reine Victoria vient rencontrer Louis-Philippe au Château d'Eu (Normandie) : « *l'entente cordiale* » sera scellée en 1904

IIe République (1848-1852)

1848 25 février : proclamation de la République par Lamartine après l'abdication de Louis-Philippe face au soulèvement des insurgés parisiens

1848-1852 Louis-Napoléon Bonaparte : Président de la République

1849 1er janvier : premier jour d'utilisation du timbre poste

Second Empire (1852-1870)

1851 2 décembre : coup d'État de Louis-Napoléon Bonaparte proclamé empereur des Français sous le nom de Napoléon III (1852-1870)

1852 Création du *Bon Marché* par Aristide Boucicaut, le premier grand magasin parisien

1852-1870 Paris est divisé en 20 arrondissements suite aux grands travaux du baron Haussmann

1854-1891 Arthur Rimbaud, poète (*Le Bateau ivre, Illuminations*)

1861 Julie Daubié est la première femme française à obtenir le baccalauréat, elle a 37 ans

IIIe République (1871-1940)

1870 4 septembre : début de la Guerre franco-allemande – invasion de la France, défaite de Sedan et chute du Second Empire : l'Alsace et la Lorraine sont annexées par l'Allemagne jusqu'en 1919

1871 (18 mars-27 mai) : *La Commune de Paris*

1881 16 juin : Jules Ferry, ministre de l'Instruction publique, institue l'instruction obligatoire, laïque et gratuite entre 6 et 13 ans. La loi Guizot en 1833 impose la construction d'une école publique élémentaire dans chaque commune. En 1850, la loi Falloux rend aussi obligatoire la création d'écoles de filles

1881 30 juin : liberté de réunion, 29 juillet : liberté de la presse

1884 21 mars : loi autorisant la constitution des syndicats

1884 4 juillet : la France offre aux États-Unis la statue de la Liberté lors du centenaire de leur indépendance.

1889 31 mars : inauguration de la Tour Eiffel

1893 Instauration du certificat de capacité à la conduite automobile : le *permis de conduire*

335

1894-1906 *Affaire Dreyfus* – Alfred Dreyfus, officier français de confession israélite et d'origine alsacienne, est condamné à tort d'espionnage au bénéfice de l'Allemagne. En 1898, la lettre ouverte *J'accuse* d'Émile Zola, publiée dans le journal *l'Aurore,* crée un élan d'intellectuels contribuant à sa grâce et à sa réhabilitation.

1895 Louis et Auguste Lumière inventent le cinéma. Première projection le 28 décembre à Paris.

1900 Inauguration de la première ligne de métro à Paris pour l'Exposition universelle

1900-1944 Antoine de Saint-Exupéry, aviateur et écrivain disparu en mission, auteur du *Petit Prince*

1901 1er juillet : loi autorisant la liberté d'association

1901 Décret imposant l'immatriculation des véhicules roulant à plus de 30 km/h.

1902 Pierre et Marie Curie découvrent le radium (prix Nobel de physique).

1903 Juillet : premier Tour de France cycliste

1905 9 décembre : loi de séparation des Églises et de l'État

1906 Loi instituant le repos hebdomadaire pour les salariés

1909 25 juillet : Louis Blériot, ingénieur et aviateur, effectue la première traversée de la Manche.

1910 Janvier : Paris est inondé, on circule en barques dans les rues.

1914-1918 Première guerre mondiale (l'Allemagne déclare la guerre le 3 août 1914, l'armistice est signée le 11 novembre 1918 à Rethondes (60). De février à décembre 1916, la bataille de Verdun, un des affrontements les plus meurtriers du conflit, dure près de 300 jours.

1914 Instauration de l'impôt sur le revenu

1915 10 septembre : Maurice et Jeanne Maréchal crée le *Canard enchaîné* pour défier la censure

1919 28 juin : signature du *traité de Versailles* – traité de paix entre les Alliés et l'Allemagne

1921 Création du parfum *Chanel Nº 5* par Ernest Beaux. Gabrielle Bonheur-Chasnel qui se nomme *Coco Chanel* et est surnommée

Mademoiselle, crée *la petite robe noire* en 1926

1924 Unification des programmes d'enseignement pour les filles et les garçons

1926 Décret instituant la fête des mères. Le régime de Vichy l'inscrit au calendrier. La loi du 24 mai 1950 la fixe au dernier dimanche de mai. La fête des pères a été créée en 1952

1936-1937 Le Front populaire (gouvernement de Léon Blum, chef du Parti socialiste) institue la semaine de travail de 40 heures et 2 semaines de congés payés par an (*accords de Matignon*)

1937 1er mai : pour la première fois le jour de la fête du travail est chômé et payé.

1938 Création de la SNCF (Société nationale des chemins de fer français)

1939 3 septembre : déclaration de guerre à l'Allemagne (seconde guerre mondiale)

État français (1940-1944)

1940-1944 État français à Vichy (maréchal Pétain)

1940 18 juin : appel à la résistance du général de Gaulle sur les ondes de la BBC à Londres

Juin : *France libre* puis gouvernement provisoire de la République française

Gouvernement provisoire de la République (1944-1947)

1944 6 juin : *jour J* (opération *Overland*) débarquement des alliés en Normandie pour libérer la France et l'Europe.

1944 21 avril : ordonnance signée par le général de Gaulle à Alger autorisant le vote des Françaises (premier vote le 29 avril 1945 pour des élections municipales).

1945 8 mai : capitulation de l'Allemagne

1945 4-11 février : Conférence de Yalta. Roosevelt, Churchill et Staline partagent l'Allemagne et le monde entre les États-Unis et l'Union Soviétique. Cette *guerre froide* sévira jusqu'à la chute du *mur de Berlin* (9 novembre 1989).

1945 4 octobre : création de la Sécurité sociale

1945-1975 Les *Trente Glorieuses*, 30 ans de croissance économique

IVe République (1947-1958)

1946 8 avril : nationalisation de l'électricité et du gaz en France (EDF-GDF)

1947 Annonce du plan Marshall (aide économique des États-Unis pour la reconstruction de l'Europe ravagée par la guerre) ; création de l'Organisation européenne de coopération économique (OECE) pour coordonner l'aide

1947 Christian Dior crée la mode New Look. Le concept de *prêt-à-porter* apparaît en 1949.

1948 10 décembre : les Nations Unies adopte la *Déclaration universelle des Droits de l'Homme*

1949 Création du Conseil de l'Europe (46 pays dont les 25 pays de l'Union européenne)

1949 29 juin : premier journal télévisé français. La première émission en couleur sera diffusée le 1er octobre 1967.

1949 La *2 CV* Citroën, fabriquée jusqu'en 1990, est le symbole de la voiture pour tous.

1950 Création du SMIG (salaire minimum interprofessionnel garanti) qui devient le SMIC en 1970 (Croissance au lieu de Garanti).

1950 9 mai, à 18 heures, salon de l'Horloge, quai d'Orsay à Paris, Robert Schuman, ministre des Affaires étrangères, dans un discours inspiré par Jean Monnet, annonce la volonté de la France et de l'Allemagne de créer ensemble une Europe pacifique.

1952 Albert Schweitzer, médecin, musicien et missionnaire, reçoit le prix Nobel de la paix

1953 Création du magazine *l'Express*, du Livre de poche et de la cocotte minute

1954 10 avril : loi instaurant la TVA

1954 Guerre d'Algérie jusqu'aux Accords d'Évian le 18 mars 1962 (indépendance de l'Algérie le 5 juillet)

1954-1959 René Coty : Président de la République (élu le 23 décembre 1953, investi le 7 janvier)

1957 25 mars : les six pays fondateurs (Allemagne, Belgique, France, Italie, Luxembourg, Pays-Bas) signent le *traité de Rome*, acte de naissance de la Communauté économique européenne (CEE)

1958 1er juin : Le général de Gaulle est président du Conseil

1958 28 septembre : Les Français approuvent, par référendum, la *Constitution de la Ve République*

Ve République

1959-1969 Le général de Gaulle, premier Président de la Ve République

1959 6 janvier : ordonnance prolongeant la scolarité obligatoire jusqu'à 16 ans

1959 Octobre : René Goscinny lance le premier épisode des aventures d'*Astérix*

1960 Accession à l'indépendance des États d'Afrique sous tutelle française

1960 Instauration du nouveau franc (1 franc = 100 anciens francs)

1960 L'OCDE (Organisation de coopération et de développement économiques) dont le siège est à Paris remplace l'OECE créée en 1948

1965 le 1er janvier : arrivée de Kenzo, il est le premier styliste japonais établi en France

1966 Le Président sénégalais Léopold Sédar Senghor propose la *« constitution d'une communauté spirituelle des nations qui emploient le français »* : la francophonie. André Malraux crée l'Agence de coopération culturelle et technique (ACCT)

1967 Légalisation de la contraception (loi Neuwirth)

1968 Mai : mouvement contestataire étudiant et ouvrier. *Les Accords de Grenelle*, signés le 27 mai au ministère du Travail, rue de Grenelle, fixent notamment la semaine de travail à 40 heures et aboutissent à une hausse générale des salaires.

1968 René Cassin, président de la Cour européenne des Droits de l'Homme, reçoit le prix Nobel de la paix.

1969-1974 Georges Pompidou, Président de la République

1972 10 mai : le jour de repos scolaire passe du jeudi au mercredi

1974-1981 Valéry Giscard d'Estaing (VGE), Président de la République

1974 5 juillet : la majorité civique passe de 21 ans à 18 ans

1975 17 janvier : loi Veil autorisant l'interruption volontaire de grossesse (IVG)

1975 Instauration du divorce par consentement mutuel

1970 Élection du premier Parlement européen élu au suffrage universel. Il sera présidé par Simone Veil

1975 Roland Moreno dépose le brevet de la carte à puce, carte à mémoire électronique

1979 24 décembre : lancement de la première fusée Ariane

1981-1995 François Mitterrand, Président de la République (double septennat)

1986-1988 et 1993-1995 : période de cohabitation entre un Président de gauche et un gouvernement de droite

1981 9 octobre : abolition de la peine de mort

1981 27 septembre : circulation du premier TGV entre Paris et Lyon. 1989 : TGV Atlantique. 2001 : TGV Méditerranée

1982 Loi Deferre sur la décentralisation

1982 21 juin : création de *la Fête de la musique* ; événement dupliqué par 120 pays en 2006

1982 Instauration de la 5e semaine de congés payés

1983 Luc Montagnier et son équipe de l'Institut Pasteur découvrent le *virus HIV* du sida

1983 Loi sur l'égalité professionnelle entre hommes et femmes.

1985 Coluche crée les *Restos du Cœur*

1988 Création du RMI (revenu minimum d'insertion)

1989 Bicentenaire de la Révolution, centenaire de la Tour Eiffel.
Inauguration de la *Pyramide du Louvre* et de *la Grande Arche de La Défense*

1990 13 juillet : la loi Gayssot réprime tout propos raciste, antisémite ou xénophobe

1992 « La langue de la République est le français » : un principe inscrit dans la Constitution

1993 Avec le traité de Maastricht, l'Union européenne (UE) remplace la CEE

1994 6 mai : inauguration du tunnel sous la Manche et du premier *Eurostar* Paris-Londres

1994 La loi Toubon assure la primauté de l'emploi de la langue française

1995 Claudie Haigneré est la première femme française dans l'espace à bord de la station Mir

1995 Ouverture du pont de Normandie

1995 Jacques Chirac est le 5e Président de la Ve République

1997-2002 : période de cohabitation entre un Président de droite et un gouvernement de gauche

1998 Vote de la loi sur les 35 heures de travail hebdomadaires

1999 15 novembre : instauration du PACS (pacte civil de solidarité)

2000 6 juin : loi sur la parité homme et femme donnant un égal accès aux mandats électoraux

2000 24 septembre : referendum approuvant la réduction du mandat présidentiel à 5 ans

2002 1er janvier : suppression effective du service national (service militaire)

2002 1er janvier : l'euro est la monnaie unique pour 300 millions d'Européens. Suppression du franc

2002 Élection de Jacques Chirac, pour un second mandat présidentiel de 5 ans

2004 Ouverture du viaduc de Millau

2004 15 mars : la loi interdit tous les signes religieux ostensibles à l'école publique

2004 1er mai : élargissement de l'Union européenne à 25 pays

13 juin 2004 : élection des 732 députés du Parlement européen (78 représentent la France)

2005 29 mai : la ratification du traité constitutionnel européen par referendum est rejetée par 51 % des votants en France)

2006 24 juillet : loi sur l'immigration qui vise à mettre en place une immigration « choisie »

Crédits photographiques

Avions civils sur l'aéroport Charles de Gaulle, près de Paris
Photo : ADP, p. 17.

Tour Eiffel (Paris)
Photo : Frédéric de La Mure/MAE, p. 21.

Foule devant les vitrines de Noël des grands magasins (Paris IXᵉ)
Photo : Frédéric de La Mure/MAE, p. 73.

Photo : Éric Audras, p. 101.

Photo : Éric Audras, p. 163.

Photo : Christian Zachariasen, p. 191.

Le rayon charcuterie dans une grande surface d'Île-de-France
Photo : Frédéric de La Mure/MAE, p. 211.

Marché parisien : étal de fruits et légumes
Photo : Claude Stefan/MAE, p. 223.

Cour d'une école primaire
Photo : Éducation nationale, p. 249.

Crèche (Paris)
Photo : Frédéric de La Mure/MAE, p. 253.

École maternelle (Paris)
Photo : Frédéric de La Mure/MAE, p. 260.

Sortie du lycée Ampère de Lyon (Rhône, région Rhône-Alpes)
Photo : Frédéric de La Mure/MAE, p. 264.

*Chercheuse « culture in vitro » au Département d'écophysiologie végétale
et microbiologie du CEA-Cadarache (région Provence-Alpes-Côte-d'Azur)*
Photo : Frédéric de La Mure/MAE, p. 275.

Le jardin des Tuileries (Paris)
Photo : Frédéric de La Mure/MAE, p. 295.

Le Penseur, *Musée Rodin (Paris)*
Photo : Frédéric de La Mure/MAE, p. 304.

Joueur de pétanque à Biarritz (Pyrénées-Atlantiques, région Aquitaine)
Photo : Frédéric de La Mure/MAE, p. 305.

Le parc Astérix, dans l'Oise (Île-de-France)
Photo : Parc Astérix, p. 310.

Char à voile sur la plage de Saint-Malo (Bretagne)
Photo : Frédéric de La Mure/MAE, p. 312.

Le marathon de Paris (6 avril 2003)
Photo : Claude Stefan/MAE, p. 321.

*Façade de maison basque à Saint-Jean-de-Luz (Pyrénées-Atlantiques,
région Aquitaine)*
Photo : Frédéric de La Mure/MAE, p. 323.

Index

A

B

D

E

F

347

Imprimé en France par EMD S.A.S. – 53110 Lassay-les-Châteaux
N° d'imprimeur : 16385 – Dépôt légal : octobre 2006